À Ahmed
mon frère culturel!
de toujours —
17/10/02

La stratégie de l'autruche

Du même auteur

Le travail industriel contre l'homme?, Alger, ENAL/OPU, 1986.

Les sciences de la gestion et les ressources humaines, Alger, ENAL/OPU, 1986.

Méthodologie des sciences sociales et approche qualitative des organisations, Montréal et Québec, Presses des HEC/Presses de l'Université du Québec, 1987.

Algérie: entre l'exil et la curée, Paris, L'Harmattan, 1989.

Traditional Management and Beyond: A Matter of Renewal, Boucherville, Gaëtan Morin Éditeur, 1996.

A Administração entre a Tradição e a Renovação, São Paulo, Atlas S.A., 1996.

La administración: entre tradición y renovación, 3e éd., Cali, Universidad del Valle, 2000.

Le management entre tradition et renouvellement, 3e éd. mise à jour, Boucherville, Gaëtan Morin Éditeur, 1999.

La pedagogia y la administración, Medellin, EAFIT, 2000.

La metodología y la aproximación cualitativa de las organisaciones, Cali, Colombie, Univalle/Artes Grafica, 2001.

Economía y organización: estrategia del avestruz racional, Calí, Colombie, Artes Grafica del Valle, 2001.

En collaboration

La rupture entre l'entreprise et les hommes, Montréal et Paris, Éditions Québec Amérique/ Éditions de l'organisation, 1985.

The Symbolism of Skill, Trento, Quaderno 5/6, Departemento di politica sociale, Université de Trento, 1985.

Le comportement des individus et des groupes dans l'organisation, Boucherville, Gaëtan Morin Éditeur, 1986.

La culture des organisations, Québec, IQRC, 1988.

Développer l'organisation: perspectives sur le processus d'intervention, Boucherville, Gaëtan Morin Éditeur, 1989.

Individu et organisations: les dimensions oubliées, Montréal et Paris, PUL/ ESKA, 1990.

Organizational Symbolism, Berlin et New York, Walter de Gruyter, 1990.

Vers l'organisation du XXIe *siècle*, Québec, PUQ, 1993.

In Search of Meaning, San Francisco, Jossey-Bass, 1995.

La quête du sens, Montréal, Éditions Québec Amérique, 1995.

Le modèle québécois de développement économique, Québec, Éditions Inter-Universités, 1995.

Understanding Management, Londres, Sage Publications, 1996.

D'espoir et d'éducation, Montréal, Les Intouchables, 1996.

Éducation et démocratie, entre individu et société, Montréal, Isabelle Quentin, 1999.

Organisations Entwiclung, Konzepte, Strategien, Fallstudien, Stuttgart, Klett-Cotta, 2000.

Le management aujourd'hui, Paris et Montréal, Économica/PUL, 2000.

Omar Aktouf

La stratégie de l'autruche

Post-mondialisation, management et rationalité économique

Préface de Federico Mayor-Zaragoza

Postface de Ramon Cercos
et Abdelkarim Errouaki

Révision : Nathalie Freitag et Marie-Claude Rochon

Typographie : Sébastien Bouchard

Illustration : Dave Landry

Coordination de la production : Marie-Claude Rochon

Maquette de la couverture : Nicolas Calvé

C.P. 32052, comptoir Saint-André
Montréal (Québec) H2L 4Y5
Canada

Dépôt légal : 3e trimestre 2002
ISBN 2-921561-67-0

Données de catalogage avant publication (Canada)

Aktouf, Omar

La stratégie de l'autruche : post-mondialisation, management et rationalité économique

Comprend des réf. bibliogr.

ISBN 2-921561-67-0

1.Mondialisation. 2. Rationalité économique. 3. Révolution industrielle - Aspect économique. 4. Histoire économique - 21e siècle. 5. Économie d'entreprise. 6. Gestion d'entreprise. I. Titre.

HF1418.5.A48 2002 337 C2002-941336-2

Nous remercions le Conseil des Arts du Canada de l'aide accordée à notre programme de publication.

Nous reconnaissons l'aide financière du gouvernement du Canada par l'entremise du Programme d'aide au développement de l'industrie de l'édition (PADIE) pour nos activités d'édition.

Nous remercions enfin la SODEC pour son soutien financier.

TABLE DES MATIÈRES

Remerciements

Le Groupe humanisme et gestion de l'École des hautes études commerciales (HEC) de Montréal, sous la direction de mon ami de toujours, Alain Chanlat, a été un des forums qui a le plus alimenté la pensée, les questions et les argumentations qui animent le présent livre. Par les conférences et les séminaires qu'il organise, il m'a donné l'occasion, notamment, de rencontrer les plus profonds et les plus prestigieux penseurs du moment en matière de liens entre économie, management et société, et de débattre de ces questions avec eux. Il a également appuyé financièrement divers aspects logistiques de la préparation de ce livre.

Le Centre d'études en administration internationale (CETAI) ainsi que la Direction de la recherche de l'École des HEC de l'Université de Montréal ont très directement contribué à la réalisation de ce livre. Je tiens à remercier ses directeurs successifs, MM. André Poirier, Alain Lapointe et Alain Chanlat, ainsi que Mme Sylvia Tolédano, M. François Leroux et M. Fernand Amesse, pour leur confiance et leur soutien. Merci aussi à MM. Michel Patry, Henri Barki, et Mme Sylvie Saint-Onge, directeurs successifs du service de la recherche de l'École des HEC-Montréal. Je tiens à remercier très particulièrement mon fidèle et estimé ami le Dr Karim Errouaki pour l'immédiate grande confiance qu'il a placée dans ce travail, et qui a eu l'amabilité, avec M. le sénateur Ramiro Cercos que je remercie du fond du cœur, de m'écrire une postface qui me touche et m'honore. Je voue une gratitude toute spéciale, sachant ses innombrables occupations, à M. Federico Mayor-Zaragoza, ancien directeur général de l'Organisation des Nations Unies pour l'éducation, la science et la culture (UNESCO) et acteur éminent sur la scène intellectuelle, politique et humanitaire européenne et mondiale, de m'avoir fait l'insigne honneur et la grande amitié de me rédiger une préface si pleine d'encouragements.

Je tiens à remercier le plus chaudement le Dr Pascal Petit du CEPREMAP de Paris qui a eu la bonté d'organiser un séminaire de présentation du contenu de ce livre en présence d'éminents collègues qui ont bien voulu donner leur avis et commenter ce travail, en particulier: MM. Armand Hatchuel de l'École des Mines de Paris, Marc Humbert de l'Université de Rennes et membre fondateur du projet de réflexion critique international sur l'économie, le projet PEKEA, et Jean-François Chanlat de l'Université Paris-Dauphine.

Mes amis, étudiants et fidèles assistants, Mehran Ebrahimi et Miloud Chennoufi, ont toute ma reconnaissance pour la grande intelligence et la conscience professionnelle dont ils ont fait preuve, sans compter, dans chacune des tâches que j'ai eu à leur confier pour enrichir ce livre.

Comment exprimer tout ce que je dois à l'immense travail de clarification et de refonte d'ensemble qu'a effectué avec brio Mme Nathalie Freitag ? L'énorme implication dont elle a fait preuve, la profondeur et la pertinence de ses remarques auraient pu en faire une quasi-coauteure ! Un énorme merci pour tant d'engagement et de cœur !

Enfin, mes plus chaleureux remerciements vont à ma grande complice et collaboratrice, Martine Lefebvre, pour son méticuleux travail de saisie, sa vigilance et son infinie patience.

Préface

C'est la nuit qu'il est beau de croire à la lumière.
Edmond Rostand

À l'heure où se produisent des événements aussi effroyables que ceux du 11 septembre 2001 aux États-Unis et de Jenine ou de Gaza en Palestine, menaçant, peut-être pour très longtemps, jusqu'à l'idée même d'ordre mondial, de démocratie, de développement et de paix, à l'heure où, sur le terrain politique, les extrêmes droites et les nouveaux fascismes menacent partout où l'on veut conserver pour soi une part de plus en plus grandissante et injuste des richesses mondiales, à l'heure où les extrémismes et les fanatismes vont jusqu'à l'immolation, bien des idéologies nationalistes ou religieuses montrent les fruits amers de l'ignorance, de l'exclusion et de la misère.

À l'heure où sur le terrain des affaires économiques et financières de la planète se produisent des scandales aussi énormes que ceux que nous ont fait vivre des firmes « mondialisées », à l'heure où des continents et des pays entiers, aussi riches et dotés en ressources que l'Afrique, l'Indonésie, l'Argentine, etc., sombrent de plus en plus dans le chaos social, politique et économique, à l'heure où les profits des multinationales ne se font pratiquement plus que sur l'exploitation sauvage de la nature et l'exclusion cruelle de l'humain, à l'heure où se publient des livres aux titres aussi évocateurs que *L'Empire, stade suprême de l'impérialisme* de Antonio Negri et Michael Hardt, ou *La grande désillusion : la mondialisation ne marche plus* de Joseph Stiglitz [1], peut-on encore continuer de nier que l'humanité, avec sa façon d'utiliser les sciences et les techniques, de les assujettir aux lois de la finance — surtout de la part des pays les plus nantis et les plus puissants —, a sans doute raté l'essentiel pour préserver le minimum nécessaire à la survie du grand nombre et à la dignité de nos descendants ? Voilà ce dont j'exprimais moi-même les signes et les craintes dans *Los Nudos Gordianos* et dans *A World Ahead*. Dans ce sens, un livre tel que celui du professeur Omar Aktouf me paraît être un événement majeur.

Car c'est le moment précis, incontournable, de changer de cap, de se doter de codes de conduite à l'échelle mondiale acceptés par tous, d'éviter l'impunité qui aujourd'hui règne, y compris au-delà des frontières nationales. C'est le moment précis de redonner aux Nations Unies des moyens — et l'autorité — comme cadre global éthique et juridique. C'est le moment précis de transiter d'une culture de force et d'imposition à une culture de dialogue et de concertation, à une culture de la parole. Parler, parler, et encore parler, aux parlements, aux Chambres hautes et basses, dans les forums internationaux, aux conseils municipaux, etc. ; parler et débattre au lieu de se battre. Mais pour parler il faut être à l'écoute, et les interlocuteurs sont devenus si gigantesques qu'il est pratiquement impossible de se faire entendre. Les structures colossales publiques et privées représentent le grand défi de nos temps actuels : Comment en atteindre le sommet ? Comment leur dire notre message sans violence ? Comment les persuader qu'un autre monde est possible ? Seattle, Prague, Davos, Genova, Porto Alegre, etc. sont des pas importants sur le chemin de l'instauration de ces « pourparlers » essentiels à l'échelle mondiale. Mais pour éviter d'entamer une spirale de violence, ce sont à mon avis les « réseaux de réseaux » qui peuvent devenir les meilleurs outils à cet égard [2]. La voix de milliers, voire de millions de personnes, directement ou par le biais des ONG qui les représentent, peut se lever, comme une vague de grande portée, jusqu'à la hauteur des plus puissants leaders.

Voilà, dans le livre du professeur Aktouf, une œuvre qui me confirme, en l'explicitant sur plusieurs plans et axes majeurs, l'essentiel de mes propres analyses et, disons, de mes prémonitions, lorsque je me posais des questions à propos de mes propres activités en tant qu'homme politique, scientifique, citoyen de la Catalogne, de l'Espagne, de l'Europe, mais surtout et avant tout, citoyen du monde, et en tant que dirigeant d'une institution internationale comme l'Organisation des Nations Unies pour l'éducation, la science et la culture (UNESCO). Le professeur Omar Aktouf nous montre comment, en partant d'analyses serrées et quasi encyclopédiques des idées fondatrices en gestion et en économie, le vrai miracle aurait sans doute été que notre planète se porte mieux aujourd'hui !

Largement rejointe et appuyée par les plus récents propos et écrits du Prix Nobel Joseph Stiglitz qui parle de « raisonnements absurdes », de « fondamentalistes du marché » et de « meurtrière mondialisation néolibérale pour les pays pauvres », à propos de la façon dont a été conduite l'organisation de l'économie mondiale ces dernières décennies, la pensée du professeur Aktouf invite, même si son propos direct n'est pas là, avec grande justesse selon moi, à méditer sur le fait que le père spirituel — pour ainsi dire — des intentions et fondements des institutions de Bretton Woods, John Maynard Keynes, a été plus que trahi, pour le plus grand mal de la plus nombreuse partie de l'humanité : les pays pauvres et les pays en développement. Il ne faut en effet pas oublier que l'esprit qui a présidé à la constitution des instances de Bretton Woods en 1944 (Fonds monétaire international [FMI], Banque mondiale, Accord général sur les tarifs douaniers et le commerce [GATT], etc.) a été largement et directement inspiré par les idées keynésiennes, en vue d'une volonté de mise en ordre et de discipline des marchés, et aussi d'appui aux interventions — considérées alors comme nécessaires et salutaires — de l'État dans la régulation des affaires économiques. En 1945, après une guerre terrible (avec génocides, soldats-suicides, kamikazes, etc. qui offraient leur vie à l'Empereur, et non à Dieu), les États-Unis d'Amérique ont décidé d'être le lieu d'impulsion d'un mouvement visant un schéma démocratique mondial — avec l'Organisation des Nations Unies (ONU) et ses principes (« nous, les peuples ») — pour doter la planète d'une éthique concertée ; et un plan de développement, le Plan Marshall, pour faciliter la réhabilitation d'échanges pacifiques, guidés par l'esprit de la Déclaration universelle des droits de l'homme. Un meilleur partage du développement — moins inégal, plus endogène, durable et humain — devait être assuré par un programme spécifique : le Programme des Nations Unies pour le développement (PNUD). Paix, démocratie et développement forment un triangle interactif au centre duquel se situe l'éducation, le grand pilier pour bâtir (sur les savoirs et la créativité) un avenir plus équitable, plus sûr, plus stable.

Malheureusement, quand en 1989 le mur de Berlin s'est effondré, l'ONU a été mise de côté, et la formule « nous, les peuples » semble avoir été remplacée par « nous, les plus puissants ». Les États plus nantis ont décidé de transférer les responsabilités politiques à l'« économie de marché ». Les résultats étaient apparemment si bons à court terme que, en 1996, la foi en ce « marché » a été poussée à son paroxysme, jusqu'à des limites inattendues (et d'ailleurs inadmissibles) : on s'est mis à parler de « société de marché », de « démocratie de marché » !

Au fur et à mesure que les Nations Unies s'affaiblissaient, l'impunité supranationale, avec un échiquier mondial dominé par les G7 puis G8, était devenue une quasi-institution. Tandis que se multipliaient les trafics d'armes, de drogues, de personnes, de capitaux, s'instaurait la monstrueuse et impossible cohabitation entre démocraties locales et oligarchies internationales...

Aujourd'hui, comme l'écrit avec raison Stiglitz, Keynes se retournerait dans sa tombe s'il avait la moindre idée de ce que l'on a fait sur la base de sa pensée économique. Et le professeur Aktouf n'en dit pas moins lorsqu'il déplore la « triple trahison des révolutions économiques de la modernité », et lorsqu'il dénonce la trop abusive « analyse du côté de l'offre », d'abord de la dite « crise mondiale » et ensuite de la mondialisation et de sa conduite.

À mon sens, le plus grand des mérites de ce livre n'est pas là. Il est dans la capacité — profonde, multidisciplinaire et originale —

que l'auteur a su démontrer dans l'examen, mieux la dissection, de l'essentiel de ce qui fonde les pensées contemporaines dominantes en économie *et* en management. Comme l'écrivent mes amis le Dr Cercos et le Dr Errouaki en postface, le professeur Aktouf a tout simplement inauguré, avec cet ouvrage, un nouveau champ de recherche et de réflexion, auquel il *fallait* penser : tout le champ des liens entre pensée économique et pensée managériale. La seconde n'étant, à tout prendre et effectivement, que « le bras armé » (aujourd'hui mondialisé) de la première.

Et ce bras armé, bien sûr, est marqué du sceau de la conception américaine de la conduite des affaires ; ce n'est pas peu que de le dire, de le montrer et d'en décortiquer tous les effets pervers.

J'aimerais rappeler que le professeur Aktouf a d'abord, dans un précédent livre (une véritable somme de plus de 700 pages devenu un classique traduit en plusieurs langues, *Le Management entre tradition et renouvellement*), systématiquement et méticuleusement exploré *tout l'essentiel* de ce que la pensée dominante de type nord-américain en gestion pouvait offrir comme conceptions, pratiques et voies de solutions aux problèmes contemporains de conduites des affaires économiques. N'ayant pas trouvé, du côté du seul management, les réponses aux questions qu'il pose (dont la principale reste de savoir *pourquoi malgré les proliférations de diplômes et de diplômés en gestion, notre planète est-elle toujours aussi mal gérée*), le professeur Aktouf se tourne alors vers l'économie.

C'est ce que ce livre nous apporte, mais, hélas, l'auteur a dû là aussi admettre, amer constat, que la science économique « dominante » recèle bien plus de contradictions, d'énigmes, de dogmes, d'idées toutes faites, d'idéologies, d'emprunts épistémologiques injustifiables et de fuites dans l'abstraction que de réponses acceptables et scientifiquement fondées aux plus grands problèmes qui se posent à l'humanité d'aujourd'hui.

Le résultat et le mérite de ce travail sont non seulement d'avoir montré de façon difficilement réfutable que les discours des dites « sciences » de la gestion et de l'économie sont enfermés dans une forme d'autoproduction — reproduction désormais stérile mais aussi et surtout d'avoir ouvert la voie à quelque chose qui, à mon sens, manquait jusque-là dans le domaine des disciplines touchant aux affaires économiques, et que je n'hésiterais pas à qualifier de « pont » théorique entre le champ de l'économie et celui de la gestion. Il reste, bien entendu, beaucoup à défricher en ce sens, mais, je le crois sincèrement, le chemin est ici déjà tracé et bien tracé.

Cependant, que ne voilà un travail ardu ! Audacieusement, et avec grande compétence, le professeur Aktouf nous propose une relecture de l'économie-management à travers un fil conducteur dont l'originalité n'a d'égale que l'exigence et la profondeur intellectuelles : un fil qui conduit depuis Aristote jusqu'à la mécanique quantique et la thermodynamique, en passant par… Karl Marx ! Il faut être capable d'assumer une telle audace.

On ne peut dire que l'auteur ne le fait pas. Sa lecture aristotélicienne, marxienne, puis thermodynamique des conceptions, évolutions, pratiques et contradictions de l'économie-management peut laisser plus d'un songeur… Mais nul ne pourrait, je crois, sérieusement rester indifférent devant les défis conceptuels et scientifiques auxquels on est ici invité.

Bien sûr, bien des reproches pourraient être faits à un tel ouvrage. On ne peut sans parfois sourciller un peu, adhérer à l'ensemble de ce que l'auteur développe. Bien des aspects mériteraient les uns un peu plus de rigueur, de démonstrations plus dûment documentées, référencées, chiffrées, les autres un peu moins de prises de position personnelles. Certes, et, dirais-je même, heureusement et tant mieux ! Car plusieurs débats sont ainsi ouverts et incitent à réactions.

C'est là un autre des mérites de ce livre : il invite à questionner, à réfuter, à soulever des objections ; il provoque, il met au défi, et c'est très bien ! Les chemins de réflexion qu'il nous convie à emprunter sont, à mon avis, parmi les plus prometteurs de ces dernières années en la matière.

Par ailleurs, voici un livre qui offre un fascinant voyage académique à travers les temps, les civilisations, les disciplines. Il invite en particulier à traverser, à croiser et à entrecroiser, bien des aspects des traditions intellectuelles orientales et occidentales. C'est là un travail, dans le domaine ici abordé au moins, qui restait à faire. Le professeur Aktouf offre une belle ouverture, concrète et précise, à un dialogue des civilisations, ce qui a toujours été une de mes grandes préoccupations, que ce soit à l'UNESCO ou ailleurs.

En tant que biochimiste et intellectuel concerné par ces problèmes, j'ai particulièrement été frappé par le chapitre développant les liens entre l'économique et la thermodynamique. Comme l'a montré Ilya Prigogine, Prix Nobel de chimie, les grands axes des lois de fonctionnement de la nature peuvent s'appliquer à la sociologie et à l'art de « décider à temps ». La conclusion, en ce sens, du professeur Aktouf à une sorte « d'impossibilité thermodynamique » de la logique de la croissance et du profit maximalistes (dans le cadre d'un « marché » dogmatiquement élevé par le courant mondialiste néolibéral au rang de force agissante et quasi pensante, décidant, régulant et ordonnant notre monde — presque — à notre place), n'est pas sans rappeler les propos de Joseph Stiglitz, ni sans donner à ceux-ci un nouvel éclairage et une nouvelle perspective d'analyse. Voilà un débat ouvert, enfin, entre physique, management et économie ! Débat certes bien complexe, mais à mon avis combien nécessaire et riche de promesses.

Il reste, bien entendu, la fort délicate question des « solutions ». Mais comme le dit l'auteur lui-même, et je ne crois pas qu'il ait tort : tout d'abord, qu'appelons-nous « solutions » ? Dans quel cadre de pensée ? Dans quel type de conception de l'ordre économique mondial ? De l'économique tout court ? Et ensuite parmi les solutions, qui soit existent déjà (telles que les diverses solutions de rechange au modèle financier à l'américaine), soit peuvent être raisonnablement envisagées, lesquelles auront le bonheur d'être acceptées par les puissances qui dominent le jeu économique et gestionnaire mondial ?

Comme le souligne avec indignation Joseph Stiglitz dans *La grande désillusion*, confirmant encore une fois les propos du professeur Aktouf, une bonne dose d'« hypocrisie » et d'intérêts égoïstes des milieux affairistes des pays les plus nantis empêche d'envisager sérieusement toute solution hors la tenace et bien commode conception néolibérale qui fait du « marché » le suprême concepteur et ordonnateur — voire, le responsable — de tout, même de l'inconcevable.

Cela n'empêche cependant nullement l'auteur du présent livre d'offrir des propositions de « solutions » qui ne manquent ni de réalisme ni de fondements. Découlant tout à fait logiquement des analyses et raisonnements conduits tout au long de l'ouvrage, ces propositions de solutions vont depuis la façon de concevoir une nouvelle et plus équitable « mondialisation », jusqu'aux conceptions, pratiques et enseignements en gestion pour le futur.

Dans *Un monde nouveau*[3], j'ai moi-même proposé quatre nouveaux « contrats » : un contrat social pour redresser la situation présente et les tendances globales observables ; un contrat naturel ou environnemental pour assurer la qualité écologique léguée à nos descendants ; un contrat culturel pour sauvegarder la diversité — cette belle richesse de l'humanité ; et un contrat moral pour assurer la conservation des grandes valeurs communes — cette irremplaçable force propre de l'humain. Ces quatre contrats devraient mener à un « plan global de développement endogène », où l'éducation pour tous et tout au long de la vie représenterait la pierre angulaire. Une éducation pour devenir des citoyens d'un « monde-village global » capables de participer et d'agir en accord avec nos propres réponses à nos problèmes, nos propres réflexions, notre propre démesure créatrice, notre espoir.

Connaître en profondeur la réalité pour pouvoir la transformer. Apprendre les leçons du passé mais avoir en permanence à l'esprit la vision de l'avenir. Le passé ne peut pas être corrigé. Il a déjà été écrit. Nous pouvons le décrire, seulement. Par contre, nous pouvons écrire le futur. Un futur à visage humain. Oui : un autre monde est possible. Sans violence, sans autre force que la parole et l'imagination pour contrecarrer l'inertie et tisser une belle étoffe multicolore pour rassurer une humanité confrontée au souffle froid des nouveaux égoïsmes. Rien n'est possible sans espoir. La nuit, sans espoir, on ne voit guère les étincelles de la vie.

Pour conclure, je crois pouvoir affirmer que le professeur Aktouf nous livre à temps, n'ayons pas peur des mots, un encyclopédique travail de réflexion approfondie, qui jette une nouvelle et salutaire lumière sur ce *grand froid social et économique* que nous vivons. Nous avions grand besoin d'un tel travail, qui nous fait mieux saisir les raisons et conséquences de ce qu'on peut très justement dénommer — et les événements et scandales récents ne font que le confirmer —, « une grave dérive de type *business economics* et étroitement financière » de la noble et vénérable science économique.

Reconnaître cette dérive et ses dramatiques retombées, mieux en comprendre les sources et les méandres, et s'atteler sans délai à la tâche d'imaginer des moyens pour en sortir, voilà, en vérité, ce à quoi invite ce travail courageux, consciencieux, méticuleux et militant.

Federico Mayor Zaragoza
Ancien directeur général de l'UNESCO
Madrid, juin 2002

Notes

1. Ancien vice-président de la Banque mondiale et Prix Nobel d'économie.
2. Voir UBUNTU, The Word Forum Of Networks, <www.ubuntu-upc.es>.
3. En collaboration avec Jerome Binde.

Avertissements

Il n'existe aucun processus ni problème économique qui ne puisse être formulé en langage clair et mis à la portée du lecteur cultivé et intéressé.

John Kenneth Galbraith [1]

L'ensemble de ce livre est en grande partie matière retravaillée à partir de nombreux articles soumis, depuis environ cinq ans, à diverses revues liées au domaine de l'économie et du management, autant en Europe qu'en Amérique du Nord. Tous, sans exception, ont été rejetés et, souvent, immédiatement renvoyés par retour de courrier après simple examen préliminaire de la part des chefs de rédaction. Or, ce n'était pas le cas pour les nombreux articles où je m'attachais surtout à déconstruire et à reconstruire le management « traditionnel » et à décortiquer les bases de modèles différents ou « renouvelés » : les textes systématiquement refusés sont ceux dans lesquels je m'essaie à critiquer plus en profondeur les fondements mêmes du système dominant; et je ne peux qu'en conclure à une inquiétante, sournoise et grandissante frilosité intellectuelle devant la pensée critique, de la part des revues du domaine.

Il convient cependant de clarifier un certain nombre de points importants pour une meilleure compréhension de la démarche de ce livre.

Chacun pourrait se demander ce que peut bien apporter un énième livre portant sur la mondialisation, ses conséquences, ses tenants et ses aboutissants lorsque, déjà, le sujet est au bord de la saturation. Ce que, en toute humilité, mais aussi avec une certaine certitude de praticien de première ligne, je prétends apporter avec cet ouvrage, c'est une autre façon d'interroger notre ordre économique dominant: en le mettant en parallèle constant avec son inséparable *bras armé*, le *management*. Bras armé devenu tout aussi *mondialisé* que la cause idéologique et théorique qu'il sert.

La première grande problématique que je pose est contenue dans l'énoncé même du titre: il s'agit désormais, crois-je, de parler non plus de *mondialisation* mais de *post-mondialisation*. Le Prix Nobel d'économie et ancien haut dirigeant de la Banque mondiale, Joseph Stiglitz, n'en dit pas moins dans l'argumentation développée dans son livre publié au printemps 2002, intitulé, non sans évidente raison, *La grande désillusion*[2] et sous titré de façon encore plus suggestive: *Aujourd'hui la mondialisation ça ne marche pas!* Comment, alors, continuer encore à parler, comme le font certains milieux y compris ceux dits « de gauche » — critiquant ceux qu'on traite d'anti-mondialistes —, d'espoir d'« humaniser » ou d'« apprivoiser » la mondialisation?

Le fait est que nous avons déjà largement subi les effets de ce qui est dénommé mondialisation, chose — dans sa conception dominante — dépassée, sinon à dépasser au plus vite. De l'Éthiopie à la Nouvelle-Zélande, le Mexique et l'Argentine, en passant par la quasi-déroute russe après 15 années de « capitalisme », jusqu'à l'Afrique en plein chaos, il n'est pas un pays — hors les déjà nantis — qui se soit sorti avec quelque avantage que ce soit de près de 30 ans d'application de mesures dites de « libre commerce » et d'« adaptation » à la mondialisation. Les mégascandales sans précédents qui aboutissent à ces gigantesques effondrements en chaîne de ce que l'on désignait il y a encore peu comme des fleurons de la nouvelle économie mondialisée: les Enron, Tyco, Nortel, World Com, Xerox, Vivendi, Andersen, Waste Management, etc.[3], et les faillites de pays entiers comme l'Argentine, sont pour moi les témoins d'un double désarroi qui ne tardera pas à devenir létal pour l'humanité entière si l'on ne prend pas des mesures radicalement différentes, voire révolutionnaires, par rapport à toutes nos façons de penser l'économique jusqu'à maintenant — et, donc, le politique et le managérial :

- à l'échelle microéconomique (la façon de penser la manière de gérer les firmes) : on en est à ne plus savoir que faire, sinon trafiquer ouvertement les comptes et mentir au public pour maintenir sous oxygénation artificielle un système complètement moribond, celui lié à ce que j'appelle la financiarisation à outrance de l'économie ;
- à l'échelle macroéconomique (la façon de penser l'ordre économique national et international) : on en est à ressortir, malgré les échecs flagrants et les faillites de toutes les mesures d'inspiration néolibérale, les mêmes conceptions éculées des vertus des « marchés libres », de la compétitivité, de la privatisation des services publics, de la baisse des dépenses de l'État et de l'impôt, et du « rattrapage économique » (ce qui se cache en réalité derrière le tout dernier accord, le Nouveau partenariat pour le développement de l'Afrique [NEPAD], défendu par quatre chefs d'États africains lors du sommet du G8 au Canada en juin 2002).

Ce désarroi masque une ignorance, ou pire, un aveuglement criminellement reconduit, devant l'inanité plus qu'avérée d'une conception managérialo-économique qui ne fonctionne plus qu'à coups de « comptabilités créatives » (ce qui en dit long sur les valeurs et les mœurs de celles et ceux qui dirigent les plus grandes firmes de la planète, et qu'on continue, souvent, à présenter dans le public et les écoles de gestion comme des leaders-héros), et d'appauvrissement-surexploitation exponentielles des plus pauvres et de la nature.

Ce double niveau de désarroi est fort bien exprimé, d'un côté, par ce titre hallucinant d'absurdité en page économique du journal *Le Monde* (29 juin 2002) : « La croissance se raffermit, la hausse du chômage se poursuit » et, d'un autre côté, par les récentes déclarations du chef de l'État de Grande-Bretagne, Tony Blair, qui songe à utiliser les forces armées combinées — à l'échelle des pays européens ! — pour endiguer les flots de miséreux qui tentent de traverser la Méditerranée du sud vers le nord. Tout cela témoigne d'un refus, conscient ou non, mais désormais quasi criminel, de voir que:

1. raffermissement de croissance et hausse de chômage sont — normalement — totalement incompatibles et mutuellement exclusifs, *sauf si on acceptait l'idée que l'économie peut n'être plus que robots et ordinateurs, vaste casino, pure spéculation et manipulations financières*;
2. flux migratoires et misères des peuples du Sud ne peuvent être résolus par des mesures de guerre et des idées belliqueuses: *ceci ne profite qu'aux marchands d'armes* et ne fera, au contraire, que creuser les fossés, qu'aggraver la pauvreté et que renforcer l'absence de démocratie dans les pays du tiers-monde.

Car à quoi d'autre peut bien s'attendre M. Aznar, chef de l'État espagnol, en proposant au dernier sommet européen de l'été 2002, que *soient sanctionnés les États africains qui n'arrivent pas à contrôler la fuite de leurs populations*, sinon à un renforcement des comportements policiers et anti-démocratiques, au sein même de ces États? Sans parler de l'accroissement des dépenses d'armements, de l'augmentation des forces de répression, un véritable cercle vicieux infernal!

Nous verrons ce qu'on peut croire être le fondement et l'explication de tout cela en détail le temps venu, mais ce n'est certainement pas pour rien que le même Joseph Stiglitz[4] parle de *raisonnement absurde*, en traitant de la façon dont les affaires de l'économie mondialisée ont été menées sous la houlette, entre autre, du Fonds monétaire international (FMI) et de toutes les instances et conceptions farouchement néolibérales.

Or, si « raisonnement absurde » il y a donc eu depuis trois décennies en la matière, il convient de s'interroger profondément sur les raisons de cette absurdité et les façons de s'en sortir ou de les dépasser: c'est ce que j'appelle la *post-mondialisation*. Si ce terme veut dire quelque chose pour moi, c'est avant tout que l'avenir bien pensé de notre planète ne peut plus, décemment, relever des mêmes catégories de pensée que celles qui ont présidé à la conception classique de ce qu'on appelle *mondialisation* ou *globalisation*, telles que conduites jusque-là: ni zones dites de libre-échange, ni mesures d'ajustements du FMI, ni déréglementations, ni privatisations tous azimuts, ni réduction du rôle économique des États, ni « mises à niveaux » pour la *compétitivité* planétaire, ni politiques déflationnistes et étroitement monétaristes, ni, encore moins, mesures d'organisation du commerce mondial telles que menées par l'Organisation mondiale du commerce (OMC) ! Voyons quelques chiffres et faits bien édifiants à ce propos[5] :

- Durant les 10 dernières années, les 5 % les plus pauvres de la population mondiale ont perdu près de 25 % de leurs revenus réels, tandis que ceux des 5 % les plus riches ont augmenté de 12 %.
- Sur 100 $ générés par l'exportation mondiale, 97 vont aux plus nantis et 3 aux plus démunis.
- Pour chaque dollar versé en « aide » aux pays pauvres, deux sont perdus à cause des effets d'un commerce totalement inéquitable (prix payés aux producteurs toujours en baisse) : cette inégalité coûte 100 milliards de dollars aux pays pauvres par an.
- Si les parts d'exportations de l'Afrique, de l'Asie de l'Est et du Sud, de l'Amérique latine augmentaient de seulement 1 %, c'est 130 millions de personnes qui sortiraient immédiatement de la pauvreté.
- Une hausse de 1 % des exportations de l'Afrique générerait 70 milliards de revenus : cinq fois les montants de l'aide et de la réduction de la dette réunis.
- Les 40 % de la population mondiale ne représentent que 3 % du commerce mondial.
- La taxation imposée par les nantis aux produits provenant des pays pauvres est quatre fois plus élevée que pour les produits échangés entre eux.
- L'Afrique perd 50 cents pour chaque dollar reçu en « aide » à cause de la chute des prix de ses exportations.
- Les prix du café ont chuté de 70 % depuis 1997 ; coût pour les pays pauvres : 8 milliards de dollars.
- Les pays nantis dépensent 1 milliard de dollars par jour en subventions agricoles ; les surplus sont exportés sur les marchés

mondiaux, réduisant d'autant, chaque jour, les prix mondiaux et les revenus des agriculteurs du tiers-monde.

- Durant les années 1990, les pays riches ont augmenté la valeur de leurs exportations de 1938 $ par habitant, contre 51 $ pour les pays pauvres.

Quel avenir a donc notre planète avec une telle conception de la globalisation des échanges et du commerce ? Comme l'écrivait l'un des plus grands économistes du XXe siècle, John Maynard Keynes : « *les véritables prix économiques devraient être fixés non pas au niveau le plus bas possible, mais à un niveau suffisant pour permettre aux producteurs de subvenir à leurs besoins*[6] ».

La mondialisation telle que souhaitée par les dominants de l'échiquier économique planétaire agonise aussi sous les coups mortels des faillites de nations entières, des banqueroutes et mégafusions de géants économiques, si ce n'est des scandaleux traficotages financiers et comptables, et ce, de Enron à Arthur & Andersen, en passant par Nortel, BCE, Vivendi... La dérive quasi maffieuse du capitalisme financier est en train de tuer ce qu'il reste de solvabilité et de demande effective partout où les assises d'exploitation de pays et de marchés plus faibles ne sont plus possibles : les pays dits nantis, l'Europe de l'Ouest, l'Amérique du Nord, le Japon, etc., ne basent plus le maintien de leur niveau de vie que sur le chômage, la pollution et la misère que l'on retrouve — pour l'instant — « ailleurs ». De quelle mondialisation parle-t-on lorsque près de 80 % du commerce mondial se fait entre multinationales et filiales de multinationales ? Et surtout lorsque, comme l'a annoncé Alcatel, la tendance est de plus en plus aux firmes « sans usines », c'est-à-dire à la délocalisation débridée et déréglementée (dénommée « flexibilité ») tablant sur la possibilité démultipliée d'exploiter comme jamais des mains-d'œuvre infiniment fragilisées ? Cela s'appelle passer du groupe (ou firme) de production de services et d'utilités de l'économie réelle à la position de holding financier, dont le seul but est de multiplier partout l'argent pour l'argent, coûte que coûte. Ne se souciant ni d'emploi, ni de bien-être de la société, ni, encore moins, de sauvegarde de la nature.

Et tout cela a une arme et un bras armé: la financiarisation de l'économie et son *modus operandi*, le management à l'américaine.

C'est là la deuxième problématique que je pose ici: les formations en management à l'américaine sont en train de tout usurper sur le terrain de la compréhension, de l'explication et de l'action en termes d'affaires économiques, voire politiques. Il s'agit là d'un glissement de première importance puisqu'il fait passer pour « économique », sinon « politico-économique », un discours qui n'est *finalement que financier et managérial, c'est-à-dire axé sur le business et l'argent*. Ce discours accompagne directement celui des instances régulatrices de notre planète: Banque mondiale, FMI, OMC, etc., dont le jargon est saturé de conceptions des affaires humaines venant directement de la pensée managériale à l'américaine. Ainsi, les États doivent-ils se rendre « efficaces » (comprendre en rigoureux équilibre budgétaire, sinon rentables). Comme l'entreprise privée, ils doivent appliquer des principes de « saine gestion »... La politique économique doit suivre des impératifs de *compétitivité, d'avantages compétitifs*, mesurés en retours sur capitaux investis. La financiarisation de l'économie est présentée comme le *nec plus ultra* de la pensée économique en soi. Voilà, à mon sens, l'essence même de la dérive néolibérale qui a fait aboutir l'humanité — c'est ce que ce livre essayera d'étayer — à des cauchemars tels que le chaos argentin, la détresse de l'Afrique, jusqu'aux événements du 11 septembre 2001 aux États-Unis. Car enfin, comment interpréter autrement que comme un virage radicalement et résolument « management-*business* » la tournure du discours politique américain dès l'avènement de l'ère Bush fils ? Autant dans les actes[7] que dans les paroles, l'Administration américaine donnait à entendre au monde entier que, dorénavant, les États-Unis se replieraient plus que jamais sur eux-mêmes, adopteraient plus que jamais le credo néolibéral dans toute sa sauvage rigueur, et ne considéreraient plus la planète que comme une arène de *business* (c'est là l'unique sens que l'on peut donner à « intérêts vitaux ») : tout endroit où les milieux d'affaires américains ont de l'argent à faire sera considéré comme un quasi-territoire américain. Toutes autres considérations devenant secondaires sinon nulles, à commencer par l'aide aux pays pauvres et les règlements de conflits lancinants comme ceux du Moyen-Orient. Ce fut, en fait, l'annonce du triomphe de la « *business*-managérialisation » du monde [8], sous couvert d'être les champions du néolibéralisme.

Voilà en quoi je suis totalement en accord avec les avertissements que ne cessent de donner des Jacques Généreux [9] et d'autres éminents économistes : *ce que l'on nous présente comme du néolibéralisme est en fait, soit de l'anti-libéralisme, soit de l'ultra-libéralisme*, au sens où son esprit s'inscrit soit contre, soit bien au-delà du libéralisme. Car en effet, le *libéralisme*, en son sens originel, est exprimé par la philosophie qui a présidé à la création des institutions de Bretton Woods (Banque mondiale, FMI, Accord général sur les tarifs douaniers et le commerce [GATT]) : tenter par divers mécanismes, dont la parité fixe en termes d'équivalent or du dollar, d'instaurer un certain ordre et un certain degré de *contrôle-stabilité* sur les marchés mondiaux. Décréter la dictature débridée du seul marché au-dessus de tout et de tous ne peut sûrement pas procéder de la même philosophie !

Ce n'est donc pas, on ne saurait assez insister sur ce point, *l'économie, la science économique ou la pensée économique en soi* qui est ici visée par la large critique en profondeur que je propose dans ce livre. C'est bien plus une certaine dérive, *visible dans son aspect le plus pernicieux surtout en terres américaines,* avec les glissements successifs vers le néomonétarisme et l'économie libertaire de type « École de Chicago » (qui a connu ses plus grandes heures de gloire avec Ronald Reagan), jusqu'à ce que l'on dénomme « *business economics* » et ce que je désigne par la financiarisation presque totale de la pensée économique. La *dérive* est donc à la fois différente mais « contagieuse » par rapport à ce qui se passe en Europe. Je m'explique : en Europe, une tradition tenace maintient encore les aspects sociaux et la place de l'État à un niveau presque central au sein du discours économique et politique (c'est pour cette raison que l'on parle d'Europe sociale, alors que l'on n'a jamais entendu parler d'Amérique sociale dans aucun projet d'union ou de libre-échange touchant ce continent). En Europe, et pour le moment, les écoles et facultés d'économie ne sont pas inféodées au *business*. Cependant, à l'instar de ce qui se passe sur le continent américain, le discours de l'économie est de plus en plus récupéré, réduit et transfiguré par le discours du *business* : les postes de hautes responsabilités et de hautes décisions sont de plus en plus confiés, que ce soit dans les secteurs privés ou publics, à des détenteurs de ce diplôme, considéré comme la clé de voûte de toute forme de gestion qui se veut « efficace » : le *Master of Business Administration* (MBA) et ses innombrables clones ou dérivés [10]. Rappelons qu'à l'image de ce que fait la Harvard Law School (ancêtre indirect, sous bien des aspects, de la célèbre Harvard Business School) ce diplôme est obligatoirement de second cycle (ou post-graduation), qui ne peut être entrepris qu'après des études de premier cycle en un autre domaine (génie, droit, économie, sciences sociales, médecine, etc.) et, très souvent, plusieurs années d'expérience de travail à des niveaux de direction, de préférence dans le *business* privé.

C'est ainsi que la logique de rentabilité de type *business* s'est mise à pénétrer toutes les sphères de la vie politique et sociale, et à absorber l'essentiel de ce que « science économique » en Amérique du Nord veut dire. Culminant avec, choses que l'on verra en détails plus loin, la conception « mondialisée » à la Michael Porter de la « compétitivité des nations », où l'État et les nations sont, en gros, réduits à ne plus être que des espaces de déploiement du *business* et de stratégies, pour l'essentiel, financières.

Les discours dits économiques qui s'y font entendre (hors quelques bastions, qui font figure de combattants d'arrière-garde, tels que ceux défendus par des John Kenneth Galbraith, Robert L. Heilbroner et autres Robert Reich ou Lester Thurow) et, par ricochet, politiques, ne sont plus que *business economics* (il n'est qu'à voir le nombre de transfuges du *business* privé qui se retrouvent dans les gouvernements des États-Unis et du Canada depuis deux décennies). Et le discours de la *business economics* est un discours qui réduit toute la pensée économique à, essentiellement, deux dimensions : 1. la gestion du capital et de sa fructification, la finance ; et 2. la gestion mathématisée des organisations (dérives économétriques qui aboutissent à tout vouloir modéliser et simuler sur ordinateurs, jusqu'à la gestion du personnel).

Ainsi, une tenace mythologie entoure l'ensemble des enseignements en gestion en Amérique du Nord: la mythologie du pouvoir scientifique, exact, neutre, *mathématique*, décliné à partir des enseignements de la finance et de la *business economics* vers les autres matières, depuis la gestion de la production, de la stratégie, jusqu'à celle des « ressources humaines ». À l'instar de l'économétrie — qui, en soi, prend bien des précautions avec ses hypothèses préalables, avec sa façon d'user de la mathématique, avec ses recours aux modélisations et aux simulations, avec les présupposés induits par les algorithmes utilisés, etc. —, toutes les autres disciplines de toute école de *business* qui se respecte aujourd'hui *doivent* recourir à la mathématisation et aux simulations. D'ailleurs, ce sont les étudiants nord-américains eux-mêmes qui en redemandent. Formés (et sélectionnés) à peu près exclusivement sur la base de capacités mathématiques *per se*, et terriblement démunis en termes de culture générale et d'« humanités », ils sont pour la plupart déroutés dans un cours considéré comme sans épine dorsale, c'est-à-dire qui n'a pas de simulation informatique, de modèles quantitatifs, d'indicateurs statistiques, etc. à proposer pour appuyer ce qui est enseigné [11]. Donc, depuis la stratégie corporative jusqu'au marketing, en passant par la production, la finance et les ressources humaines, il n'est pratiquement pas de cours, en écoles de gestion, qui ne s'appuient sur des modélisations et des simulations informatisées sans avoir — y compris du côté des enseignants! —, le plus souvent, aucune idée du genre d'algorithmes utilisés [12].

En bref, il est clair que la science économique, en Amérique du Nord, a tout abdiqué — du moins dans les discours officiels — à la *business economics* et à la financiarisation de l'analyse économique. Usant et abusant sans retenue ni scrupules des artifices mathématiques et statistiques, pour prétendre se présenter sous un jour objectif et scientifique.

Cet aspect de la dérive économique est encore peu prégnant ou connu en Europe, parce que les MBA et les mythes qu'ils charrient n'y sont pas, pour le moment, aussi présents. Les bastions de la « vraie » économie [13] y sont cependant isolés dans leurs centres de recherches et écoles, pendant que la *business economics* commence à prendre d'assaut les milieux de la politique et des affaires par la pénétration insidieuse et énergique des formations de type MBA. De grands organes de presse français se sont mis à s'en inquiéter dès le tournant du siècle, comme *Le Monde Diplomatique* (novembre 2000) qui constate, parlant des institutions traditionnellement fournisseuses des élites décisionnelles de France : « Sciences Po et l'ENA [École nationale d'administration] deviennent des *business schools.* » Déplorant ce qu'il appelle « la privatisation des élites politiques françaises », ce même journal constate : « les grandes écoles se voient concurrencées et menacées par le modèle de formation de type MBA américain »...

L'hebdomadaire l'*Express* (7 décembre 2000) renchérit : « les écoles [françaises] évoluent et s'adaptent [...] en suivant l'exemple des entreprises ». Le vocabulaire même utilisé par les directions des grandes écoles le montre, indique le magazine : « fusionner est nécessaire pour atteindre une taille critique » ; « la concurrence est de plus en plus vive » ; « il s'agit de créer une marque pour se différencier », et de fusionner à tour de bras, y compris, est-il précisé, avec des écoles étrangères, mais toujours en se dirigeant vers le même but, soit offrir à tout prix une formation de type américain avec l'appellation incontournable de « MBA ». Même les noms des écoles s'anglicisent tandis que plusieurs offrent 50 % ou plus de leurs cours en langue anglaise, ainsi : ESC Lyon est devenue « École de management Lyon » ; ESC Reims, « Reims management school » ; l'ESSEC, « Essec management school » ; ESC Rouen, « Rouen school of management », etc.

Le quotidien *Le Monde* (26 septembre 2002) constate à son tour : « l'offre éducative se mondialise [et] est largement dominée par les États-Unis [...] 80 % des contenus proviennent d'outre-Atlantique ». Le quotidien s'inquiète aussi — et surtout — de ce que les enseignements en ligne sur Internet profitent déjà largement aux institutions américaines dont des représentants, comme la Wharton School et le Massachusetts Institute of Technology (MIT), offrent des programmes accessibles jusqu'en Chine, et qui, bien évidemment, sont autant de véhicules pour « imposer les conceptions politiques et sociales » à l'américaine.

La financiarisation de la conception des affaires économiques et l'hégémonie de la pensée de type *business* même sur le social et le politique sont à mon avis les tenants d'une seule et unique logique, logique gravement réductrice qui tend à tout transformer en marchandise et à tout vouloir conduire sur le mode de fonctionnement de l'entreprise privée. Les formations de type MBA sont les fers de lance de la généralisation de ce genre de conception et de logique.

Je suis de plus en plus persuadé que l'entrée de l'humanité dans le XXIe siècle appelle un changement radical dans ces façons de concevoir notre monde et d'y agir. Cette conviction ne tient pas à un quelconque millénarisme, mais à l'évidence que bien des choses ne peuvent plus continuer indéfiniment à être ce qu'elles sont aujourd'hui. La façon de raisonner au sujet des affaires économiques devra, en particulier, opérer un véritable saut quantique, si l'on veut que l'humanité traverse sans catastrophe majeure ne serait-ce que le premier quart du nouveau siècle.

Cet ouvrage s'attaque à des sujets parfois très ardus et complexes. C'est avec une audace assumée que je le fais. Car, pour moi, la question n'est désormais plus de s'attarder à savoir s'il est ou non valide, scientifiquement valable, démontré ou rigoureux de tenir tel ou tel propos dénonçant la dérive suicidaire vers laquelle la mainmise de la « pensée *business* » sur l'économique et le politique est en train de nous conduire, mais de songer à l'urgence de s'y attaquer, quitte à en exagérer certains traits, le plus élémentaire des « principes de prudence » nous y oblige dorénavant.

Il ne saurait, par ailleurs, être traité de problèmes complexes en termes toujours simples. C'est pourquoi je me permets de suggérer au lecteur qui se donnera la peine de me lire une sorte de mode d'emploi de ce livre :

– Les spécialistes et initiés peuvent aller et venir directement d'un chapitre à l'autre, les matières en sont suffisamment indépendantes.

- Ces mêmes spécialistes peuvent consulter plus systématiquement les notes et renvois (parfois assez consistants, devant l'ambition de cet ouvrage), souvent destinés à nuancer ou à préciser des points relevant de débats plus spécialisés.
- Les lecteurs néophytes relativement aux diverses disciplines abordées pourront se contenter de lire le texte principal qui, je l'espère, aura su mettre à la portée du plus grand nombre un fil conducteur pluridisciplinaire permettant de mieux comprendre ce qui nous arrive en ce début de XXIe siècle, pour nous être laissés envahir par le réductionnisme de ce que je dénomme l'économie-management.

Notes

1. *Voyage dans le temps économique*, p. 14.
2. Paris, Fayard, 2002.
3. Tyco : dissimulation de 8 milliards de dollars américains de pertes, suite à des acquisitions douteuses, afin d'augmenter la valeur des actions. Baisse de capitalisation boursière de 92 milliards de dollars américains en 2002. Siège social aux Bermudes.

   World Com : falsification de 3,85 milliards de dollars américains, et annonce de 18 000 licenciements. Siège social aux Bermudes.

   Waste Management : falsification financière de 1 milliard de dollars américains.

   Vivendi-Universal : revenus de l'entreprise artificiellement gonflés d'un montant de 3,5 milliards d'euros. Endettement actuel de 40 milliards de dollars américains. Le PDG, Jean-Marie Messier, « démissionné » par son CA, réclame 12 millions de dollars américains en prime de séparation (huit siècles de SMIG français !), l'impunité pénale totale, la conservation pour six mois de son luxueux triplex de Park Avenue à New York, de sa super-limousine avec chauffeur, de son jet privé.

   Xerox : manipulations comptables de l'ordre de 3 milliards de dollars américains pour afficher des profits plus élevés.

   Enron : falsification des comptes et camouflage de pertes de 2,1 milliards de dollars américains. Les dettes accumulées ont conduit à sa faillite, tandis que le salaire de son PDG, K. Lay, s'élève à 103 millions de dollars américains, en plus des options sur actions de 49 millions… Les employés, eux, ont perdu toutes les sommes versées à leur caisse de retraite, et ont touché 13 500 $ en indemnités (les dirigeants ont touché 775 millions de dollars en salaires et primes pour 2001). Thomas White, actuel secrétaire à l'Armée de terre dans l'Administration Bush et ancien haut cadre chez Enron, a reçu tout près de 2 millions de dollars américains en salaire et compensations pour 2001, et 15,1 millions en options sur actions.
4. *Le Monde Diplomatique*, avril 2002.
5. Voir le *Rapport Oxfam 2002 : Pour un commerce équitable, deux poids deux mesures*, Oxfam (site Internet <www.maketradefair.com>).
6. « The International Control of Raw Material Prices », *Collected Writings of J. M. Keynes*, London, Macmillan, 1980, vol. XXVII.

7. Parmi les toutes premières décisions prises par G. W. Bush, figuraient l'ouverture de parcs naturels de l'Alaska à l'exploration pétrolière, le bombardement de l'Irak, le retrait des accords de Kyoto, le retrait de l'aide (qui plafonnait déjà à 0,1 % du PNB, contre 0,3 pour le Canada, par exemple) et de la présence américaine partout où l'Amérique n'a pas d'« intérêts vitaux », etc.

8. Il suffit de jeter un œil à la composition de l'équipe politique de G. W. Bush : de Dick Cheney à Condoleeza Rice en passant par le secrétaire d'État au commerce, l'Armée de terre, et Bush lui-même, le monde du *business* financiaro-pétrolier est plus que confortablement représenté.

9. *Les vraies lois de l'économie*, Paris, Éditions du Seuil, 2001.

10. Il existe tellement d'écoles qui délivrent ce diplôme, seulement aux États-Unis, que, d'après une étude publiée par l'hebdomadaire *Business Week* (semaine du 5 juillet 1993); au rythme auquel ce titre est distribué, on aurait, vers 2010, près de 70 % de la population américaine qui serait détentrice de ce diplôme !

11. Ainsi, une étudiante de 3e année s'est récemment indignée, après les premières lectures d'un cours de Sociologie et culture des organisations : « Il n'y a rien à comprendre ou à retenir là-dedans ; il n'y a aucune statistique ! Comment veulent-ils qu'on y croie ? »

12. Un étudiant m'a rapporté qu'ayant posé la question à un de ses professeurs de stratégie (cours qui utilise les simulations à très large échelle) il s'est vu répondre : « Ce sont des formules très compliquées élaborées par des experts, on n'a pas besoin de savoir en quoi elles consistent. »

13. Dans le sens défendu par des J. Généreux et autres Boyer, Petit, Beaud, Aglieta.

Prologue

En janvier 1999, le directeur général du très orthodoxe Forum économique de Davos déclarait être « outré » par les erreurs d'analyse et le mode d'action du Fonds monétaire international (FMI) qui, précisait-il, « *a transformé une crise tout à fait gérable en un désastre humain*[1] ». Il faisait là écho au président de la Banque mondiale qui invitait ses collègues du FMI à se soucier davantage des conséquences néfastes sur les plans social et humain de leurs prescriptions d'ajustements économiques (lors de l'assemblée générale qui réunissait le FMI et la Banque mondiale en octobre 1998, à Washington). Pour sa part, le directeur général du FMI avouait, devant les terribles secousses « en dominos » de la Russie, de l'Asie du Sud-Est, de l'Amérique latine, etc., que son institution avait « commis des erreurs de prévision », qu'il faudrait songer à « contrôler les mouvements de capitaux »...

Lorsque des responsables d'instances comme le Forum de Davos, et les dirigeants du FMI et de la Banque mondiale eux-mêmes, finissent par avouer des erreurs de calculs, de prévisions, de présupposés théoriques et d'actions, il n'est pas question de simples erreurs arithmétiques ou mathématiques : c'est beaucoup plus profondément une *vision du monde qui est en cause*, mais est-on prêt à en tirer les conséquences et à y faire face ?

Il n'y a désormais plus aucun doute (au moins dans le principe, sinon dans les mécanismes plus exacts du processus) sur la justesse de vue de Karl Marx lorsqu'il énonçait la fameuse loi de la *baisse tendancielle des taux de profit*[2] dans le capitalisme, comme la conséquence du processus de concentration des moyens de production et de mécanisation exponentielle découlant de la recherche du profit maximal. En effet, concentration et mécanisation se traduisent à long terme, de façon tout à fait contradictoire relativement aux objectifs poursuivis, par une augmentation des coûts de production, ce qui oblige le capital à compresser toujours plus le coût des autres facteurs de production, c'est-à-dire du travail et de la matière première, pour maintenir le profit. Cette théorie saisit parfaitement la dynamique économique à l'œuvre aujourd'hui, et il suffit pour s'en convaincre d'observer les difficultés sans cesse grandissantes que l'on a à maintenir les profits — sinon en générant, globalement, toujours plus de chômage, d'exclusion, de pauvreté, de précarité, de pollution. Comme le dit Bernard Maris : « Ce ne sont plus les profits qui créent de l'emploi, mais le chômage qui crée les profits[3]. »

Ce qui réalise une autre redoutable prophétie de Marx : le cheminement de la logique du capital vers une phase de paupérisation générale (la majorité de la population de la planète vit dans des conditions bien plus difficiles que celles qui prévalaient lors de la Grande Crise de 1929, et le tiers-monde, les pays de l'Est, ne font que sombrer toujours plus dans le chaos et l'appauvrissement[4]) et vers une phase de paupérisation du système capitaliste[5] lui-même, qui semble ne se maintenir à flot que par compressions massives et fusions en avalanche de conglomérats toujours plus gigantesques.

Qui oserait nier que nous connaissons aujourd'hui, à l'échelle de toute la planète, une conjonction explosive des trois phénomènes à la fois : baisse tendancielle des taux de profit, paupérisation générale et paupérisation du système capitaliste ?

Il n'y a aucun doute sur le fait que la révolution industrielle, puis la révolution postindustrielle de l'automatisation, ont toutes deux totalement manqué à leur promesse de générer un monde meilleur, plus équitable, plus confortable, plus démocratique, plus lumineux, plus rationnel pour tous, en remplacement des obscurantismes et injustices des systèmes précédents, depuis l'esclavage antique jusqu'au servage préindustriel[6]. Quant à la troisième grande révolution de l'économie de la modernité occidentale, celle dite de la nouvelle économie, de l'information, de la communication, elle ne semble rien devoir améliorer sur le plan de la justice sociale et des conditions de vie du plus grand nombre, comme nous le verrons. En outre, soumise dès son émergence à l'explosion d'une spéculation tous azimuts (dont l'intensité jamais vue doit d'ailleurs beaucoup aux nouvelles technologies), cette nouvelle économie est en train de connaître partout de cuisants revers : chutes successives du *NASDAQ* et de l'ensemble des titres des entreprises de ce secteur, entraînant des dizaines de milliers de mises à pied qui viennent s'ajouter aux centaines de milliers déjà provoquées par les secteurs primaire et secondaire[7]. Notons pour finir que ce tertiaire ne peut être générateur de « valeur excédentaire »[8], il ne peut donc pallier les échecs au niveau de l'économie productrice de biens.

Ce à quoi nous avons donc affaire, c'est à *une trahison trois fois reconduite de l'idéal humaniste issu de la Renaissance* (avec l'essor de l'idée de personne-individu et d'une certaine conception plus matérialiste-esthétique du bonheur et de la dignité de l'homme, en particulier), idéal qui était porté par le credo de 1789 : liberté, égalité, fraternité. Plus précisément :

- La révolution industrielle, à la fin du XIXe siècle, a abouti à tout sauf à une réduction des inégalités et des injustices sociales : même dans les heures les plus sombres du Moyen Âge n'a-t-on pas vu un fossé d'une telle ampleur entre maîtres et serviteurs, entre dirigeants et dirigés (il suffit de lire des auteurs tels que Zola, Engels, Braudel pour se rendre compte à quelle sauvagerie atteignait alors l'exploitation des plus faibles). À titre d'illustration, le règlement interne d'une vinaigrerie canadienne précisait, en 1880, *à la suite de la promulgation d'une loi de réduction des horaires de travail :* « la présence des employés n'est désormais plus nécessaire qu'entre 6 h du matin et 7 h du soir ; durant les mois d'hiver chaque employé devra apporter 4 livres de charbon par jour pour les besoins de chauffage [...] il est strictement interdit de parler [...] la prise de repas est maintenue mais en aucun cas le travail ne doit cesser

[...] ». Le tout se terminait par une ferme « *invitation à tous à produire davantage compte tenu de la réduction des horaires* ».

- Le point culminant de la deuxième révolution, celle de la mécanisation et du machinisme, qui se situerait autour des années 1970 avec la robotisation (révolution postindustrielle), voyait se réaliser le rêve de Herbert Simon, ce Prix Nobel du capital au pays des merveilles : l'*automated worker* et l'*automated middle manager* vont naître de ce terrible mariage entre l'argent et la science appliquée, dont l'objectif sera de *faire toujours plus avec toujours moins d'employés*. Le rêve séculaire du capital sera ainsi réalisé : mater et réduire sans appel cet endémique coût revêche, réfractaire, capricieux, revendicateur qu'est le salarié, en le remplaçant par ces inlassables et dociles producteurs que sont les machines, les robots et les ordinateurs[9]. Cela a conduit non pas à débarrasser les humains des tâches ingrates, simplistes, répétitives, comme on le promettait alors, mais tout simplement à la mise à la rue de cohortes de chômeurs. En moins de 20 ans, on est passé d'une situation de quasi plein emploi à plus de quarante millions de chômeurs dans les pays de l'Organisation de coopération et de développement économiques (OCDE). En conséquence, le travail ne vaut plus rien. Le salaire payé à l'ouvrier mexicain par les multinationales américaines, qui nourrissait trois personnes il y a moins de dix ans, n'en nourrit plus qu'une aujourd'hui, et péniblement. Avec, en ce début de XXIe siècle, près de trois milliards d'individus sur la planète qui vivent avec moins de deux dollars par jour, on ne peut certes pas dire que cette seconde révolution ait conduit à plus de justice sociale et d'égalité ! Mais on appelle toujours les retardataires à prendre toutes affaires cessantes le « virage technologique »...
- Enfin, la révolution de l'information, de la nouvelle économie, des nouvelles technologies, du savoir est déjà une trahison annoncée, car elle porte en elle d'entrée de jeu une *inégalité flagrante entre ceux qui produisent cette information et ceux qui n'en produisent pas*. Le rapport annuel du Programme des Nations Unies pour le développement (PNUD) (12 juillet 1999) indique que l'écart se creuse de façon dramatique entre

le Nord et le Sud, précisément à cause de la détention quasi monopolistique des technologies de l'information et de la génétique — alors que bien des gourous de l'économie-management n'ont cessé de prédire le contraire. Jamais les pays pauvres, relégués d'emblée au rang de récepteurs, ne seront capables de faire usage, dans une mesure significative, des informations reçues. Car on oublie que *l'information n'est pas et ne sera jamais, en soi, une ressource : ne devient véritablement ressource, fait économique réel, que ce qui peut s'ancrer dans l'économie concrète.* Ce n'est pas l'information sur l'élevage du poulet qui nourrira qui que ce soit, mais plus prosaïquement la capacité physique de disposer des matériaux, bâtiments, aliments, poussins, médicaments, générateurs électriques, pour produire de vrais poulets ! En second lieu (et les choses étant ce qu'elles sont, cela concerne davantage les pays du Nord), la « nouvelle économie » réclame, de plus en plus, du travail à temps partiel et de l'hyper-spécialisation à court terme et à obsolescence rapide. Ainsi doit-on s'appliquer, selon le discours ambiant et par la force des choses, à maintenir son *employabilité* et à développer les *capacités de créer son propre emploi* dès la sortie de l'école... Jamais le nombre d'exclus de la marche de l'économie mondiale n'a été aussi énorme. Jamais le pouvoir de chantage à l'emploi des entreprises n'a été aussi grand. Ce que résume parfaitement cette belle formule de Viviane Forrester : *à la crainte de l'exploitation succède aujourd'hui la honte et la hantise de ne même plus être exploitable*[10].

Cependant, il faut bien se rendre à l'évidence : il s'est trouvé bien des gens tout à fait heureux de cet état de choses, plus précisément les diverses classes qui ont pu, après les tyrans, les féodaux et les aristocrates, accaparer les pouvoirs économiques et politiques. L'échec des révolutions de l'économie moderne à tenir leurs promesses d'un avenir meilleur pour tous était le revers de leur propre succès ! Et quel succès ! Pensons aux fortunes astronomiques amassées par quelques familles : la fortune de la seule famille propriétaire de la chaîne Wal-Mart correspond au PNB entier d'un pays de deux cents millions d'habitants comme le Bangladesh ! Et celles des trois personnes les plus riches du monde, à la somme des PNB des 40 pays les plus pauvres, soit, sans doute, entre un et demi et deux milliards de personnes ! Les 200 premières plus grandes firmes du monde contrôlent 50 % du PNB mondial[11]...

Les populations laissées-pour-compte du progrès et des richesses ont, au sein même de l'Occident industriel, fort tôt et à bien des reprises, bruyamment manifesté leur dépit, et leurs révoltes furent régulièrement sauvagement réprimées. Ainsi, des grèves des Canuts en 1831 et en 1834 à Lyon, de la révolte des communards en 1870 à Paris, des émeutes ouvrières sanglantes de l'été 1842 à Londres, des grèves et émeutes non moins sanglantes de Chicago en mai 1886[12]. Comment ne pas rappeler qu'ensuite l'exploitation la plus outrée s'est poursuivie et répandue dans les pays du Sud (débordant les cadres coloniaux), pour mettre au service de l'économie industrielle puis postindustrielle du Nord leurs matières premières et leurs « bassins de main-d'œuvre », et que ces pays ont été le théâtre tout au long du XXe siècle de grandes résistances et de terribles répressions ? Ainsi de la grève des *bananeros* colombiens en 1928, dans la région de Santa Marta — lors de laquelle l'armée, protégeant les intérêts de la multinationale américaine United Fruits, abattit des milliers d'ouvriers. Comment ne pas souligner enfin que cette dynamique répressive se poursuit aujourd'hui, multiforme et complexe, masquant aux yeux du grand nombre que plusieurs régimes oppressifs ne tiennent que parce qu'ils servent des intérêts financiers non seulement locaux mais occidentaux ?

Mais la répression n'est qu'un pis-aller. Tout ordre social doit s'ancrer à long terme dans un certain consentement général. Il a donc fallu, au cours des deux derniers siècles, justifier et légitimer auprès des populations hyper-laborieuses les échecs[13] successifs dans l'avènement du bien-être général promis par les idéologies de l'industrialisation et du développement, en même temps faire accepter le bien-fondé économique, moral, et même scientifique — c'est ce qu'on fera dire à un Taylor — des « réussites » financières aussi fulgurantes que colossales d'un petit nombre de nouveaux aristocrates (comme dirait un Alexis de Tocqueville)[14].

La multiplication des épisodes répressifs, ainsi que la dénonciation (souvent par des personnes fort bien autorisées comme les inspecteurs de la reine Victoria) des conditions de travail inhumaines faites aux ouvriers, nous ont valu, à la toute fin du XIXe siècle, pour donner bonne conscience à l'humanité chrétienne entrant dans le capitalisme industriel, la besogneuse réponse du pape Léon XIII au *Manifeste* de Marx et Engels, dénommée *Rerum novarum*.

On peut ainsi lire dans *Rerum novarum*, sans qu'il faille pour cela aller entre les lignes, que la Providence aurait « voulu » l'inégalité des conditions, laquelle est donc « naturelle ». Que cette même Providence ferait devoir aux capitaines d'industrie de bien user de leur savoir et de bien diriger, bien traiter leurs travailleurs, tout en assignant aux travailleurs le devoir de bien user de leurs capacités physiques ; le tout au sein d'un ordre socioéconomique indiscutable puisque pratiquement voulu par Dieu lui-même[15].

Cette encyclique emboîtait pour ainsi dire le pas aux efforts des économistes classiques conservateurs et néoclassiques[16]. En effet, le grand devoir de tous ceux que Marx appelait tout simplement « les économistes[17] » a été de justifier les injustices, l'exploitation et la misère du plus grand nombre, la concentration des richesses, la destruction de la nature (traitée la plupart du temps en économie et, toujours dans les écoles de gestion, comme un stock infini et gratuit d'intrants), ou de façon moins compromettante, de justifier que la science économique ne s'en préoccupe pas.

Les premiers classiques conservateurs mettaient au compte de la propension exagérée des « classes inférieures » (dites aussi parfois, « classes vicieuses[18] ») à « s'adonner aux plaisirs domestiques » — et à produire, donc, beaucoup trop d'enfants — leur pauvreté endémique et exponentielle. C'était donc aussi, *ipso facto*, la raison de l'échec de la révolution industrielle, en termes de progrès et de justice sociale.

Les néoclassiques, eux, s'inspirèrent des développements de David Ricardo sur le devenir des terres les moins fertiles selon que le prix du blé monte ou descend, pour énoncer la fameuse loi de *l'offre et de la demande*. Celle-ci vient consacrer, *scientifiquement* prétendent-ils désormais, et le fonctionnement et les effets pervers de la « main invisible » prétendument neutre d'Adam Smith. Elle permet de justifier toutes les inégalités, de les considérer comme allant de soi en tant qu'elles feraient partie des mécanismes « normaux » du fonctionnement du « marché ». Cette rhétorique culminera avec l'invention du cynique *taux de chômage naturel*... Notons, au sujet de cette naturalisation des inégalités, que même le père de la main invisible, Adam Smith, la contestait à sa façon, en prévenant contre la « propension à trafiquer » qui caractérise les capitaines d'industrie et autres *businessmen*.

Les néolibéraux ont parachevé le tout en décrétant (par la voix de F. Von Hayeck, sans doute amplifiée à son corps défendant) qu'il existait une *incompatibilité originelle entre le marché et la justice sociale*, et que, bien sûr, l'attitude *scientifique et rationnelle commandait de choisir le marché contre la justice sociale*[19]. Mais leur plus grand apport à la pensée économique est sans doute d'avoir posé (et d'avoir su imposer) un lien quasi nécessaire entre le marché libre et la démocratie comme symbole de la liberté — en oubliant toutefois que celle-ci devait servir la justice et l'égalité —, c'est-à-dire entre un système politique issu de l'humanisme, et « hors de suspicion », et un système économique reniant toute éthique. C'est d'avoir su idéologiser un lien qui jusque-là n'avait été qu'empirique, factuel. L'équation est souvent implicite et permet parfois au marché libre de porter à lui seul l'auréole de l'éthicité. Ainsi, les chantres du néolibéralisme en ont décidé. On postule une nature humaine évoluant vers le marché libre et, nous affirme-t-on du même souffle, vers la « démocratie » (par l'instauration de comportements et de rapports sociaux de plus en plus strictement marchands, centrés sur l'individu et le marché concurrentiel autorégulé). Ils ont aussi décidé qu'il y avait sur la planète, d'un côté, une poignée de pays libres (avec les États-Unis à leur tête) et d'un autre côté, une myriade de pays qui seraient, eux, totalement privés de liberté : les (ex-)pays de l'Est et, en gros, le tiers-monde (en particulier les trublions pour lesquels on prend le soin de préciser : socialistes ou marxistes-léninistes[20]) ; et ce qui distingue les deux camps, c'est (en guise de liberté !) le *degré de domination du marché par rapport à l'État* ! On doit donc accepter sans sourciller l'équation implicite : *marché libre égale démocratie.*

Forts de l'échec des économies dites planifiées[21], les néo-libéraux ont décrété que si les choses ne vont pas aussi bien qu'on le souhaite sur l'Économie-monde, c'est parce qu'on a toléré trop d'interventions indues (étatiques par définition) dans le fonctionnement du marché, lequel ne peut être qu'autorégulé. La solution est donc de donner sans cesse plus de latitude à la magique autorégulation du marché. Et ce raisonnement va bientôt s'appliquer à la planète entière, ramenée aux dimensions d'un marché par la grâce de la « mondialisation », dernière fatalité à laquelle tous devraient se soumettre[22].

Or cette vague néolibérale et managériale, qui veut que le salut ne puisse venir que de la poursuite par chacun de l'enrichissement infini, dans cette arène d'une lutte sans merci de tous contre tous qu'est le marché autorégulé, ne voit pas l'écueil que constitue à terme pour le système capitaliste lui-même la concentration des richesses ainsi provoquée.

Un certain John Hobson[23] (1858-1940), économiste anglais, avait mis le capitalisme en garde contre « l'excès d'épargne », la poursuite de l'accumulation individuelle, privée et infinie des richesses. Cela constituait, disait-il, une forme d'immobilisation de l'argent stérile et nocive pour l'économie réelle parce que l'argent n'est alors ni consommé, ni investi, et par le fait même ne débouche sur aucune demande — sans laquelle l'offre devient vaine.

Ainsi, pour suivre l'argumentation de Hobson et l'actualiser, lorsqu'une famille de cinq ou six personnes, comme celle du président-directeur général (PDG) de Wal-Mart, possède à elle seule ce que devraient posséder deux cents millions de personnes, il est évident que la capacité de consommer de cette famille est, physiquement, quasi nulle à côté de ce que consommeraient les deux cents millions de Bangladais.

Cette concentration phénoménale ne peut donc qu'être investie dans les activités spéculatives. Mais si même ces investissements ne s'engouffraient pas pour la plus grande partie dans les hautes sphères de l'économie virtuelle (produits dérivés, marchés d'options et autres activités spéculatives):

1. Où est la demande globale solvable pour absorber les nouveaux produits et services[24] ?
2. À quoi cela sert-il de multiplier l'investissement pour augmenter toujours davantage le gigantisme des entreprises et la concentration du capital, si ce faisant, on réduit toujours plus la redistribution de la richesse, et donc la capacité réelle de consommer ce que l'économie globale réelle produit?

C'est la spirale infernale de la conjonction surproduction/sous-consommation/récession, désormais structurelle, que l'on continue contre toute évidence à dénommer «crise», comme s'il s'agissait d'une sorte d'accident conjoncturel. L'équation est simple et redoutable: plus le capital se concentre, plus la capacité *physique* de trouver des débouchés solvables pour la production économique se rétrécit.

Karl Marx («à toute organisation de production de masse doit correspondre l'organisation d'une consommation de masse») et John Maynard Keynes («la demande globale *effective* est directement fonction du revenu global[25] ») réfléchissaient le même problème et concluaient au rôle primordial d'une *intervention au-dessus des seules lois du capital et du marché pour répartir plus largement les richesses produites et ainsi réaliser les conditions de consommation de masse nécessaires à la continuité de l'activité économique globale.* Les politique économiques[26] doivent résolument se centrer sur la demande, et non sur l'offre comme c'est la mode depuis Reagan, Thatcher et les cohortes de monétaristes et de néolibéraux.

Mais, fi de ces considérations! S'il y a encore et toujours, disent en chœur économistes officiels, hommes d'affaires, gouvernants et écoles de gestion, de la misère et des injustices, si même elles s'aggravent, c'est parce que, décidément, on ne libéralise pas assez les marchés et on ne donne pas assez de pouvoir au capital! On ne fait tout simplement pas assez de néolibéralisme pour guérir les maux du néolibéralisme... La liberté du marché doit aller toujours plus loin, étouffer les États, tuer les syndicats, livrer pieds et poings liés les populations aux desiderata de l'argent mondialisé.

C'est là que se situe l'œuvre grandiose des instances économiques internationales (largement inspirées par les seuls économistes que tolère l'ordre dominant : pseudo-maîtres ès mathématiques, conservateurs, anti-tiers-mondistes, néolibéraux et monétaristes) imposant réajustements sur réajustements, dont les principaux effets sont de renforcer les multinationales et les classes prédatrices, de militariser les régimes, d'affamer les masses et d'organiser un paradis mondial sans précédent pour le capital.

C'est aussi, immanquablement, l'œuvre de leur bras armé en prise directe avec le terrain, le management à l'américaine, compagnon inexorable de la globalisation. Avec ses stratèges à la Michael Porter, ses *business economists* et ses gourous de la réingénierie, du *downsizing* et autres plans de dégraissage (souvent dits « plans sociaux[27] » !).

C'est le règne d'un triple terrifiant cynisme : le cynisme théorique-économique (la théorie du néolibéralisme) ; le cynisme pragmatique-managérial (l'application, sur le terrain de la production, de ce que préconise le néolibéralisme) et, enfin, le cynisme prescripteur-politique (la justification idéologique du néolibéralisme et du managérialisme).

À nouveau, la lutte doit être gagnée sur le terrain idéologique. Dans ce sens, on assiste aujourd'hui, que ce soit en économie, en politique ou en management, aux discours les plus ahurissants.

Les coupables sont désormais clairement désignés à la vindicte des masses, dont l'horizon n'est pratiquement plus qu'appauvrissement constant. Ce sont :

- L'État, dit providence ou non, qui ne fait que vivre au-dessus de ses moyens, entraver la saine compétitivité, brider la salutaire autorégulation du marché ;
- Les déficits budgétaires de ce même État, qui ne seraient pratiquement qu'insensés programmes sociaux générant des cohortes de citoyens assistés (« qui attendent tout de l'État au lieu de créer leurs propres entreprises ») ;

– Les travailleurs et les syndicats, capricieux, inconscients des *vérités économiques*, revendicateurs, pleurnicheurs, geignards, jamais assez compétitifs.

L'objectif principal de ce livre est de suivre d'un regard vigilant et critique les liens, conceptuels et empiriques, entre la pensée économique dominante avec son cortège d'idéologie unique *mondialisée* et le management, et d'analyser les conséquences de cette relation en termes des réalités sociales et matérielles auxquelles on nous soumet actuellement et que l'on nous prépare pour l'avenir.

Le lecteur ne doit pas s'attendre, comme le titre de cet ouvrage pourrait le laisser supposer, à une exhaustive et savante mise au point technique, jargonneuse et farcie de statistiques (dont on sait depuis longtemps qu'on peut leur faire dire tout et n'importe quoi[28]). Il n'y aura, au contraire, à peu près ni chiffres, ni tableaux, ni ratios compliqués. Les simples faits de tous les jours, partout dans le monde aujourd'hui, suffisent à montrer par eux-mêmes à quel point le désarroi est grand et les dégâts de plus en plus intolérables.

Chacun des chapitres présentera un certain nombre de constats (des faits indiscutables, sauf pour certains fanatiques de l'optimisme aveugle et autres intégristes de l'attente des miracles du libre marché et de la technologie), qui seront suivis d'analyses inspirées de sciences fondamentales — lesquelles sont les moins soupçonnables de déformations idéologiques — comme l'anthropologie, la biologie ou la physique.

Je voudrais m'efforcer de faire œuvre de ce que la langue anglaise désigne délicieusement par l'expression *bell-hooker*, c'est-à-dire de sonner des cloches et d'attirer l'attention avec force, et peut-être parfois avec colère, sur un ordre des choses qui est de moins en moins tolérable mais prétend malgré tout s'étendre toujours davantage — tandis que politiciens, hommes d'affaires, spécialistes du management et économistes[29] affirment régulièrement vouloir tout changer, mais cela, sans toucher à un seul cheveu de ce qui fait l'ordre traditionnel : le pouvoir, la puissance et les privilèges des nantis...

C'est à l'aide de quelques déconstructions hérétiques d'idées reçues dans le domaine de l'économie-management que je veux essayer de montrer pourquoi économisme dominant et théories du management ont de graves explications à donner à l'humanité sur le cours actuel du monde — et en particulier aux jeunes générations, quand on voit le sort impitoyable qui, déjà, est le leur.

Il faudra bien que les prophètes, les bons apôtres, les grands savants du triomphalisme néolibéral et du cynisme managérial, s'expliquent enfin sur la place publique et rendent des comptes. C'est, je crois, la moindre des choses qu'un citoyen de notre planète soit en droit d'attendre de la part de ceux qui prétendent prédéfinir, restructurer et gérer, en notre nom à tous, jusqu'au plus petit recoin de la Terre.

La réalité dément dramatiquement leurs simulations, prévisions et autres planifications, aussi stratégiques et scientifiques soient-elles. Lorsqu'ils ne peuvent faire autrement, ils exposent avec aplomb comment et pourquoi ils se sont scientifiquement, royalement trompés ! Quand donc réaliseront-ils que leurs *erreurs* confinent désormais aux crimes contre l'humanité et contre la nature ?

Le présent travail constitue le résultat de près de trente ans de réflexion, de lectures éclectiques, vigilantes et critiques, ainsi que de recherches et d'observations de terrain — comme cadre dans diverses entreprises, enseignant, chercheur, conférencier et consultant dans divers pays. Je ne prétends représenter aucune école, ne me réclame d'aucun courant de pensée, qu'il soit politique, intellectuel ou économique.

Le seul « isme » qui est ici revendiqué, avec force et même peut-être avec un certain prosélytisme, est sans l'ombre d'un doute *l'humanisme*.

Mon humanisme ne se veut surtout pas incantatoire, vague et démagogue, racoleur, comme on en voit surgir de partout aujourd'hui, mais tient de la plus stricte tradition radicale, celle qui consiste, comme dirait Erich Fromm, à rechercher en toute chose, d'abord ce qui relève d'un sens humain, et en tout acte, ce dans quoi on trouve, au commencement, l'humain, et à la fin, l'humain. Cela exclut toutes finalités telles que : l'argent pour l'argent, l'accumulation pour l'accumulation, la puissance pour la puissance, la croissance pour la croissance...

Je ne cherche donc nullement une quelconque *humanisation du productivisme forcené*. On le verra plus loin, il n'y a sans doute rien de plus inhumain que cette « hyperactivité quotidienne soutenue » (Georges Devereux) destinée à hausser indéfiniment les niveaux de production. Pas plus que je ne propose les modèles germano-scandinave ou nippon du capitalisme comme une solution de rechange au capitalisme à l'américaine, lorsque je les prends comme point de comparaison[30], car « l'humain », c'est d'abord la communauté, le projet social, l'harmonie avec la nature. Nous y reviendrons largement.

Notes

1. *Le Devoir*, Montréal, édition du 28 janvier 1999.
2. Pour plus de précisions sur cette question, j'invite à la lecture de J. Gouverneur, *Les fondements de l'économie capitaliste*, Paris, L'Harmattan, 1994, et *Éléments d'économie politique marxiste*, Bruxelles, Contradictions, 1978; M. Harnecker, *Les concepts élémentaires du matérialisme historique*, Bruxelles, Contradictions, 1974; R. Heilbroner, *Marxism: For and Against*, New York, W. W. Norton and C°, 1981.
3. *Lettre ouverte aux gourous de l'économie qui nous prennent pour des imbéciles*, Paris, Albin Michel, 1998. Voir aussi l'excellent ouvrage de Michel Chossudovsky, illustrant parfaitement, et sur le plan théorique et sur le plan concret, les effets de ce dont je parle ici sur l'économie mondiale: *La Mondialisation de la pauvreté*, Montréal, Éditions Écosociété, 1998.
4. Oswaldo de Rivero (*Le Monde diplomatique*, avril 1999) dit avec justesse que nombre de ces États sont devenus des « *entités chaotiques ingouvernables* ».
5. J'invite à faire une nuance entre « système capitaliste » et « capital », car la multiplication de ce dernier (dans les colossaux « records » boursiers, les gigantesques fortunes des super-milliardaires) ne doit pas être confondue avec un enrichissement de l'ensemble des participants du « système capitaliste ».
6. Voir à ce sujet Alain Finkelkraut: *L'ingratitude*, Paris, Éditions du Seuil, 1999.
7. Voir à ce sujet: Ignacio Ramonet, *La tyrannie de la communication*, Paris, Galilée, 1999 (ainsi que son article, portant le même titre, dans *Le Monde diplomatique*, juin 1999); et surtout les ouvrages très fouillés d'Armand Mattelard: *La communication-monde*, Paris, La Découverte, 1992; *L'invention de la communication*, *id.*, 1994 et *Histoire de l'utopie planétaire*, *id.*, 1999.
8. Je suis ici l'analyse classique (et en particulier celle de Marx), selon laquelle seul le « tertiaire de production marchande » (restauration, tourisme, services d'entretien, etc.) peut être générateur de « valeur excédentaire ». Les deux autres composantes du tertiaire dites « de production non marchande » (administration publique, justice, enseignement, etc.) et « tertiaire de circulation » (spéculation, mouvements commerciaux, financiers, etc.) ne le peuvent pas. Elles sont donc obligées de se nourrir de la valeur excédentaire dégagée des autres sphères de la production économique.

9. Ce sont là, presque mot pour mot, les termes employés par Herbert Simon vantant les mérites de l'informatisation et de l'ordinateur, dans *The New Science of Management Decision*, 3e éd., Englewood Cliffs, Prentice Hall, 1977.
10. Voir *L'horreur économique*, Paris, Éditions du Seuil, 1998 et *Une étrange dictature*, Paris, Éditions du Seuil, 2000.
11. En passant, voilà à qui profiterait royalement aujourd'hui une *Fin de l'Histoire* dont parle Francis Fukuyama. Plutôt que d'être considéré comme une étape de l'Histoire, comme l'ont été le féodalisme, le précapitalisme, etc., le capitalisme serait l'achèvement de l'Histoire... Quelle vocation !
12. C'est là l'origine de la fête internationale du travail, le 1er mai (sauf en Amérique du Nord), car ce 1er mai 1886, la police et la garde nationale américaines ouvrirent le feu sur la foule des grévistes faisant morts et blessés en grand nombre.
13. D'aucuns seraient tentés de « nuancer » en invoquant d'indéniables « progrès » dans bien des domaines (médecine, transports, espace, etc.). Soit, mais : 1. Le « prix » humain et écologique qu'il a fallu payer est-il justifié ? 2. *Qui peut réellement aujourd'hui « se payer » les fruits de ce « progrès » ?* Au détriment de qui ? Et quand on parle d'amélioration globale de la vie du travailleur, de quel travailleur s'agit-il ? Celui de Paris ou de Ouagadougou ? Lequel de ces deux types de travailleurs est le plus répandu sur Terre ? Et enfin, 3. Quel « écart » faut-il mesurer : celui entre le niveau de vie du serf et son seigneur par rapport à celui entre l'ouvrier et son PDG américain ? Ou la distance entre le niveau de vie du serf et celui du travailleur d'aujourd'hui ? Il est évident que la seconde mesure n'a aucun sens en soi.
14. Bien sûr, pour Tocqueville, il s'agit d'une expression ironique, pour dire (à l'instar des Smith, Veblen, Schumpeter, Nietzsche, Weber et même Wilde, chacun à sa façon) comment les soi-disant nouveaux libérateurs des peuples « démocratisés » par les « lois égalitaristes du marché » ne sont en fait qu'une nouvelle race de prédateurs (c'est le terme de Veblen) qui ne fait que remplacer (sur tous les plans, sauf celui de la culture et du raffinement) l'ancienne aristocratie, se prévalant de nouveaux « droits » exclusifs et exorbitants, tout en se départant soigneusement des obligations envers la société et les moins nantis, qui incombaient tout de même — droit coutumier oblige — aux anciennes classes dominantes.
15. Voir, entre autres, J. B. Desrosiers, *La doctrine sociale de l'Église*, Montréal, Institut Pie IX, 1958, et P. A. Coulet, *L'Église et le problème social*, Paris, SPES, 1928.
16. Tout au long du texte, lorsque je ferai référence aux « néoclassiques », il s'agira essentiellement des différentes branches post-marxiennes (hors Keynes et les divers « keynésiens »), représentées notamment par Léon

Walras, Vilfredo Pareto, William Stanley Jevons, Alfred Marshall, Friedrich von Hayeck, ainsi que de leurs extensions plus modernes incarnées par des Milton Friedman, Maurice Allais, Kenneth Arrow, James Buchanan (pour des raisons que j'expliquerai plus loin, il ne me paraît pas aller de soi de classer sans nuances, comme le font beaucoup d'auteurs, quelqu'un comme Joseph Schumpeter parmi les néoclassiques, du simple fait que lui aussi annonce une « fin du capitalisme » et donc, se démarque de ces dites « lois du marché », un peu comme John Hobson, du fait des succès mêmes de la logique de l'accumulation capitaliste et de ce qu'il appelle la « destruction créatrice » menée par des hommes d'affaires promus leaders — illégitimes — de la société).

17. Selon Karl Marx, qui détestait être traité d'économiste, cet adjectif devait être réservé aux penseurs qui se sont donné pour vocation d'être « les valets du pouvoir ». Robert Heilbroner, entre autres, reprendra à son compte ce genre de formule, en parlant des « économistes officiels », qui s'occupent de « fournir aux dominants *la théorie du fonctionnement de l'économie qu'ils désirent* ».

18. Voir, entre autres, Jean Neuville, *La condition ouvrière au* XIXe *siècle*, t. 1 : « L'ouvrier objet » et t. 2 : « L'ouvrier suspect », Paris, Éditions Vie Ouvrière, 1976 et 1980.

19. Voir à ce sujet le très beau texte (qui remet les pendules à l'heure sur ce point depuis le hégélianisme le plus orthodoxe jusqu'aux post-wéberiens) de Cornélius Castoriadis: « La "rationalité" du capitalisme », dans le numéro spécial de la *Revue internationale de psychologie*, « La résistible emprise de la rationalité instrumentale », vol. IV, n° 8, automne 1997, p. 31-52.

20. Lors d'une tournée des sièges de compagnies pétrolières nord-américaines que j'ai effectuée en 1987, avec un groupe de professeurs des HEC-Montréal, lors de la préparation d'un programme d'enseignement de second cycle en « gestion pétrolière », étaient systématiquement présentés des « tableaux statistiques » — faits par des économistes — comportant deux colonnes opposées intitulées avec aplomb, l'une « *Free World* » et l'autre « *Non Free World* ». Pour ma part, je reste passablement intrigué du peu d'effet, particulièrement médiatique, qu'a eu l'annonce en fin 1998 du classement des États-Unis par Amnistie Internationale au même rang que la Chine et Cuba pour le non-respect des droits humains, ce qui devrait faire réfléchir sur le caractère *free world* des États-Unis.

21. Et bien sûr, on brandit l'exemple du Gosplan soviétique, et on feint d'ignorer que l'économie japonaise est *guidée par une planification centralisée* (c'est le rôle dévolu au fameux et tout-puissant MITI, le ministère de l'Industrie et du Commerce extérieur) et qu'une économie comme celle de l'Allemagne est, de fait, soumise à une grande planification à travers un

système de concertations sectorielles et nationales entre État, patronat et syndicat, qui tracent à l'avance les grands paramètres macro et microéconomiques que chacun des partenaires devra respecter.

22. Je reviendrai sur cette question essentielle. Pour l'instant, j'attire l'attention du lecteur sur le fait — salutaire coïncidence ! — que cette « mondialisation » se trouve être tout naturellement capitaliste... La question pourrait à elle seule faire l'objet d'un livre, mais je soumets à la réflexion du lecteur, quant au prétendu échec idéologique des pays, entre autres, de l'Est, les étranges faits suivants :

    1. Après la conférence de Bandung en 1955, la plupart des pays sortant de la domination coloniale se sont organisés en « Mouvement des pays non alignés » ;
    2. Bon nombre de ces pays du tiers-monde ont alors opté pour une politique économique de type planifié, populaire, souvent socialiste ;
    3. Le commerce mondial s'est alors trouvé « bipolarisé » : la zone livre anglaise – dollar – mark – franc, d'un côté. et la zone rouble – clearing – compensations de l'autre ;
    5. En moins de deux décennies, l'un après l'autre, les régimes des pays du tiers-monde les plus « riches » ont été renversés (ou leurs personnalités clés éliminées) et remplacés par des régimes plus proches de l'OTAN et des États-Unis (il suffit de songer à ce qui est arrivé aux Lumumba, Nkrumah, Nasser, Allende, Mossadegh, etc.), ou tout simplement corrompus et dévoyés ;
    6. Ceci a eu pour résultat de faire fléchir jusqu'à terre le système du marché clearing, poumon des pays de l'Est et des non-alignés, lesquels pouvaient jusque-là se passer de la livre et du dollar (par exemple, hors ce marché, Cuba a dû réduire de 40 % sa production de canne à sucre) ;
    7. Petit à petit, donc, l'ensemble du marché mondial s'est mis à transiter par le dollar, y compris les pays du COMECON.

    Cela ne peut pas ne pas avoir influencé, accéléré la chute des pays de l'Est et l'appauvrissement des pays du tiers-monde qui, avant de songer à acheter quoi que ce soit, *doivent d'abord acheter du dollar...*

23. Hobson ne s'est jamais prétendu marxiste, même s'il voyait dans le capital non seulement son propre fossoyeur, mais aussi celui de l'humanité tout entière dans son sillage, par l'inéluctabilité de son expansion impérialiste. Pratiquement tourné en dérision à son époque par les « économistes officiels » (comme le dit R. Heilbroner, dans *The Great Philosophers*), il a été et reste à peu près totalement ignoré ou méprisé. Cet ostracisme et cette occultation de savoirs et d'auteurs sont une des caractéristiques de l'expansion idéologique unilatérale et monolithique de l'économisme et du management.

24. Nous verrons dans un chapitre ultérieur que la « crise » dont on nous rebat les oreilles est une « crise de solvabilité » et non une crise de « production-compétitivité ». Ce qui signifie que l'offre mondiale de produits et de services est largement excédentaire par rapport à la demande solvable mondiale.

25. Pour les néophytes, je conseillerai, pour une compréhension rapide et assez facile de tout cela, la lecture de l'excellent chapitre consacré à Keynes par Robert Heilbroner dans *Les grands économistes*, Paris, Éditions du Seuil, 1971.

26. Qui ne se ramènent pas, soulignons-le, à l'application de techniques économiques, au registre desquelles appartiennent par exemple les mesures d'économie des ressources ou de diminution de la pollution.

27. Il existe aujourd'hui, par exemple en France, des diplômes de second cycle délivrés par des institutions universitaires, qui s'intitulent « DESS en Gestion des ressources humaines, Option Licenciement » ! Voir C. Dejours, *Souffrance en France*, Paris, Éditions du Seuil, 1998.

28. Voir, pour une discussion serrée et hautement compétente de l'usage inconsidéré des mathématiques et de certains outils statistiques en économie (notamment) : Albert Jacquard, *Au péril de la science*, Paris, Éditions du Seuil, 1982 ; *L'héritage de la liberté*, Paris, Seuil, 1986 ; *J'accuse l'économie triomphante*, Paris, Éditions du Seuil, 1996 ; Edgar Morin, *Le paradigme perdu, la nature humaine*, Paris, Éditions du Seuil, 1973 ; Georges Devereux, *De l'angoisse à la méthode dans les sciences du comportement*, Paris, Flammarion, 1980 ; Janine Parain-Vial, *La nature du fait dans les sciences humaines*, Paris, PUF, 1966 ; *Les difficultés de la quantification et de la mesure*, Paris, Maloine, 1981 ; Bernard Maris, *Des économistes au-dessus de tout soupçon ou la grande mascarade des prédictions*, Paris, Albin Michel, 1990.

29. On finit par ne plus voir la différence, tant les gens de politique se font de plus en plus exclusivement les porte-voix du discours économique et managérial dominant.

30. Tout au plus s'agit-il dans mon esprit de « moindres maux » portant la preuve qu'on peut être industriellement et économiquement bien efficace tout en portant moins de dommages à la nature et à la qualité de la vie des personnes.

Chapitre premier

L'économisme moderne, entre arguments d'autorité et faux-fuyants

On ne peut déduire des axiomes toutes les vérités mathématiques ; et l'arithmétique ne démontrera jamais la consistance de l'arithmétique.

Bernard Maris

À l'étude de l'Histoire, à l'analyse approfondie des erreurs passées, on n'a eu que trop tendance à substituer de simples affirmations, trop souvent appuyées sur de purs sophismes, sur des modèles mathématiques irréalistes et sur des analyses superficielles des circonstances du moment.

Maurice Allais, Prix Nobel d'économie

Les économistes néolibéraux prétendent démontrer qu'en dehors de l'ouverture totale des frontières et des marchés mondiaux, il ne saurait y avoir de salut pour quiconque. Et des gouvernements entiers — et non des moindres — leur emboîtent le pas, et s'accrochent à leurs prédictions et prévisions comme les anciens princes et rois s'accrochaient aux oracles et aux astrologues.

Et pourtant, l'univers que nous a forgé la pensée économique moderne dominante justifie plus que jamais les divers et nombreux pessimismes, sinon catastrophismes, que son analyse suscite depuis Malthus, en passant par Karl Marx, jusqu'aux

Dumont, Galbraith, Jacquard, Forrester, Club de Rome ou Groupe de Lisbonne.

Les économistes du néolibéralisme se font bien discrets et silencieux devant les attaques acerbes dont ils sont l'objet par des analystes de tous horizons, que l'on songe aux nombreux livres qui les mettent en cause — par exemple, *J'accuse l'économie triomphante* d'Albert Jacquard, *L'Horreur économique* et *Une étrange dictature* de Viviane Forrester, *Pour en finir avec l'économisme* de Richard Langlois, *La mondialisation de la pauvreté* de Michel Chossudovski, *Lettre ouverte aux gourous de l'économie qui nous prennent pour des imbéciles* de Bernard Maris, etc. —, ou à des événements tout récents qui devraient pourtant secouer nombre de leurs certitudes, tels que l'attribution du prix Nobel à un anti-conservateur et violent critique de l'idéologie du marché comme Amartya Sen; la dénonciation virulente des politiques du Fonds monétaire international (FMI) de la part d'un magazine américain aussi bien-pensant que le *Business Week;* la même dénonciation de la part de personnages aussi inattendus que Henry Kissinger [1] ou le président de la Banque mondiale. La gigantesque faillite de la firme financière LTCM (lancée et conseillée par les Prix Nobel ultra-conservateurs Merton et Scholes et « indemnisée » sur fonds publics), ne semble pas beaucoup les émouvoir non plus [2].

Lorsqu'ils sortent de leur silence, ces économistes ne manquent cependant pas de culot. Ainsi voit-on leurs penseurs en chef, les patrons du FMI et de la Banque mondiale, déclarer que « les instruments d'analyse de la science économique sont dorénavant déréglés », ou encore que « la crise du Mexique était incompréhensible parce que portant les caractéristiques d'une « crise du XXIe siècle » ! Quand on sait qu'elle est directement consécutive aux premiers effets de l'Accord de libre-échange nord-américain (ALENA), fin des années 1990, c'est là, convenons-en, se moquer un peu du monde ! On a également droit à de récurrents « mieux vaut des chiffres et des modèles approximatifs que rien », et autres « demandons-nous ce qui serait arrivé sans les mesures d'ajustement du FMI » ou « sans les zones de libre-échange », inévitables faux-fuyants d'une pensée dont l'échec est jour après jour démontré au cœur de la réalité.

Le plus souvent, cependant, les économistes du néolibéralisme invoquent la scientificité de leur discours avec un grand aplomb pour tuer dans l'œuf tout débat. Ils usent et abusent ainsi de ce que je nomme les « arguments d'autorité », qui se couvrent de l'apparat de la science — mathématique, biologique, psychologique — pour se présenter sous le jour d'une vérité irréfutable. En voici quelques exemples. Mentionnons d'abord cet abracadabrant modèle économétrique comportant 77 000 équations, présenté par les experts américains lors des négociations de l'Accord général sur les tarifs douaniers et le commerce (GATT) (aujourd'hui l'Organisation mondiale du commerce [OMC]) dites du cycle de l'Uruguay (1986-1993), afin de démontrer les inéluctables bienfaits futurs de l'ouverture mondiale des marchés. Quel cerveau humain peut bien être capable d'imaginer ce que signifie un modèle à 77 000 équations ?

Et que penser des hallucinants travaux d'un Prix Nobel d'économie comme Gary Becker, qui prétend — sans rire — modéliser, expliquer et prévoir, par équations de maximisation de fonctions d'utilités interposées, autant les boursicotages que les comportements amoureux, la demande en mariage que la déviance ou la criminalité ?

Lors d'un congrès au Québec auquel j'assistais, portant sur la dévastation de la forêt québécoise par les pluies acides en provenance des industries et des charbonnages du nord-est des États-Unis, le conférencier délégué par les États américains concernés (économiste orthodoxe[3] et gouverneur d'un État limitrophe du Canada) asséna à un auditoire abasourdi un argument aussi inattendu et absurde qu'insultant : si l'on considérait les taux de pollution *per capita*, affirmait-il, on constaterait que le Québec est infiniment plus polluant et pollué que les régions américaines incriminées dans l'émission des anhydrides sulfureux, donc, concluait-il, s'il y a un lieu où il faut réglementer d'urgence et lancer des actions de protection de l'environnement, c'est au Québec et au Canada plutôt qu'aux États-Unis !

C'est là une forme de sophisme d'une espèce encore inconnue... Que peuvent bien signifier, sinon l'inanité intellectuelle de leurs auteurs, des formulations telles que *taux de pollution per capita* ? Est-ce à dire que le lieu le plus pollué de la planète serait le cœur du Sahara ou du pôle Nord — puisque n'importe quel chiffre, aussi petit soit-il, divisé par zéro (il n'y a presque pas de population au Sahara et au pôle Nord) tendrait vers l'infini ? Ou encore que le lieu le moins pollué de la terre serait le cœur des quartiers les plus insalubres de Mexico ou de Calcutta — puisque n'importe quel chiffre, aussi grand soit-il, divisé par un chiffre qui tend vers l'infini (dans ce cas, une densité de population parmi les plus élevées) tendrait vers zéro ?

Comme si la seule façon de penser juste et scientifiquement était de *mathématiser* jusqu'à l'absurde la réflexion. Et qu'il fallait par conséquent former des générations de véritables calculatrices, de machines à « résolution de problème » (que sont souvent aujourd'hui les économistes, économètres et diplômés en management) doctement conditionnées à confondre analyser-calculer avec penser-réfléchir, et vitesse de calcul ou d'application de formules avec intelligence.

Nul, je crois, n'aura vu plus juste que Max Weber quant aux conséquences de la montée du rationalisme *instrumental* dans la civilisation occidentale. Nous sommes encombrés de techniques et d'instruments (d'analyse et d'action) plus « rationnels » et plus sophistiqués que jamais dans l'histoire de l'humanité, mais notre capacité de compréhension réelle et de réponse pertinente face à la complexité qui la défie n'aura, à l'inverse, jamais été aussi pauvre.

Tout compte fait, les économistes s'acharnent à justifier la géniale formule de Jean Cocteau : « Toutes ces choses nous dépassent, mais faisons semblant d'en être les organisateurs ! »

N'est-il pas criminel de persévérer dans un tel entêtement, quand on sait les conséquences ravageuses de décisions prises sur les bases des finasseries abstraites et désincarnées de l'économisme-management ?

À titre d'illustration d'arguments d'autorité à saveur cette fois nettement béhavioriste, je rapporte une autre conférence, plus ancienne, mais non moins édifiante. C'était au début des grandes percées fraîchement friedmaniennes et néo-smithiennes. Un économiste du sérail prétendait démontrer, en amphithéâtre montréalais, comment la libre accumulation individuelle, délivrée de toute entrave étatique et sociale, pivot du capitalisme et de sa réussite, était non seulement d'une logique scientifique implacable, mais se trouvait partout dans la nature et était voulue par elle. Notre orateur martela alors, poings sur la table : « L'ours accumule ! l'écureuil accumule ! l'abeille accumule ! » Selon les propos de ce monsieur, ces braves animaux — exemples parmi tant d'autres — passeraient leur vie à accumuler avec acharnement, le plus possible et chacun pour soi, tout ce que la nature, conçue évidemment comme un simple « stock de biens », aurait expressément prévu à cette fin. Mais, à ma connaissance, on n'a encore jamais vu d'ours, d'écureuils ou d'abeilles accumuler la moindre portion excédant le nécessaire à leur survie, un hiver à la fois. Encore moins les a-t-on vu hériter de l'accumulation de leurs parents, constituer des banques de miel ou de noisettes à intérêts composés, ou accumuler pour leur compte personnel en en faisant travailler pour eux !

L'argumentation néolibérale, quelle qu'elle soit, a généralement pour but de faire accepter l'inacceptable, de nous faire admettre comme normales, économiquement optimales, rationnelles, managérialement intelligentes toute une série d'absurdités et même d'ignominies dans le monde actuel. On veut nous faire croire ainsi :

- Que d'opulentes multinationales comme la United Brands agissent rationnellement lorsqu'elles ont l'innommable cynisme de licencier 18 000 Honduriens une semaine après le passage de l'ouragan Mitch en 1998, en invoquant le fait que l'exploitation de la banane du Honduras n'est plus rentable[4].
- Que Bill Gates est l'exemple d'une réussite à démultiplier, quand sa fortune est basée sur un monopole mondial de fait et qu'il arrive qu'elle augmente de 9 milliards de dollars en deux semaines, comme cela s'est passé fin janvier 1999... Or on peut facilement démontrer que, puisque l'argent n'est que de la marchandise, des services, donc du travail « cristallisé »,

et que son accumulation n'est que transferts entre vases communicants, 100 Bill Gates signifieraient la misère sur la quasi-totalité de la planète et, à terme, la misère pour eux-mêmes. Pour mesurer tout ce qui est perdu dans cette concentration, notons que le dixième de cette fortune (estimée entre 80 et 100 milliards de dollars, selon les époques) suffirait pour reconstruire l'ensemble des routes et des maisons d'un pays comme le Honduras.

- Que l'on peut continuer à exploiter à outrance une forêt boréale canadienne déjà exsangue (même les zones déclarées « réserves » sont aujourd'hui ouvertes aux papetières), et l'on invoque à l'appui des modélisations mathématiques informatisées qui « garantissent », sur la base d'horizons temporels de *150 ans*, la régénération et l'exploitabilité *à perpétuité*[5]. Cela, au nom de l'emploi et des profits des multinationales.
- Que l'ennemi du chômeur — ou du travailleur précaire — n'est autre que l'autre travailleur (qui refuse égoïstement de prendre sa retraite ou de partager son travail) ou le chômeur qui ose se prévaloir de ses allocations ; que l'ennemi du jeune, c'est le plus vieux ; celui du non-retraité, le voisin qui jouit d'une retraite...
- Que bien des peuples ont trop longtemps vécu « au-dessus de leurs moyens ». Il s'agit, plus précisément, quand on invoque cet argument, des salariés — en particulier les syndiqués —, mais surtout pas de ceux qui jouissent de fortunes qui dépassent tout entendement, qui ne paient pratiquement plus d'impôts, ou des multinationales qui paient des salaires d'esclaves en échange de profits titanesques.
- Que l'État dit providence ne peut plus survivre, essoufflé par les rapines des innombrables parasites qui en abusent. Alors qu'on peut aisément montrer, on le verra plus loin, que ceux qui reviennent le plus cher aux États, et qui en abusent réellement, ce sont les plus riches, et surtout pas les plus pauvres.
- Que la paupérisation du plus grand nombre est due à la rareté des capitaux, que l'on invoque pour justifier le chômage, les diminutions de services publics et les inégalités dans la répartition des ressources financières — alors que ces res-

sources n'ont, en fait, jamais été aussi abondantes, mais jamais aussi concentrées, par ailleurs.

- Que les lois économiques et les progrès technologiques expliquent pourquoi il est normal et nécessaire que, par exemple, le PNB de la France se soit multiplié par quatre entre les années 1970 et 1990, pendant que le nombre de chômeurs, lui, se multipliait par 10[6].
- Que l'« imperfection pratique » — largement acceptée et admise — du marché ne met aucunement en cause les théories qui postulent la perfection du marché et de ses lois et qui contribuent à lui donner forme.
- Que lorsque la réalité ne fonctionne pas comme l'ont prévu et édicté les modèles économiques, ce sont les gens, les peuples, les gouvernements qui n'ont pas su appliquer correctement les prescriptions théoriques, et non les modèles qui sont inadéquats.
- Que les délocalisations, c'est-à-dire le déplacement des activités de production de biens et de services vers les pays pauvres, à la main-d'œuvre infiniment exploitable, aux gouvernements très coulants (régimes corrompus et corruptibles), aux lois sur le respect des populations et de l'environnement inexistantes, constituent l'une des solutions miracles pour l'avenir, autant du Nord que du Sud.
- Que les *réingénieries* et autres *benchmarkings* et *downsizings* ne sont absolument pas une spirale infernale de fabrication de chômeurs (et une conséquence des plus logiques de la fameuse loi marxienne de baisse tendancielle des taux de profit), mais une légitime et saine restructuration de l'économie.
- Que la démentielle multiplication de chômeurs à laquelle nous assistons, transformée en coûts sociaux encore en partie pris en charge par certains États, est tout, sauf une subvention indirecte des États au maintien, et même à l'augmentation, des profits privés.
- Que la dévaluation systématique des monnaies des pays les plus faibles et les plus endettés est le meilleur moyen de stimuler leur ardeur à rembourser leurs dettes. Alors que le bon sens le plus élémentaire nous enseigne que c'est surtout la

meilleure façon de faire monter en flèche inflation et coût de la vie, c'est-à-dire d'aggraver toujours plus la crise, localement et globalement, et d'empêcher l'épargne collective nécessaire au remboursement (c'est cette spirale qui a successivement terrassé l'Afrique de l'Ouest, le Cameroun, le Nigeria, puis le Mexique, la Thaïlande, l'Indonésie, la Russie — dont le rouble atteint des abysses inimaginables —, le Brésil au début de 1999, et pour finir, l'Argentine en 2002).

- Que la surproduction de matières premières et de produits de base, sans aucune valeur ajoutée locale sinon par et pour les multinationales, est la voie la plus directe pour honorer au plus vite dette et service de la dette, par l'augmentation des exportations, quand le simple bon sens montre que c'est la meilleure façon de faire chuter les prix de ces produits, donc les revenus réels, et par conséquent, forcément, la capacité effective de rembourser la dette.
- Que l'ouverture des marchés et des frontières ne pénalisera en rien les producteurs du tiers-monde, tout d'un coup mis en concurrence avec les géants de l'industrie et de l'agro-industrie transnationales, qui peuvent, du jour au lendemain, déverser n'importe où des tonnes de produits, venant de n'importe quel bout du monde et défiant tous les prix locaux.
- Que le *miracle américain* est à mettre au bénéfice du libéralisme économique, alors qu'il bénéficie grandement de la combinaison de coûts de production scandaleusement bas et de pratiques protectionnistes, suivant lesquelles tous les produits — finis, semi-finis, intrants — en provenance de Chine, d'Amérique du Sud, des pays du tiers-monde en général, subissent des hausses automatiques de plusieurs fois leur prix d'achat aux producteurs, dès leur entrée sur le sol américain. Cela permet aux États-Unis d'obtenir de tous ces pays qu'ils vendent en dessous des coûts réels et plient leur monnaie sous le dollar — et a pour effet de transformer des pans entiers de l'économie américaine en économie de rente (position qui consiste à prélever unilatéralement, *par simple rapport de force*, une part de valeur ajoutée à laquelle on n'a nullement contribué).

- Que seuls les salaires (toujours à réduire) et les prix (toujours à confier au jeu du marché)[7] sont objets légitimes de mesures d'ajustement et autres *thérapies* de choc de la part des États, visant à les faire se rapprocher d'une supposée *vérité des prix et des salaires* (véritable formule incantatoire mondiale).
- Que, bien entendu, les fortunes privées, les revenus des dirigeants et présidents-directeurs généraux (PDG), les profits privés (en particulier les astronomiques surplus cumulés des grandes multinationales et des banques) ne sauraient être, eux, objets d'aucune vérité, ni, encore moins, de mesures de contrôle ou de sacrifices.
- Que sabrer à bras raccourcis dans les programmes sociaux n'est pas une autre façon d'aider au maintien du profit privé et à la sauvegarde des intérêts de la haute finance, au détriment du contribuable le plus démuni : en fait un simple *transfert d'argent public vers des poches privées via toutes les interminables exemptions, baisses de charges, dont bénéficient les entreprises.*
- Que l'institution la plus autocratique et la plus totalitaire des temps modernes, l'entreprise privée — où, de fait, le patron-PDG détient entre ses mains les trois pouvoirs dont le cumul a toujours constitué les totalitarismes et les absolutismes tyranniques : le législatif, le judiciaire et l'exécutif[8] — serait le modèle sur lequel fonder des sociétés libres, républicaines et démocratiques !
- Que l'économique est une science qui rend compte de *choix rationnels* libres, faits par des individus libres, en concurrence libre... Alors qu'il n'a jamais été aussi évident que la science économique, en particulier néolibérale, est surtout une théorie destinée à cautionner l'enrichissement *infini* des plus riches (et donc l'appauvrissement des plus pauvres), à justifier l'accumulation illimitée au détriment de la nature et des plus faibles.
- Que l'on doit, pour s'en sortir comme nation, diminuer toujours davantage le soutien fourni par l'État aux plus faibles, aux démunis, aux vieux, aux jeunes, aux malades, aux pays

pauvres ou sinistrés, désignés de plus en plus directement comme les ennemis de la santé économique globale.

- Qu'il va de soi que seul le travail doive se partager ou soit « partageable » ; mais surtout pas, en vertu de je ne sais quel tabou inviolable, le profit, le capital, les fortunes transmises par héritage, les rentes de toutes sortes, les fiducies familiales, les gigantesques évasions fiscales, les mirifiques salaires des PDG-Maharadjahs.
- Que c'est « en toute rationalité » que les indices boursiers piquent du nez (portant ainsi la menace d'une sous-capitalisation des entreprises) dès qu'une relance de l'économie — et donc, logiquement, de l'emploi — est en vue, et grimpent en flèche dès que s'annoncent des mises à pied massives. Comme si « naturellement » milieux d'affaires et relance économique réelle étaient ennemis radicaux.
- Que l'humanité, d'abord selon la ligne de fracture Nord/Sud, mais aussi de plus en plus au sein même des populations du Nord, est pratiquement divisée en deux catégories : les faiseurs d'argent d'un côté, et les bons à rien (éternels parasites des premiers) de l'autre, qui peuplent les pays du tiers-monde, les mauvaises banlieues et les bidonvilles, s'agglutinant autour des entreprises, espérant arracher un emploi à ceux qui travaillent dur pour en créer, par pure philanthropie ou presque, laisse-t-on pratiquement entendre.
- Que l'ensemble de ce qui constitue la planète (et déjà même le cosmos), vivant ou non, n'est à peu près rien d'autre qu'un ensemble de « stocks », mis à la disposition des entrepreneurs qui n'ont qu'à se servir, sans retenue ni limites. C'est ainsi qu'on parle, très officiellement, de « stocks de poissons », de « stocks de pétrole », de « stocks forestiers », si ce n'est pas de « stocks de main-d'œuvre ».

On veut nous faire admettre, mais cela, on se garde bien de l'argumenter explicitement :

- Que se dépensent annuellement, au niveau mondial, autour de 2000 milliards de dollars en publicité, alors que 140 milliards par an, d'après les calculs de l'Organisation des

Nations Unies (ONU)[9], suffiraient pratiquement à éradiquer la pauvreté.

- Que des millions d'enfants soient, de nos jours, silencieusement et sauvagement exploités par l'ordre industriel mondial et les multinationales. Que des gamins d'Haïti, du Pakistan, des Philippines, d'Afrique du Sud, s'arrachent yeux et doigts à confectionner, pour quelques sous la pièce, des balles de base-ball, des ballons de football, des jeans, des t-shirts et des chaussures de marques telles que Nike, Levis, Reebock ou Walt Disney, lesquelles « grandes marques » seront vendues en Occident avec des bénéfices insensés[10].
- Que, selon bien des rapports du Fonds des Nations Unies pour l'enfance (UNICEF), du Programme des Nations Unies pour le développement (PNUD), de l'Organisation des Nations Unies pour l'éducation, la science et la culture (UNESCO), etc., des dizaines de millions d'enfants n'aient pour univers que les favelas, les rues et leurs nauséabonds ruisseaux, à travers à peu près toute l'Amérique latine, l'Afrique, l'Inde, le Bangladesh... Que des enfants se fassent descendre comme des lapins par les milices, les armées et les polices, sous prétexte de mesures de salubrité publique et de sécurité des commerces (commanditées par les marchands et hommes d'affaires).
- Que dans certains pays, bien des familles en soient réduites pour survivre à vendre leurs enfants à des cohortes de pédophiles déversées journellement par charters continus depuis les pays riches.
- Que, du fait des prix pratiqués (maintien des profits des multinationales pharmaceutiques oblige), seule une partie (la plus riche) de l'Occident puisse espérer recevoir les soins les plus efficaces contre des maladies comme le SIDA, tandis que les habitants de continents entiers comme l'Afrique sont d'ores et déjà condamnés à en mourir de façon massive, comme on mourait de la peste aux temps les plus obscurs du Moyen Âge — en plus de mourir de maladies pour lesquelles on ne fabrique plus de médicaments pour cause *d'absence de marché solvable*, telle la maladie du sommeil. Et ceci, sans parler des trafics

auxquels cette inaccessibilité ouvre la voie : trafics de médicaments périmés, sous-dosés, non autorisés, qui se font sous l'aile de bien des laboratoires complaisants.

- Que les pays de l'OCDE (les 27 plus riches de la Terre) puissent totaliser plus de quarante millions de chômeurs, alors que le profit privé (notamment celui des banques et des spéculateurs) se porte de mieux en mieux, et pour cause !
- Que les flux nets de capitaux soient toujours en faveur du Nord, au détriment du Sud et que la parité des monnaies soit toujours, et de plus en plus, favorable aux pays nantis, et cela, souvent grâce aux mesures d'ajustement du FMI.
- Que les termes de l'échange entre le Nord et le Sud ne fassent que se dégrader, mettant de plus en plus de pays du tiers-monde au bord de la banqueroute (pour les produits courants, y compris l'énergie, une détérioration moyenne de 20 à 50 %, selon les matières considérées, a été observée au cours des 20 à 30 dernières années).
- Que les plus riches, aux échelles nationale et internationale, ne cessent de s'enrichir, tandis que les plus pauvres ne cessent de s'appauvrir.
- Que les « progrès » technologiques se retournent de plus en plus contre l'Homme (en tant qu'ils ne conduisent qu'à produire toujours plus avec toujours moins de main-d'œuvre).
- Qu'il est le « plus démocratique du monde » que 10 % des Américains possèdent 90 % des richesses des États-Unis, que 1 % des Américains possèdent 75 % des actions des entreprises de toute l'Amérique[11].
- Que 20 % des habitants de la planète se gavent de 83 % de ce que cette même planète produit.

C'est par un argumentaire cynique, dont l'outrecuidance ne cache souvent qu'un désarroi total, que les économistes du néolibéralisme ont réussi à nous faire admettre un tel état de choses et sont devenus la première caution d'un gâchis phénoménal de la nature et d'un mépris éhonté des démunis. Cette pensée, avant d'imposer sa loi dans presque tous les pays de la planète, par le biais des institutions économiques internationales, a inspiré un nombre toujours plus grand de politiciens en Occident, et a ruiné l'idée de solidarité — et de responsabilité — sociale qui était à la base des démocraties occidentales il n'y a pas si longtemps. Ce que traduisent, parmi tant d'autres, les propos d'un Ronald Reagan, selon lequel les sans-abri, les clochards, les chômeurs de New York, dont le nombre avait plus que doublé durant ses deux mandats, « méritaient leur sort parce qu'ils l'avaient choisi »... Ou encore, l'affirmation de Jim Bogler, premier ministre de Nouvelle-Zélande durant les années 1990 : « Chaque famille doit se suffire, chaque citoyen doit se suffire, chaque génération doit se suffire. » Cela résume fort bien le credo de l'économisme actuel.

C'est le « *après moi le déluge* » généralisé, dorénavant érigé en philosophie sociale.

Comment donc l'économie, issue de la noble philosophie sociale du XVIIIe siècle, et qui a donné tant de généreux théoriciens du bien-être général, en est-elle arrivée à de tels excès ?

Notes

1. Voir le *Business Week* de la semaine du 12 octobre 1998 et *Le Monde* du 15 octobre 1998.
2. Pour mémoire, je rappelle que cette firme de haute spéculation sur les marchés d'options, codirigée par un ancien ténor de la prestigieuse firme financière Salomon Brothers, n'acceptait que des souscripteurs à hauteur de 10 millions de dollars, et qu'elle a réussi à « jouer » jusqu'à 150 milliards de dollars avec un fonds de départ n'excédant pas 3 milliards ! Merton et Scholes ont été intégralement remboursés sur fonds publics, avec en plus, en janvier 1999, une « prime » de 50 millions... (B. Maris, *op. cit.*, p. 91).
3. « Orthodoxe » : c'est ainsi que Burrel et Morgan (1979) qualifient les économistes qui s'inscrivent dans le cadre du paradigme fonctionnaliste-consensuel nord-américain.
4. Alors que par l'intermédiaire de sa filiale Chiquita, la United Brands réalise des bénéfices monumentaux avec « ses » bananeraies honduriennes depuis 50 ans, en payant ses ouvriers 50$ par mois. Précisons qu'on estime à 100 000 le nombre d'individus qui dépendent des salaires de ces ouvriers licenciés, et que ces derniers ont été renvoyés pour une durée de deux ans... le temps que les bananiers soient de nouveau exploitables avec profit.
5. La formule « à perpétuité » est très officiellement — et contractuellement — employée dans les engagements qui lient le ministère des Ressources naturelles (au Québec) et les papetières. Un véritable scandale écologique a été éventé au Québec en mars-avril 1999, lorsque le documentaire-choc de Richard Desjardins, *L'Erreur boréale*, a montré à quel point la forêt était, avec la bénédiction (et le soutien financier !) du gouvernement, en voie de désertification, sauvagement saignée par de monumentales coupes à blanc. Devant ce scandale, multinationales et gouvernement ont, en chœur, brandi des arguments *économiques* (exploitant, comme toujours, le chantage à l'emploi), avec moult cortèges de calculs, prévisions économétriques et modélisations *prouvant* que la forêt, pratiquement en voie de disparition sur le terrain, se porte bien et repousse allègrement, sur les écrans d'ordinateur !
6. Ce qui, soit dit en passant, est totalement contraire aux principes économiques les plus élémentaires qui affirment que tout accroissement du PNB s'accompagne *automatiquement*, sinon d'une hausse, du moins d'une stabilité de l'emploi.

7. Concernant des produits et des services pourtant largement subventionnés par les États, particulièrement bien sûr ceux de première nécessité, c'est-à-dire qui touchent les plus démunis.

8. Le pouvoir législatif: il fait les règles... et même les cultures, dit-on, des organisations; le pouvoir judiciaire: il récompense, blâme, juge, comme bon lui semble; et enfin le pouvoir exécutif: il prend et fait appliquer les décisions que bon lui semble. Et ce, qu'il soit propriétaire direct ou non, et malgré tous les arguments qui invoquent les rôles « démocratisants » des assemblées d'actionnaires, des conseils d'administration... Car il n'échappe qu'à ceux qui ne veulent pas le voir que les assemblées d'actionnaires ne sont, bien souvent, que mascarades convenues, et les conseils d'administrations, des forums de maintien réciproque de privilèges. Voir à ce propos les documentaires très édifiants réalisés par le fils d'une des victimes des licenciements massifs de General Motors des années 1986-1988 à Flint: Michael Moore, *Roger and me*, vidéo, Wendy Stanzler et Jennifer Beman, Burbank, Californie, Warner Home Video, 1990 et *The big Ones*, *id.*, 2000).

9. *État du monde*, 2001.

10. Bien des gens en économie-management (j'en ai entendu!) pousseront le cynisme jusqu'à rétorquer que « mieux vaut un salaire misérable que rien », ou même, que c'est là un « avantage compétitif » pour ces pays, qui ont la chance que des multinationales veuillent bien produire chez eux... Par ailleurs, des firmes comme Nike comptent, parmi leurs principaux actionnaires, des institutions bien religieuses et compatissantes, comme l'Église américaine Southern Methodist!

11. W. Wolman et A. Colamosca, 1998.

Chapitre II

Une histoire hérétique de la pensée économique dominante, ou comment on est passé d'Aristote à Michael Porter

Walras croyait en la mécanique sociale, en la possibilité d'appliquer la physique à la vie de la société.

Bernard Maris

Nous avons vu dans le premier chapitre que l'ordre économique actuel nous est présenté soit comme quelque chose contre quoi on ne peut rien, qui est intimement lié à la nature de l'homme ou qui est soumis à des lois internes objectives et indépassables, soit comme une étape menant à un ordre enviable, qui ne peut être que bon, d'où il découle qu'il faut travailler à éliminer les barrières qui l'entravent encore. En fait, c'est ce à quoi on nous invite en nous exhortant sans cesse à éradiquer tout ce qui peut nuire au libre commerce, ce dont se charge avec un zèle tout particulier une institution telle que l'OMC.

Or, il s'agit là d'une perspective se basant sur une interprétation de l'histoire et une conception des affaires humaines fortement chargées idéologiquement. Nous nous proposons ici de retracer les chemins par lesquels cette vision s'est implantée, propagée, et semble en voie de dominer notre réalité presque tout entière, sous l'effet d'une sorte de colonisation de toutes les sphères d'activité humaine par le modèle de ce qui est devenu l'économie. Le fil directeur de cette histoire sera pour nous le passage de l'économique à la chrématistique, sur la base de la conceptualisation par Aristote de ces deux types de logique économique. Nous rappellerons que cette tangente prise par les sociétés humaines, bien qu'ayant des racines assez lointaines, est somme toute très récente en ce qui a trait à l'étendue de son emprise sur la société occidentale et davantage encore sur les diverses sociétés de par le monde. Nous nous pencherons, pour illustrer l'aboutissement contemporain de cette évolution, sur la pensée de l'auteur-gourou en management Michael Porter qui, à travers la généralisation du modèle du management à l'américaine, a une portée énorme sur la façon dont notre manière de vivre et nos rapports les uns aux autres se transforment.

Au commencement de cette histoire, nous poserons Aristote, et sa distinction entre *économique* et *chrématistique*[1]. À son époque dominait encore l'économique — et non l'économie ou, encore moins, la science économique. Le terme *économique* provient étymologiquement des vocables grecs *oïkos* et *nomia*, qui signifient *la norme de conduite du bien-être de la communauté*, ou *maison* dans un sens très élargi. Puis, bien après le commencement, mais avec des signes précurseurs à l'époque d'Aristote et même avant, fut ce qui allait mortellement remplacer l'économique en en usurpant le nom : la *chrématistique*, qui est *l'accumulation de moyens d'acquisition* en général, mais prise ici au second sens d'Aristote : accumulation de la monnaie pour la monnaie (de *khréma-atos*) que nous verrons plus en détails plus loin.

L'idée d'économique, chez Aristote, s'inscrit dans un tout. Pour la comprendre, arrêtons-nous brièvement sur les autres conceptions auxquelles elle est intimement liée, touchant à l'homme et à la société. Rappelons la fameuse définition de l'Homme qu'il a laissée, dont on ne retient généralement que : l'Homme comme *animal politique (zoon politikon)*, alors qu'Aristote précise : *fait pour vivre ensemble*, insistant dans certains textes : *en état de communauté*. C'est sans aucun doute par rapport à cette définition que la « politique », pour Aristote, consiste avant tout à « organiser et maintenir l'état d'amitié entre les citoyens ».

Outre que ces conceptions trouvent un écho dans l'ensemble des sociétés « traditionnelles », passées et actuelles[2], on les retrouve également de façon très formalisée dans certaines traditions orientales de type confucéen ainsi que musulmanes (sans doute renforcées dans ces dernières par le grand commentateur d'Aristote que fut le philosophe berbère-arabe d'Andalousie, Ibn Rochd [dit Averroès]), qui insistent sur les notions de *umma* (communauté-nation), de *ouassat* (milieu, juste milieu), et de *shoura* (qui réfère à la concertation, au consensus qui fonde l'idée de communauté, à la recherche d'un pouvoir exercé par la moyenne des citoyens). Ce sont là des termes et des idées que l'on retrouve très largement dans l'œuvre d'Ibn Khaldoun, historien nord-africain du XIVe siècle, et sociologue avant la lettre. On trouve en particulier chez lui le concept de *'assabia*, qui insiste sur le rôle primordial de gardien de la solidarité communautaire-organique que doit assumer le Prince auprès de son peuple, s'il veut éviter la dislocation de la nation. On trouve aussi chez le même Ibn Khaldoun — on en verra toute l'importance plus loin — des préoccupations très aristotéliciennes quant aux méfaits de la « mauvaise monnaie »...

Or, dans l'attitude chrématistique disparaît toute connotation liée à la communauté et à *l'oïkos*, pour laisser place à des idées qui en sont bien éloignées, *khréma* et *atos* (poursuite de la production et de l'accaparement des richesses pour elles-mêmes)[3].

La pratique chrématistique consiste à faire passer le point de vue financier, ou plus exactement la recherche de la maximisation de la rentabilité financière (accumulation de numéraire), avant tout le reste (au détriment systématique, s'il le faut, des êtres humains et de l'environnement). C'est ainsi qu'on en vient à licencier massivement alors même que l'on fait des profits, parfois records (exemples célèbres : Michelin qui licencie 7000 employés en fin 2000, Novartis qui en congédie 10 000 en 1998, avec des profits nets annoncés autour de 3 milliards de dollars, ou encore GM qui, malgré des profits accumulés dépassant les 35 milliards de dollars au cours des dernières années 1900 et des toutes premières 2000, a mis à pied entre 260 000 et 300 000 personnes ; l'ensemble des entreprises américaines auraient supprimé, seulement pour l'année 2000, près de 2 millions d'emplois[4]).

Bien évidemment, le prototype de la pratique chrématistique reste la pure spéculation qui consiste à faire produire frénétiquement et à haute vitesse de l'argent par l'argent. C'est là une finalité de l'activité du *business* mondial qui finit par dénaturer des pans entiers d'industries plus traditionnelles. À titre d'exemples dramatiques, signalons, cas parmi tant d'autres, une firme à vocation de production mécanique et sidérurgique, comme le Groupe Giat-Industries en France[5], qui met en péril sa propre continuité en spéculant sur les taux de change du dollar, perdant en bout de ligne plusieurs milliards de francs ; l'entreprise Nortel qui perd en une journée (en automne 2000) près de 75 milliards de dollars du simple fait que les actionnaires soient mécontents de ce que la firme atteigne un taux de rendement inférieur à celui annoncé... Un autre effet en est le gonflement artificiel de la valeur réelle de certaines entreprises, en particulier dans le secteur des nouvelles technologies. Ainsi la valeur boursière de Yahoo et de l'ensemble des firmes cotées au NASDAQ a-t-elle enflé continuellement par rapport à leur valeur réelle, jusqu'à ce que les détenteurs d'actions se mettent à vendre et fassent souffler des vents de panique sur les places financières... De multiples *start-up* des NTIC (des nouvelles technologies de l'information) n'auront, de la sorte, été que feux de paille.

La pratique chrématistique consiste aussi à recourir à des mises à pied dites « préventives » comme on l'a vu faire à large échelle dès après le drame du 11 septembre 2001 à New York, ou à ne plus se soucier des dégâts graves causés au milieu ambiant (la contamination des eaux du fleuve Saint-Laurent par les rejets des industries de pâtes et papiers, des hauts fourneaux de l'industrie mécanique, qui tue inexorablement le milieu aquatique jusque dans l'Atlantique ; l'empoisonnement aux nitrates des terres et des eaux par l'agro-industrie porcine, par exemple en Bretagne, en France et au Québec[6]).

Enfin, le principe chrématistique est au cœur de nombreux scandales. Qui n'a en tête, en ces débuts 2002, le scandale de la firme de courtage en énergie ENRON (qui éclabousse la Maison-Blanche et l'*establishment* financier et pétrolier américain) ? Spéculant sans cesse sur les façons de faire grimper indéfiniment la valeur des actions, cette firme — qui brasse des milliards de dollars ! — en est arrivée, avec l'aide de firmes de conseils et d'audit connues mondialement comme Arthur Andersen, à trafiquer littéralement les comptes, masquant pertes et dettes, gonflant artificiellement les gains, etc. Les patrons et gros actionnaires ont, parallèlement, vendu massivement leurs actions pour faire des milliards de dollars de gains avant que la bulle n'éclate, tout en interdisant à leurs employés possédant des actions de les vendre ! Et en poussant à la faillite des masses de retraités et investisseurs américains.

À l'heure où j'écris ces lignes, ce scandale couve toujours autour des magnats du pétrole américains et de la Maison-Blanche, et est en train de s'étendre à plusieurs très grosses firmes mondiales de courtage, de *business*-conseil et d'audit — à tel point que Arthur Andersen France tente de se démarquer de la firme mère américaine, que la fort connue Deloitte et Touche en appelle à une surveillance et à une plus grande éthique dans les pratiques comptables et financières[7]...

Comment, encore, ne pas voir de la chrématistique derrière les comportements des entreprises privées qui ont acheté (lors de privatisations bien néolibérales) les systèmes d'énergie du Brésil et de la Californie ? Cinq ans après les privatisations au Brésil, ce pays tout entier a connu une crise sans précédent de production d'énergie électrique, simplement parce que les firmes privées n'avaient plus investi un sou dans les installations, se contentant de facturer et d'encaisser. Elles ont invoqué le manque de pluviométrie, mais depuis, les barrages ont recouvré leurs niveaux d'eau habituels et au-delà, et la crise est toujours là ! La même analyse, à peu près, peut être faite pour la Californie, en y ajoutant de sulfureuses histoires de corruption d'hommes politiques et d'organisation délibérée de pénuries, pour obtenir plus de déréglementations et faire plus d'argent sans produire ni investir dans les installations de production[8].

Comment, enfin, interpréter autrement la crise argentine que comme le résultat de nombreuses pratiques purement chrématistiques ? Les pratiques bancaires[9] et la liberté débridée de circulation du capital, combinées à l'artificielle parité du peso et du dollar (laquelle rend les produits argentins trop chers par rapport à la productivité du pays, gonfle indûment les avoirs des plus riches, pousse à l'extraversion de l'économie, à la corruption, à l'évasion massive de capitaux, etc.) et aux draconiennes applications des mesures du Fonds monétaire international (FMI), ont livré l'économie et les services publics argentins à une meute de faiseurs d'argent à court terme (ce sont les propos du président Duhalde lui-même), avec le résultat que seuls les intérêts de la multiplication de l'argent, au détriment de la viabilité de l'économie argentine et de la qualité de vie des citoyens, ont été soutenus à bout de bras. Cet « excellent élève » du FMI, comme on le disait dans le milieu des institutions de Bretton Woods, est actuellement en plein chaos, malgré des richesses naturelles immenses (dont 30 millions d'hectares de terres cultivables !). En cet hiver 2002, près de 50 % de la population argentine n'a plus accès à un emploi, et plus de 40 % vit en dessous du seuil de pauvreté [10]...

Mais la manipulation des comptes déborde le secteur plus spécifiquement spéculateur, comme les maisons de courtage et les banques, et représente une dérive totalement mafieuse de la pratique comptable et financière dans le milieu des entreprises de production de biens et services. Qu'on en juge à travers une façon de faire observée depuis un an ou deux, la « correction » du poste désigné par « avoir des actionnaires » dans le compte de bilan, qui prête à d'énormes manipulations de chiffres [11] :

- La compagnie Nortel Networks, entre le 31 décembre 2000 et le 31 décembre 2001, a vu fondre son avoir des actionnaires de 29 à 4,8 milliards de dollars américains ;
- La compagnie JDS Uniphase a réussi à « radier pour plus de 50 milliards de dollars d'éléments d'actifs » en quelques mois en 2001-2002. Ce qui a eu pour effet d'amputer l'avoir des actionnaires de la somme de 8 à 9 milliards de dollars ;
- La compagnie Québécor, dont le président-directeur général (PDG) annonce avoir payé l'acquisition de Vidéotron 1,5 milliard de dollars trop cher, verra en 2002 son avoir des actionnaires fondre de plus de 15 % ;

- La compagnie Bombardier annonce la même chose dans le cadre de son acquisition d'Adtrantz de chez Daimler-Chrysler ;
- Les compagnies Lucent, Alcatel, Enron et AT&T en ont fait tout autant ces derniers mois, quoique à moindre échelle.

Le problème est non seulement que ces « corrections de tir » ne sont que fuites en avant dans la logique affolée de la chrématistique, qu'elles consistent à faire payer aux employés et aux actionnaires (surtout les petits, les non admissibles à de l'information privilégiée, car on voit aisément, d'après l'exemple d'Enron, comment les gros actionnaires et les hauts dirigeants peuvent s'arranger pour vendre avant que de telles décisions ne soient prises, et réaliser des gains mirifiques) des erreurs commises par les hauts dirigeants, mais aussi que ce sont des mesures qui font s'envoler les taux d'endettement (celui de Nortel, par exemple, est passé de 10 à 50 % de sa capitalisation), avec les conséquences que l'on imagine, notamment sur l'emploi.

Qu'a-t-il bien pu se passer au cours des siècles pour qu'on en arrive aujourd'hui à de telles pratiques — et pire, à développer, sous le nom de science économique, des théories cautionnant, glorifiant ces faiseurs d'argent, fussent-ils parfois de véritables trafiquants sans scrupules ou de véritables dangers mortels pour la nature (la marée noire causée par le naufrage de l'Exxon Valdès) ou les populations (la catastrophe de Bhopal[12]) ?

Bien des facteurs, d'ordre tant matériel qu'idéologique, ont contribué, à travers l'histoire du développement de l'activité économique et industrielle, à ce progressif, mais prévisible et résistible envahissement de la planète par la pensée — et la pratique — chrématistique.

En premier lieu, l'avènement et, bien plus tard, le triomphe sans partage de la chrématistique nécessita l'apparition et la généralisation d'une spectaculaire nouveauté dans l'histoire des échanges : la monnaie.

C'est vers le VIIe siècle av. J.-C., quelque part en Crète, qu'on situe généralement, sur la scène méditerranéenne de production et de circulation des biens et des services, l'arrivée de ce moyen d'échange qui va ouvrir la voie à des bouleversements si profonds.

La monnaie remplaça progressivement les demi-tablettes d'argile, les demi-papyrus symétriques ou encore les lingots ou plaquettes d'argent qui, depuis la nuit des temps, servaient dans le fonctionnement des systèmes de dépôt et de consignation (lesquels régulaient les flux d'échange et de transport, en permettant le stockage et le transfert des marchandises). De très nombreuses traces et une documentation historique témoignent du fonctionnement de ce système de dépôts et consignations dès l'époque sumérienne, jusqu'à l'Antiquité gréco-romaine, en passant par l'Égypte des pharaons — mais jusqu'alors, fait très important, point de témoignages sur la constitution de puissances ou de fortunes par accumulation de tablettes, de papyrus ou même de lingots d'argent ou de tout autre moyen servant de bons de change dans un système de dépôt et de retrait de marchandises.

La monnaie va révolutionner tout cela. Son apparition constitue, bien sûr, un progrès sans précédent dans la facilitation des échanges. L'humanité va, en effet, enfin disposer d'un étalon de mesure qui peut prétendre à l'universalité. Tout, désormais, peut être estimé, tarifé, comparé selon un référentiel standard, unique, indiscutable, facilement transportable et infiniment échangeable.

Mais à toute médaille son revers ! Dans son colossal génie, Aristote a fort bien vu que, comme moyen de facilitation des échanges, la monnaie était un incontestable gain ; mais en ce qu'elle permettait qu'on l'accumule sans limites et que cette accumulation devienne un but en soi, elle pouvait constituer un risque majeur, d'un genre tout à fait nouveau, pour la survie de la communauté humaine en tant que communauté — dont Aristote faisait, nous l'avons vu, une caractéristique essentielle de ce qu'est être Homme.

C'est ce que redoutait très explicitement Aristote lorsqu'il exprimait ses appréhensions relativement à la généralisation de l'usage de la monnaie. Il craignait, et l'histoire montrera que c'était à juste titre, que la monnaie ne finisse par être détournée de son rôle initial de facilitation des échanges, vers un rôle secondaire qui deviendrait principal, dévoyé et pervers : celui de pousser les individus à rechercher l'accumulation de la monnaie pour la monnaie, en tant que, *en soi*, instrument d'une acquisition (illusoirement) considérée comme pouvant être infinie. La menace de nouveaux pouvoirs, susceptibles de déséquilibrer dangereusement la société humaine, y était inscrite.

Plus spécifiquement, Aristote y voyait deux dangers majeurs, cruciaux et étonnamment modernes : que la poursuite effrénée de *l'accumulation de la monnaie devienne la finalité première des activités des hommes* (nouvelle finalité, en lieu et place du bien-être de la communauté), et, comme autre face du même processus, que se perde *le souci de la vertu physique naturelle des objets*.

C'est, dit Aristote, la vertu physique naturelle de tout objet que de servir avant tout à l'usage humain auquel il est destiné. Ainsi, une paire de chaussures a pour vertu physique naturelle de chausser confortablement et de protéger convenablement et durablement des pieds. Son destin fondamental et humain n'est pas de servir à procurer un maximum de monnaie à celui qui la fabrique. Produire des marchandises en vue, d'abord, de leur faire remplir, avec honnêteté et probité, leur vertu physique est un acte qui relève de l'économique. Or la chrématistique allait inéluctablement conduire à la mise au second plan de la *vertu physique naturelle* de l'ensemble des biens et services produits par les hommes, en poussant les individus à chercher à thésauriser, chacun pour soi, et chacun contre l'autre (chacun s'évertuant toujours à obtenir la plus grande quantité de monnaie possible contre le produit de son travail).

Aristote engageait là [13] la première discussion serrée touchant à ce qui deviendra bien plus tard, en économie, l'épineuse question des rapports entre *valeur d'usage* (valeur de l'objet dans une logique économique) et *valeur d'échange* (seule valeur considérée dans une logique chrématistique), et par extension, de la relation entre travail-marchandise-valeur, entre travail-valeur, valeur-prix, etc.

La chrématistique allait forcément faire de la société humaine une collection d'ennemis plutôt que d'amis. Aristote n'avait pas de terme assez fort pour exprimer le ressentiment qu'il nourrissait à l'égard de la chrématistique. Elle était pour lui : une activité *contre nature, qui « déshumanise » ceux qui s'y livrent et les*

« exclut de la communauté » politique ; un germe de destruction de ce qui fait le ciment de la communauté humaine : la solidarité, l'exigence de réciprocité, la justice, l'absence d'extrêmes et *l'amitié utile* entre les hommes, le nécessaire *contrepoids du collectif vis-à-vis de l'individuel.*

Nous pouvons voir que tout opposait économique et chrématistique. Comment en est-on venu à vider le premier terme de son contenu, à y substituer totalement le contenu du second ? Voilà le premier aspect hérétique de cette histoire de la pensée néolibérale : nous voyons là une *trahison* de la part des clercs de l'économie, qui ont fait passer — et qui continuent à faire passer — ce qui n'est que méprisable chrématistique pour de l'économique, c'est-à-dire dont le discours réfère toujours, si ce n'est plus que jamais, au bien commun (et au bien des autres ; c'est pour leur bien que l'on contraint les pays « en développement » à l'ouverture de leurs marchés, par exemple), alors même que sa mise en œuvre n'entraîne en pratique que l'enrichissement des uns au détriment des autres.

Personne, je crois, n'a mieux que John Kenneth Galbraith décrit les processus, au demeurant assez triviaux, qui ont conduit de la philosophie sociale (qui a marqué toutes les premières incursions intellectuelles touchant à l'économie et aux rapports sociaux qui s'y rattachent, de Rousseau aux classiques — d'Adam Smith, John Stuart Mill, David Ricardo jusqu'à, particulièrement, Karl Marx) à la prétendue science économique, *aseptisée et expurgée de toutes les questions de finalité et d'éthique*, péremptoirement et opportunément disqualifiées pour raison de non-scientificité [14]. C'est vers le dernier tiers du XIXe siècle, explique Galbraith, avec l'école dite néoclassique et son acharnement obsessionnel à imiter les grandes sciences — notamment la physique —, que l'on commença à assister à une surmathématisation de la pensée économique *qui allait proprement servir cette oblitération* [15].

On peut, et non sans une part de raison, arguer que c'est Karl Marx qui, le premier (si l'on met de côté la célèbre tentative de Malthus), juste après les classiques, a eu la prétention de faire de l'économie une science et de ses objets des choses quantifiables, mesurables... On brandira les travaux dits positivistes du « vieux » Marx, audacieusement présentés (depuis Louis Althusser) comme le résultat d'une *rupture épistémologique* par rapport aux écrits du « jeune » Marx, plus anthropologue, plus philosophe et plus humaniste. Mais ce point de vue ne nous paraît pas fondé.

En effet, il faudrait en premier lieu — comme y insiste longuement, dans une œuvre monumentale sur Marx, Leszlek Kolakowski[16] — admettre qu'il se serait opéré quelque chose comme un reniement de lui-même entre le Marx qui a écrit les *Manuscrits* et les *Grundrisse,* et celui qui a conçu le *Capital*! Ensuite, il faudrait ne plus voir aucun lien entre la (si importante) question de l'aliénation et de l'exploitation exposée dans les *Manuscrits* et tous les développements du *Capital* sur la relation dialectique entre les modes de production et les rapports sociaux de production... Il faudrait aussi balayer d'un revers de la main des centaines — sinon des milliers — de pages sur le caractère inique et inhumain du même système d'exploitation toujours et inlassablement décrit par Marx, depuis *La Sainte famille*, jusqu'aux toutes dernières lignes du *Capital.*

Il faudrait tout simplement nier que toute l'œuvre de Marx (même si, bien sûr, une bonne partie du *Capital* se veut scientifique et résolument positiviste) est *traversée de part en part, et profondément, par l'omniprésente question éthique* — qui a aussi préoccupé tous les classiques et qui, sans cesse, reprend les interrogations d'Aristote : que deviennent, dans la course à la production des biens matériels, l'homme et la communauté des hommes, et quelle y est la finalité de l'économique ? Autrement dit, pourquoi produire ? Pourquoi s'enrichir ? Qui s'enrichit ? Comment ? Jusqu'à quelles limites ? Et au détriment de qui ?

Chacun avait sa réponse, certes, mais aucun, comme vont le faire allègrement les néoclassiques et leurs continuateurs, ne feindra de ne voir ni misère ni souffrance dans la nouvelle capacité de construire, en des temps records, de colossales fortunes privées chez cette bourgeoisie anglo-américaine du XIXe siècle.

Karl Marx et John Stuart Mill[17] mis à part, il existait cependant une sorte de dénominateur commun dans la réponse des classiques à cette question, par lequel allait s'opérer un glissement vers une appréhension pragmatique et technocratique du problème : c'était, insistait-on, l'effrénée propension à se reproduire des basses classes, trop enclines, disait Smith, à se livrer aux *plaisirs domestiques*.

De ce point de vue, il convenait de trouver la bonne formule qui assurerait l'équilibre entre emplois, salaires et natalité pour apporter remède à la pauvreté galopante : ainsi, un salaire suffisamment peu élevé aurait le double avantage de décourager la multiplication de la classe ouvrière et d'éviter chez l'employé des *comportements excentriques*[18]. Cela s'est appelé avec Karl Marx le salaire nécessaire à la reproduction de la masse ouvrière ; cela s'appelle aujourd'hui, là où cela existe encore envers et contre tous les assauts des « déréglementateurs », le SMIG ou « salaire minimum interprofessionnel garanti ».

C'est ainsi que l'on enseigne encore de nos jours, dans les écoles de gestion, qu'il ne sert à rien de payer de plus hauts salaires pour essayer d'accroître la « rentabilité » de l'employé, car, prétendent les maîtres, les incitatifs matériels, dans une optique de performance, suivent très vite une courbe de rendements décroissants... Tout diplômé de toute *business school* qui se respecte a été formé à penser, sans qu'aucun doute ne l'effleure et sans aucun malaise, que cette fameuse courbe justifie *scientifiquement* que l'on fasse tout pour limiter le salaire des employés puisque les rendements ne suivent pas de façon proportionnelle. Notons que cela n'empêche pas les mêmes maîtres d'enseigner, du même souffle, que dirigeants, patrons et actionnaires sont là, eux, pour amasser le plus possible d'« incitatifs matériels », et que bien sûr, dans leur cas, cela n'entame en rien l'ardeur à la performance, ni la motivation. Bien au contraire, ils ne connaissent, eux, aucune courbe de rendements décroissants !

Voilà l'exemple même de ce que j'appelle la trahison éthique de la part des clercs de l'économie, qui réalise totalement le glissement de l'économique à la chrématistique et qui constitue une des bases sur lesquelles s'est élaboré le management : on a réalisé le tour de force de transformer une question morale en une question pseudo-scientifique trouvant sa solution, *toute sa solution*, dans des calculs et des mesures basés sur des observations dites objectives, ayant pour objet des comportements dits rationnels, calculables, mesurables, prédictibles.

L'économie allait se mettre à réfléchir exactement, prétendait-on, comme le ferait toute *vraie science, dite exacte.* Elle n'avait plus, à l'instar de la physique, qu'à traiter des données (statistiques-probabilistes à défaut d'être empiriques, et hypothético-déductives à défaut d'être expérimentales) *ipso facto* considérées comme *rationnelles*, objectives, mesurables, quantifiables. Cela allait s'appliquer aussi bien au comportement du marché qu'au comportement humain.

L'économie devenue science, il est *de son devoir de ne plus s'égarer à se poser de questions d'ordre moral* (il ne viendrait pas à l'idée d'un astrophysicien de se demander s'il est éthique, moral ou juste que la Lune soit plus petite que la Terre et sans vie : *cela est, c'est ainsi, point!*). Son devoir est de se contenter de constater et de mesurer, de « correctement rendre compte du réel » comme le dit un Karl Popper des sciences en général. C'est-à-dire, pour ce qui est des économistes officiels, de *rendre compte du fonctionnement de l'économie telle qu'elle se montre à voir*, de *l'interpréter en concepts qui la reflètent*, mais en fait, *telle que les dominants la désirent et l'organisent à leur avantage.* Il s'agit alors d'un processus de réification, d'objectivation de « forces » prétendues agissantes en elles-mêmes telles que « la main invisible », « le marché », « la demande et l'offre », « les organisations », « la bourse », qui seraient censées non seulement procéder, par leurs propres dynamiques, aux justes et « naturels » équilibres entre tous les facteurs (travail, capital, ressources naturelles), les quantités et les prix, les dividendes et les « salaires » des PDG, mais aussi réagir à la façon des choses physiques : ne parle-t-on pas, et ceux qui se disent chroniqueurs économistes dans les médias ne s'en privent pas, de *nervosité* des marchés, de la bourse, de *frissonnement* des monnaies, d'*approbation* des milieux d'affaires ?

Ce salutaire glissement sémantique et thématique avait donc plus d'un avantage pour les faiseurs d'argent et leurs théoriciens : faire acquérir à la discipline économique l'autorité du statut de science et, du même coup, se libérer de l'embarrassant problème de l'origine et des raisons de la persistance de la pauvreté, et même de son accroissement. Les questions évoquées plus haut : Qui s'enrichit ? Pourquoi ? Au détriment de qui et de quoi ? ne sont désormais, avec les néoclassiques, que des *questions bassement philosophiques*. Voire, ce qui est bien pire, des questions émanant d'une sensiblerie sociale gauchisante, tiers-mondiste, oiseuse, subversive et néfaste.

À nous donc les savants calculs et les modèles sophistiqués qui ont la miraculeuse vertu d'absoudre les consciences — au cas où il viendrait à quiconque l'idée saugrenue de faire des liens entre fortune des uns d'un côté, et misère des autres et détresse de la nature de l'autre côté. Alors qu'il n'est presque qu'à lire le premier des classiques venu (bien sûr, Marx et Engels, mais aussi, à leur façon, Smith, Malthus, Mill[19]) pour se rendre compte à quel point la *création* de richesses pour les uns était — et est toujours — synonyme de démultiplication de misère pour les autres.

L'éradication de toute considération morale ou éthique était la condition sine qua non *pour la consécration de l'économie comme science*[20].

C'est dans ce même mouvement qu'il faut voir le rejet de la *valeur travail au profit de la valeur offre-demande* comme base de l'analyse théorique économique, véritable point tournant historique. Ceci tenait partiellement à la complexité, qualifiée d'inouïe par Robert Heilbroner, du raisonnement et des calculs que la valeur travail implique, certes, mais aussi et surtout au fait que, tant que cette valeur travail restait dans le champ de l'analyse, elle posait, *ipso facto*, le problème incontournable de savoir *qui exploite le travail de qui, et jusqu'à quelles limites, pour pouvoir réaliser ce surplus, apparemment infiniment extensible, dénommé profit*. En effet, si la valeur des biens et services est étroitement corrélée à la « valeur » du travail social investi dans leur production, elle est fixée de façon à dégager, dans l'acception de tradition marxienne, une « plus-value » qui n'est que du « surtravail » non rémunéré qu'accapare le capitaliste par pure exploitation, grâce au rapport de force qui lui est favorable dans le cadre des rapports sociaux de production de type capitaliste.

La théorie de la valeur marché ou de l'offre et de la demande arrivait à point nommé pour se débarrasser, de façon en quelque sorte définitive, à la racine, du dilemme posé par le rapport inversement proportionnel liant richesse des uns et pauvreté des autres (que ce soit à l'échelle individuelle, collective, nationale, ou internationale), en affirmant que le profit est un surplus légitime, ne générant ni exploiteurs ni exploités, mais tout simplement des gagnants d'un côté, et des malchanceux ou des perdants, de l'autre, tous produits de l'action des lois immanentes et inexorables des équilibres du marché, au-dessus de la volonté des humains, qui font survenir, malgré ceux-ci, la plus judicieuse des *répartitions automatiques* possibles entre quantités, prix, salaires, profits, etc., et, ajoute-t-on sans rire, le *bien-être général.*

La loi de l'offre et de la demande, qui sous-tend l'ensemble de l'édifice théorique néoclassique, puis marginaliste et néo-marginaliste, puis monétariste (à l'exception de Keynes bien sûr) et néolibéral, n'est, en dernière analyse, que l'idée de se doter, en économie, de *l'équivalent des lois de la gravitation universelle* en physique.

C'est à travers ce mouvement même de « scientificité » de la pensée économique que va se poursuivre ce que j'ai appelé la *trahison chrématistique*. Pour faire de la monnaie, et des mesures qu'elle permet, *l'alpha et l'oméga* qui rendent compte de tout ce que font les hommes pour survivre (tous les indicateurs de modification et d'état de toute économie sont mesurés en termes de flux monétaires, à commencer par les fameux et inamovibles PNB et PIB, produit national brut et produit intérieur brut), il a bien fallu étendre les raisonnements purement chrématistiques à des sphères de plus en plus larges des activités humaines, jusque et y compris les activités artistiques, artisanales, culturelles. Comme unité de mesure universelle, la monnaie *doit alors* pouvoir rendre compte *simultanément*, à la fois de ce qui se passe du côté des offreurs et du côté des demandeurs, du côté des exportateurs et du côté des importateurs, des employeurs et des employés, des rentiers et des salariés, etc. Cette obligation, en quelque sorte, de simultanéité et d'universalité nécessite à son tour un recours à des formes de raisonnements et de calculs qui postulent les capacités d'observation, d'expérimentation et de vérification — toutes choses étant égales par ailleurs — dont s'était rendue capable jusque-là, en particulier, la science physique.

Un véritable délire pseudo scientifique — newtonien (d'abord) a envahi alors le champ de l'économie — où l'emprunt de leur vocabulaire aux différentes disciplines scientifiques, par les vagues successives d'économistes cherchant à en faire une science, n'est pas qu'analogique mais représente un emprunt conceptuel direct.

Jacques Rueff, Paul Dirac, Georges Devereux, Albert Jacquard, Bernard Maris, Fritjof Capra, et d'autres ont, parfois depuis longtemps déjà [21], montré à quel point ces apprentis sorciers usent et abusent d'analogies et de formules empruntées à la mécanique céleste de Newton, d'équations dérivées de l'électromagnétique, de la cinétique des gaz et de la physique subatomique... Comme si les affaires humaines (et les humains) pouvaient être traitées sur le même mode que des masses en interactions mécaniques, des particules ou des molécules appartenant aux mondes de la chimie ou de la physique.

Les néoclassiques et leurs continuateurs ont tout essayé pour tenter de faire de nous des objets mécaniques ou des électrons. Les monétaristes post-keynésiens, les économètres et les néolibéraux s'imaginent pouvoir à la fois nous traiter comme des particules élémentaires de la physique subatomique (niveau de la physique post-newtonienne et quantique) — en économétrie et plus généralement dans les modèles et analyses dits multivariés — et nous appliquer des macro-raisonnements relevant de la physique supra-atomique (niveau de la physique mécanique classique) — en macro et microéconomie en général [22]... Il est pour le moins curieux, sur le plan épistémologique, que l'on puisse ainsi agréger deux niveaux de raisonnement aussi distincts dans leur science d'origine.

Nul, à part peut-être quelques Leontiev, Max Weber, Karl Marx, etc., ne soupçonnera jusqu'à quelles délirantes élucubrations conduiront les raisonnements et les calculs de ces nouveaux économistes, depuis les néoclassiques jusqu'à cette hypermathématisation de la pensée dénommée économétrie. Ce mouvement culmine aujourd'hui avec le triomphe des super-modèles, toujours plus abstraits et sophistiqués, que permettent les nouvelles capacités de calcul fournies par les ordinateurs (lesquels calculs et modèles sont cependant, selon les mots de Samir Amin[23], *des équations abstraites* dont le niveau analytique réel ne *dépasse en fait guère* celui de simples *règles de trois compliquées*). On peut constater en économétrie l'ampleur du détournement conceptuel dont la communauté des économistes dominants se rend parfois coupable: on y pousse l'extravagance jusqu'à prétendre calculer des « indices d'optimum démocratique » et comparer sur cette base les nations entre elles[24] !

J'ai toujours été passablement intrigué, jeune étudiant, de voir avec quelle désinvolture, à la faculté des sciences économiques, on jonglait hardiment avec les hypothèses, les systèmes d'équations et les modèles mathématiques — alors que du côté de la faculté des sciences physiques, on redoublait de précautions et de prudence lorsqu'il s'agissait d'utiliser le langage mathématique pour parler de l'univers. Il y était — et il y est toujours — obligatoire de suivre, dès le premier cycle, au moins deux cours fondamentaux, particulièrement redoutables et redoutés par les étudiants, interrogeant et délimitant la portée des calculs et des modélisations mathématiques appliqués à la physique : « Techniques mathématiques de la physique » et « Méthodes mathématiques de la physique ». Je n'ai jamais entendu parler nulle part de cours destinés aux économistes et posant le problème de la légitimité des techniques ou des méthodes mathématiques de l'économie, et encore moins, bien sûr, de tels cours à l'adresse des étudiants des écoles de gestion.

En outre, la physique, que bien des physiciens dénomment « la science des approximations », et qui est en son cœur même très consciente des limites de ses instruments, même concernant les phénomènes inanimés, est constamment traversée de débat. Parmi les préoccupations des physiciens, citons par exemple les problèmes que posent les variables conjuguées, le principe d'indétermination, les coordonnées probabilistes attribuées aux comportements des particules, l'« identité » et la trajectoire d'une particule avant et après un choc, la légitimité et la validité des modèles théoriques sans épreuves expérimentales, et même la position de l'observateur et son système référentiel, le rôle de la conscience de l'observateur dans la nature des phénomènes observés[25]...

En science économique, où sont les preuves empiriques et les vérifications expérimentales de la justesse des conclusions tirées à partir de kilomètres de calculs que l'on aligne dans les revues spécialisées (conclusions qui, soulignons-le, servent à appuyer et légitimer des décisions — corporatives ou gouvernementales — qui engagent la vie et le destin, souvent, de centaines de millions de personnes) ? On continue à y avancer sans vergogne l'argument de la toujours possible (en fait la seule) *vérification ex post facto*, l'argument de la constatation après le fait, autrement dit, lorsqu'il est souvent déjà bien trop tard. On vérifie si on a eu raison après que les dés aient été jetés, définitivement jetés. Par ailleurs, on sait, au moins depuis les travaux les plus connus sur le chaos — Wiener, Ekeland, Mandelbrot, et en particulier Lorenz —, que *le déterminisme absolu, c'est finalement le hasard absolu*[26] (avec comme illustration fondamentale, par exemple, ce qu'on nomme l'« effet papillon »). Ce qui n'a nullement empêché, fin septembre 1998, devant le marasme et les gâchis économiques et sociaux qui se multiplient à travers la planète, le directeur général du FMI de déclarer candidement : « Des erreurs ont été faites dans les prévisions des crises économiques » (*cf.* le quotidien montréalais, *Le Devoir*, 25 septembre 1998) ! Or les « prévisions économiques » font, jusqu'à preuve du contraire, partie de cette catégorie de phénomènes dits à « enchevêtrement des déterminismes », phénomènes non prévisibles, non probabilisables, et « chaotiques » par excellence ! Mais il est vrai que dans tout calcul économique qui se respecte, il faut commencer, entre autres, par *faire l'hypothèse d'indépendance entre les variables indépendantes*, ce qu'aucun physicien n'oserait faire sans tenir compte du fait qu'il « abstrait » arbitrairement le « réel ».

Mais la loi de l'offre et de la demande joue à travers des actions humaines. Comment de telles actions peut-il émaner un mouvement neutre, prédictible et universel ?

On invoque alors *l'homo aeconomicus*, présenté comme aussi universel que pétri de *comportements rationnels* consistant en un matérialisme individualiste obsédé de maximisation des gains [27]. Les tenants de la doctrine économique du marché n'hésitent en effet jamais à brandir l'argument de *la nature humaine*, selon lequel l'homme aurait de tout temps été individualiste, égoïste, maximaliste, compulsivement préoccupé de ses seuls intérêts personnels immédiats... En guise d'exemple, en management, Koontz et O'Donnell (réédités sans cesse depuis les années 1950 et traduits en près de vingt langues) écrivent avec un invraisemblable aplomb qu'il *relève de la nature humaine que de chercher à devenir riche, à augmenter son pouvoir, à être chef, à dominer les autres* [28]. D'où sort-on cette « nature humaine » ? Il est frappant comme le prototype (sinon l'idéal) de cette nature humaine (accompagnée de sa prétendue rationalité) ressemble à l'Occidental moderne moyen, de préférence de type nord-américain !

Mais c'est l'ordre animal en général qui est appelé à la rescousse. En appelant à une nature animale, les Skinner, Watson et leurs émules béhavioristes ont cru pouvoir transposer sur nous humains — pour le plus grand bonheur du management — des résultats d'études faites sur des rats, des pigeons, des poules ou des souris [29]. L'animal, clame-t-on, ne se soumet-il pas lui aussi, à sa façon, à une sorte de loi du marché et de la concurrence dans la lutte pour la survie [30] ? N'est-il pas soumis à la sélection naturelle ? N'est-ce pas le plus fort qui survit ? Qui devient le chef, avec des droits et des privilèges exclusifs et bien visibles ? N'est-il pas constamment en lutte contre les animaux des autres espèces, contre ses propres congénères ?

En bref, le règne animal — rationalité en moins — serait, à l'instar du monde humain, assujetti à la rude règle de la lutte de tous contre tous, fort judicieusement arbitrée chez les humains par l'immanence céleste de la loi de l'offre et de la demande.

Eh bien, je serais fort aise de voir nos chefs d'industrie humains, une fois rassasiés, se retirer comme le chef de meute chez les lions ou les loups pour laisser les autres se servir à leur tour, comme le fait n'importe quel chef dans n'importe quelle espèce animale vivant en groupe. Mais là est toute la question : à partir de quelles limites le chef parmi les hommes peut-il s'estimer rassasié et se retirer au profit des autres ? Hélas ! contrairement à l'animal, l'homme (de l'Occident industriel en premier) ne se contente pas de satisfaire ses besoins, comme on l'affirme spontanément. Il s'acharne au contraire à satisfaire *des désirs et des caprices, sinon des folies*, qu'il veut faire passer pour des besoins. Et surtout, qu'on veut lui faire passer pour tels, car aujourd'hui, ces désirs sont très efficacement fabriqués de toutes pièces par la publicité et les diverses techniques de marketing — 100 milliards de dollars sont dépensés en publicité chaque année aux États-Unis. On sait l'impact catastrophique de cette consommation effrénée sur la nature et l'environnement des êtres humains — ceux qui ont à en souffrir étant bien évidemment les plus pauvres.

L'animal et « l'homme primitif », eux, bien plus sensés et plus rationnels que l'humain dit développé, se contentent de satisfaire leurs besoins, en toute harmonie avec la nature. Aucune rivière, aucune nappe phréatique, aucune mer, aucune couche d'ozone n'ont eu à souffrir par la faute des animaux ou des Amérindiens avant l'arrivée des Européens. De surcroît, les études les plus sérieuses en ethnologie et en éthologie nous montrent des « sauvages » et des animaux qui coopèrent et s'entraident la plus grande partie du temps plutôt que de se faire compétition.

Il est cependant indéniable que ce fameux postulat d'une *nature humaine* prétendument toujours en quête de plus de pouvoir et de richesse et prête à tout pour assouvir des besoins infinis est quasi définitivement érigé en vérité historique, sinon scientifique. S'il trouve son inspiration chez des économistes de la première heure tels qu'Adam Smith, il est le noyau autour duquel s'articulent aujourd'hui de nombreuses théories économiques américaines. On retrouve systématiquement ce postulat, par exemple, dans les théories dites « de la firme », « des coûts de transaction », « des jeux », du « bien public », « des choix publics[31] ». Ces théories n'hésitent pas à présenter l'être humain comme un être qui finit par devenir cyniquement égocentrique, sous prétexte d'être « rationnel », cherchant compulsivement les moyens de tirer profit de tout, y compris de la candeur et de la confiance d'autrui. Quitte à ériger hypocrisie intéressée et manipulation en vertus majeures du « comportement rationnel ». L'homme y est en outre décrit comme peu soucieux de la concordance entre ce qu'il dit et ce qu'il fait d'une part, et entre ce qu'il fait et une éthique sociale quelconque d'autre part...

Mais convoquons ici quelques grands ténors de l'économie traditionnelle libérale elle-même — car les discours de ces maîtres de l'économie sont loin d'être aussi univoques que le courant dominant veut le faire croire[32] — pour appuyer l'idée que la conception individualiste-atomistique des rapports entre les humains, à laquelle on fait appel pour légitimer la marche contemporaine de l'économie, ne saurait, en aucun cas, être compatible avec la moindre idée d'éthique, laquelle implique une conception de l'humain partant de ce qu'il y a de plutôt noble et altruiste en lui, contrairement aux hypothèses (même implicites) sur lesquelles se basent les tenants de l'économie-management (pour justifier les idées de concurrence impitoyable, d'enrichissement infini des « plus forts », de « démocratie élitiste » sans égalité réelle des chances), qui postulent un être humain mesquin, trompeur, méfiant et sournois.

Commençons par le fameux « optimum » de Vilfredo Pareto[33] qui montre *qu'il ne saurait y avoir un gain pour quiconque, en situation d'équilibre du marché, que s'il y a perte pour quelqu'un d'autre.* Cela ne veut-il pas tout simplement dire qu'aucun centime ne peut entrer dans une poche sans sortir d'une autre ? Et que, quand cela est systématique et unilatéral, cela porte le nom d'*exploitation*[34] ?

Parallèlement à Vilfredo Pareto et après lui, il y eut une succession de *théorèmes*, jalonnant la construction de la science de l'économie et lui donnant certains de ses Prix Nobel (aussi célèbres que peu considérés dans *ce qu'ils disent réellement*), théorèmes *qui mettaient en question la solidité de l'édifice théorique de la pensée économique s'articulant sur le marché et ses équilibres dits naturels.* Il en est ainsi, en particulier, des théorèmes de Léon Walras, de Kenneth Arrow (Prix Nobel 1972), de Gérard Debreu (Prix Nobel 1983) et de Lipsey-Lancaster[35] qui, bien que systématiquement catalogués parmi les économistes du sérail néoclassique orthodoxe, n'en contiennent pas moins souvent, en eux-mêmes, des contradictions (ou à tout le moins des éléments de sérieuses réserves) par rapport aux usages qui en sont faits dans les facultés d'économie et, encore davantage — et avec un réductionnisme inacceptable —, dans les écoles de gestion[36].

Comme le rappelle J. K. Galbraith dans *Économie en perspective*[37], la pensée économique a opéré son glissement idéologique — et épistémologique — majeur, des classiques aux néoclassiques, en concentrant son attention sur le calcul et la mise en équations des transactions économiques (réduites à leur seul aspect de mouvements monétaires, *puisque cela seulement se calcule*). C'est très exactement à cette tâche que vont s'atteler Léon Walras et ses successeurs[38].

Léon Walras a trouvé l'équation, ou plus exactement l'expression mathématique, de la fameuse main invisible d'Adam Smith, à travers la loi de l'offre et de la demande, et de l'équilibre général. On peut dire qu'il s'agit du « théorème de la main invisible ». Mais ceux qui l'invoquent à l'appui de leurs thèses oublient que :

- Walras croyait à l'application des lois de la physique newtonienne à l'économie (une *mécanique céleste de la société*), prémisse épistémologique de taille, aujourd'hui totalement insoutenable ;
- Walras n'a jamais démontré que les marchés conduisent, naturellement et par leur propre dynamique, à l'équilibre ni qu'ils répartissent les richesses de façon efficace, choses qu'on n'arrête pas de répéter en son nom ; tout ce qu'il a en fait réussi à montrer, c'est qu'il était possible d'exprimer en termes mathématiques une loi théorique de l'équilibre qui n'avait plus besoin de métaphore aussi peu formelle que celle de la « main invisible ». L'hypothèse, déjà, de l'existence d'une mécanique céleste de la société infirme la possibilité d'une telle *démonstration*. Mais encore une fois, on fait comme s'il avait opéré cette démonstration. Tout ce à quoi Walras est en fait parvenu, c'est à répondre à une question assez élémentaire, même dans sa formulation mathématique[39] : y a-t-il une solution au système d'équations multiples généré par les équations d'équilibre ? Et la réponse est, nous dit J. Généreux, que « *les ma-*

thématiques enseignent alors qu'une condition nécessaire à l'existence d'une telle solution est de disposer d'autant d'équations que d'inconnues à déterminer» (*Les vraies lois de l'économie,* 2001, p. 73). On le voit bien, il n'y a finalement dans tout ceci qu'artifices mathématiques, au demeurant effectivement assez élémentaires;
- Walras prenait comme image fondatrice du marché la bourse et les tractations boursières; or on sait, exemple parmi cent, le sort qu'un Keynes a réservé à une telle image: la bourse, c'est tout sauf la logique, l'équilibre, le prédictible; c'est, disait-il, «un perpétuel mouvement de foules» aussi irrationnelles qu'imprévisibles;
- Enfin, Walras avait besoin d'un *crieur des prix* (un équivalent du *secrétaire général du marché* de Quesnay — sorte de régulateur des mouvements économiques que cet ancêtre des économistes et père des physiocrates avait imaginé, et que beaucoup voient comme le prélude à la fameuse main invisible de Smith —, ou du *démon* de Maxwell) qui, hors des partis pris des offreurs et des demandeurs, *annoncerait les prix d'équilibre* des biens et services[40].

Pour éclairer un peu plus le lecteur, il convient de savoir que Maxwell, mathématicien et physicien légèrement antérieur à Léon Walras, avait imaginé (après son illustre prédécesseur le mathématicien français Laplace, qui avait proposé en 1812, lui aussi, un «démon», «cette intelligence qui, disait-il, pour un instant donné, connaîtrait toutes les forces dont la nature est animée et la situation respective des êtres qui la composent»[41]) un petit démon capable par exemple de ne laisser passer que les molécules rapides dans un sens et lentes dans l'autre sens. Sans effort, il créerait ainsi une zone chaude d'un côté (molécules rapides) et froide de l'autre, violant le second principe de la thermodynamique (voir chapitre 6) grâce à l'information dont il disposerait sur la vitesse des molécules. Le démon de Maxwell a été longuement étudié au cours de ce siècle par divers physiciens: il en ressort que le démon, étant lui aussi un être thermodynamique, se désorganiserait plus vite qu'il ne mettrait de l'ordre, et que de toute façon il aurait besoin lui-même d'un certain usage d'énergie pour éclairer les molécules afin de les distinguer.

Avec l'aide des hypothèses du modèle walrassien : l'atomicité de l'offre et de la demande, l'homogénéité du produit, la mobilité parfaite des capitaux, la transparence parfaite des marchés, il est possible de montrer que l'entrepreneur maximise son profit en choisissant de produire la quantité pour laquelle le coût marginal (coût de la dernière unité supplémentaire produite) est égal au prix unitaire « constaté » par le marché et son petit démon. La maximisation du profit est alors devenue l'indicateur de la marche vers l'équilibre général. Ainsi, le démon de Maxwell est au service de la main invisible.

Kenneth Arrow, lui, va porter un premier coup mortel à la fiction mathématique de « l'équilibre simultané des systèmes de marchés » (l'équilibre général étant en quelque sorte le résultat d'une infinité d'équilibres « locaux » entre l'infinité de produits, de services, de quantités, de prix, etc., qui composent le « marché » comme entité globale infiniment atomisée par hypothèse). Cet équilibre global suppose en effet cette autre hypothèse de Walras : le fameux annonceur des prix, extérieur au marché, arbitre désintéressé, *pur et objectif*, de la formation des prix, garant de ce que les acteurs du marché ne puissent avoir quelque influence que ce soit sur le jeu de l'offre et de la demande. Ce *crieur des prix*, sorte de commissaire-priseur, est un peu le *deus ex machina* imaginé par Walras pour résoudre les problèmes de perturbations inévitables des équilibres. Tout comme le *secrétaire général du marché* de Quesnay ou le petit démon de Maxwell (d'où il a été sans doute « emprunté » avec, encore une fois, la caution du recours à des catégories de la science physique) qui surveille et organise l'équilibre entre molécules accélérées et molécules lentes, il est une pure fiction, un personnage purement imaginaire nécessaire pour le maintien de la théorie. Ce commissaire-priseur, donc, va ramener par *tâtonnements les perturbations du marché vers l'équilibre général.* Comment ? En annonçant *sur chaque marché* un prix et en enregistrant l'offre et la demande à ce prix, « criant » un prix plus élevé ou plus bas, selon l'état de la relation entre l'offre et la demande sur chaque marché, afin de stimuler l'une ou l'autre et ainsi parvenir à rétablir, automatiquement et constamment, à un moment ou à un autre, l'équilibre parfait entre offre et demande. Il est aisé de comprendre que tout cela n'est que façons de forcer le langage mathématique et commode transposition de la complexité du fonctionnement réel des marchés concrets vers une simplification aussi imaginaire qu'idéologiquement opportune. C'est donc dire tout bonnement que le marché, *en soi*, n'a *ipso facto* aucune cohérence, ni concrète (impossible à saisir) ni théorique (nécessitant une myriade d'hypothèses infondées) !

Comme l'ont aussi fort bien explicité des économistes aussi importants que John Kenneth Galbraith et les Prix Nobel Paul Samuelson (1970) et Amartya Sen (1998), les équilibres hypothétiques du marché ne sont qu'une *fiction commode pour les calculs* que veulent effectuer les économistes[42].

Gérard Debreu, quant à lui, établira pour l'essentiel ceci : *si les mécanismes de l'offre et de la demande se présentent bien*, c'est-à-dire en conformité avec les hypothèses de l'équilibre général (concurrence pure et parfaite, transparence et disponibilité de toute l'information, atomicité des acteurs du marché, homogénéité des produits, parfaite mobilité des acteurs, libre accès au marché)[43], *alors le problème de Walras a en effet une solution* réellement *mathématique*, plus sophistiquée que la formulation walrasienne. Rien ne dit cependant que cette solution reflète, ainsi que l'espérait Walras, une possibilité réelle que le marché *conduise, naturellement, à l'état d'équilibre, à l'harmonie sociale*. Debreu montre qu'en fait, à sa façon, le marché est un système totalement chaotique, car *s'il existe des équilibres, à moins de tomber dessus, on ne les atteint pas par les mécanismes de l'offre et de la demande!* En d'autres termes, les calculs de Debreu montrent que l'état d'équilibre du marché est des plus hautement improbables, que c'est un *pur accident*. Arrow et Debreu, nous dit Généreux[44], démontrent que *l'on ne sait strictement rien* répondre à la question de savoir si une économie respectant toutes les conditions nécessaires à l'existence d'un équilibre général retournerait spontanément à l'équilibre, à la suite d'un choc quelconque, grâce à la flexibilité des prix. La divergence loin de tout équilibre *est aussi plausible que la convergence vers un nouvel équilibre*. L'atteinte d'un tel état d'équilibre général par le jeu des mécanismes de l'offre et de la demande est tout bonnement un état aussi improbable que de rencontrer Bouddha !

Accepter, avec toutes leurs conséquences, les travaux d'Arrow et de Debreu, c'est en fait affirmer que *le modèle de la concurrence (parfaite ou non) est dans une impasse totale*. Et, comme l'ajoute Bernard Maris, *les économistes le savent depuis au moins vingt ans* !

Enfin, Lypsey et Lancaster ont, eux, dûment démontré que si le système de marché relève d'une quelconque loi, c'est *la loi du tout ou rien* ! C'est soit 100 % de marché, soit 0 % de marché. *Car la concurrence est un tout, ou elle est pure et parfaite ou elle n'est rien* ! Il n'existe aucune solution intermédiaire, du genre « aller *progressivement* vers l'état de marché », formule totalement dénuée de sens, mais inlassablement répétée par les économistes, les politiciens, les porte-parole du FMI.

Il ne peut être question d'un état de 10 %, de 20 % ou de 30 % de marché. Ceci est d'une importance cardinale. Car cela revient à dire tout simplement que, en fait, le marché n'existe pas et que, sous prétexte de soi-disant lois immanentes, il n'est invoqué et utilisé que pour exprimer et couvrir les desiderata, le totalitarisme et la dictature des riches, des firmes et des oligopoles. Totalitarisme aussi injuste et despotique que le plus cynique des Gosplan à la soviétique.

Sur quelles bases épistémologiques et conceptuelles sérieuses repose donc encore le discours de l'économie de libre marché ? Comment ce discours peut-il *continuer à nier la question éthique fondamentale de la justice sociale, sous prétexte que le marché appartiendrait au monde des entités objectales, neutres, à propos desquelles le seul discours possible est celui de la science, du constat ?* Comment peut-on vouloir connaître scientifiquement ce qui n'est que du domaine des idées, une construction ?

Fiction commode, le marché n'en demeure pas moins dans le discours dominant, plus que jamais, une institution dont il faut à tout prix sauvegarder la liberté et l'indépendance, tout particulièrement vis-à-vis de l'autre grande institution organisatrice de nos sociétés, l'État[45]. Car c'est là l'autre aspect de la mystification : on pose comme corollaire nécessaire de ce statut accordé au marché (naturalité, équilibre immanent, etc.) que ce n'est que soustrait aux règles de l'État (sauf lorsqu'il s'agit de soutenir les intérêts du capital, notons-le), pernicieuses et artificielles, que le marché est en mesure de faire le bonheur de tous[46] !

Si, comme nous l'avons vu, l'équilibre général et la concurrence tels que présentés par les néolibéraux ne sont que fictions, il n'en demeure pas moins qu'il y a *effectivement* des prix, des quantités, des variations des uns et des autres, qui fonctionnent non pas selon des lois propres, mais selon des règles statuées de l'extérieur. Or, si on exempte des règlements de l'État ce marché qui, *en soi, n'en a pas*, sous les règles de qui va-t-on le faire entrer ? Puisque, en plus, l'un des problèmes de Walras lui-même était cette fameuse question du crieur des prix. Ce porte-voix de l'offre et de la demande, cet objectif et neutre huissier, *forcément hors marché*, qui constate le respect de la bonne règle et annonce les points d'équilibre atteints entre quantités offertes et demandes de produits et services, qui, en fait, joue son rôle ?

La réponse est plus qu'évidente. Ne plus vouloir des règles de l'État, c'est, et on ne s'en cache même plus, aller vers celles de l'entreprise dite « libre », c'est-à-dire vers les règles de la fructification maximale du capital, au détriment de tout le reste. D'où sort-on que ces règles-là sont plus favorables au bien-être général que celles de l'État ? Serait-ce de la fameuse « nature humaine » en permanent état de compétition pour maximiser sa courbe de satisfaction ? Une « nature humaine » dont la nature ne s'exprimerait, *sui generis*, qu'en l'absence d'institutions telles que l'État et ses règles ? Quelle conception incongrue de l'homme, de sa « nature » !

On affirme partout haut et fort — sous le terme de mondialisation — la *nécessité*, proclamée universellement bienfaitrice, de la course individualiste et compétitive au maximalisme aussi infini que de court terme — et ce, autant à l'échelle des entreprises que des personnes, des cités, des régions, et dorénavant, grâce à Michael Porter, des nations elles-mêmes.

C'est à la fin des années 1970 et au début des années 1980 que la pensée portérienne a commencé à influencer les écrits, les enseignements, les pratiques, les consultations, autant en économie qu'en management, pour gagner aujourd'hui le domaine de la « gouvernance » des États, directement inspirée de l'idéologie qui a orienté la direction des firmes. Cette grande imprégnation en fait un auteur incontournable pour qui veut comprendre d'où viennent certaines notions ou idées reçues implicites mais largement admises dans la sphère politique même, comment un certain vocabulaire s'y est implanté ainsi que partout ailleurs, et quels en sont plus précisément les fondements théoriques-idéologiques.

Michael Porter est d'abord ingénieur, détenteur d'un BSE obtenu à Princeton en 1969, en génie mécanique et aérospatial. Il complète ces premières études de type purement technique par des études postuniversitaires orientées vers les organisations et l'économie industrielle, d'abord en *Business* (MBA obtenu à la Harvard Business School en 1971), puis en *Business Economics* (Ph.D. terminé en 1973 à la même université). Il se retrouve alors, dès 1973, visiblement sans expérience de terrain aucune, enseignant à la Harvard Business School.

Il s'agit, on le voit, d'un pur produit des *fast-tracks* (voies d'études ultra-rapides) à l'américaine, ayant consisté dans le cas de Porter en une accumulation à grande vitesse de techniques, d'idéologies et de théories relatives au monde des entreprises. Quand on sait le nombre d'années de travail acharné que nécessite la compréhension, en économie, des œuvres « de base », aussi incontournables que complexes, telles celles de Smith, Ricardo, Mills, Marx, Weber, Schumpeter, Polanyi, Keynes, etc., on ne peut que rester songeur devant l'obtention d'un doctorat en économie en deux années d'études.

Finalement, la pensée de Porter est typique de cette pensée sociale approximative et volontiers arrogante produite par toute une série d'ingénieurs devenus gourous du management, et qui ont été initiés aux choses du social et de l'humain soit à l'occasion d'expériences dans le domaine des affaires, soit au sein des *business schools*. Faute d'une initiation adéquate aux phénomènes humains et organisationnels, hors des contextes pragmatistes et téléologiques de ces milieux, un réductionnisme abusif et mécaniciste les guette lorsqu'ils se penchent sur les aspects non purement techniques de la gestion ou de l'économie.

Michael Porter est un des produits les plus typiques des alliances fructueuses entre universités et gros cabinets de consultants de la région de Boston, berceau fécond des plus célèbres bureaux-conseils en *business* des États-Unis. Ces alliances sont à l'origine de ce qu'il est convenu d'appeler, autant en théorie que dans les pratiques, « le management stratégique », qui a pris forme dans les années 1950-1960. C'est là le milieu spécifique qui a permis à Porter, comme un contexte d'incubation, de produire sa fameuse théorie de la « stratégie des avantages compétitifs » ou du « positionnement sur le marché ».

Tout a débuté par un article qui a fait grand bruit et qui a immédiatement fait des émules : « How Competitive Forces Shape Strategy », paru dans la *Harvard Business Review*, mars/avril 1979 (et paru en français sous le titre « Stratégie : analysez votre industrie », dans la revue *Harvard l'Expansion*, été 1979). On trouve dans cet article fondateur du portérisme le noyau dur d'une théorie qui se développera considérablement au fur et à mesure de publications subséquentes : *Competitive Strategy : Techniques for Analyzing Industries and Competitors*, en 1980 ; *Competitive Advantage : Creating and Sustaining Superior Performance*, en 1985 ; *The Competitive Advantage of Nations*, en 1990, etc. Il s'agit d'une pensée centrée sur la notion d'analyse stratégique qui va s'étendre, se décliner, se conjuguer autrement, au gré des succès qu'elle rencontrera : depuis le champ du marketing à celui du management, puis à celui de la politique d'entreprise, jusqu'à prétendre appliquer l'analyse stratégique aux pays et tenir lieu d'économie politique. L'ouvrage portant sur l'avantage concurrentiel des nations n'est en effet, somme toute, qu'une extension du raisonnement basé sur les jeux des « cinq forces » constitutives de la concurrence (menace de nouveaux concurrents, existence de produits ou services de remplacement, pouvoir de négociation des fournisseurs, pouvoir de négociation des clients, rivalité entre firmes), combiné à un principe de synchronisation et de maximisation des « chaînes de valeur » (activités clés du fournisseur au réseau de distribution), raisonnements et notions qui avaient été appliqués, lors des ouvrages précédents, à l'étude de l'entreprise.

Porter est, à la suite de ces publications, présenté péremptoirement comme un auteur princeps et incontournable en stratégie des organisations et même des économies nationales. Ainsi, le portérisme est de nos jours l'appui théorique central de la matière enseignée aux étudiants de toutes les *business schools* de la planète, ses livres servent de manuels à peu près partout, son article de 1979 sur l'analyse sectorielle est lu et relu dans de multiples cours, tandis que sa vision du *positionnement stratégique* sert de base à des logiciels de simulation[47] utilisés internationalement en second et troisième cycles des études en gestion.

On peut identifier trois grands mouvements dans la construction du portérisme, correspondant chacun à la parution d'un livre charnière.

- Le premier mouvement est constitué par l'élaboration de la théorie dite du « positionnement », que présente *Competitive Strategy* (1980). Cette théorie, inspirée de l'économie industrielle, surclasse d'emblée, avec son fameux « modèle en losange[48] » de l'analyse des forces concurrentielles, les écoles « de la conception » et celle « de la planification ».
- Le deuxième mouvement coïncide avec la publication, en 1985, de *Competitive Advantage*, qui présente un des piliers du portérisme : la notion de « chaîne de valeur[49] » intégrée.
- Le troisième mouvement, enfin, accompagne la sortie de *The Competitive Advantage of Nations* (1990), qui étend l'analyse et les prescriptions portériennes aux États, et assoit la notion de compétitivité des États et des économies nationales à l'échelle d'une économie mondiale présentée comme « globalisée » et « complexifiée ».

Ce qui m'intéresse ici, c'est de voir en quoi la systématisation de Michael Porter, dans son extension tous azimuts, est à peu près totalement indéfendable, autant sur les plans historique et herméneutique, que plus globalement théorique, épistémologique et méthodologique.

M. Porter commet la même faute épistémologique fondamentale que celle que commet le management en général (dont le prototype est harvardien), par *l'usage inconsidéré et abusif de la méthode dite « des cas »*. Par là, il use et abuse en effet de ce que je dénommerais, que l'on m'excuse ce néologisme barbare, de l'« *empirico-inductivisme idéologique* ».

La méthode des cas est une démarche à prétention heuristique qui consiste à *induire de quelques cas des lois et des règles auxquelles on donne une portée universelle*. À partir de situations limitées, étroitement situées dans l'espace (situations généralement américaines ou, plus rarement, d'autres pays dits avancés), dans le temps (l'après-guerre et l'ascension triomphante de l'économisme financier et du management à l'américaine), et également fortement empreintes au départ de l'idéologie d'un milieu (celui du marché néolibéral, des dirigeants et des détenteurs d'intérêts financiers, à l'exclusion de tout autre), M. Porter infère un mode de fonctionnement considéré comme universel (mais plus ou moins masqué et contraint) et étant le plus fondé en réalité (relativement à d'autres modes de fonctionnement, que ce soit selon les nations ou selon les types d'institutions, notamment l'État), et il en fait découler *des prescriptions pour la prise de décision dans tous les champs du social et la conduite des institutions en général*.

Dans *Choix stratégiques et concurrence*, il cite, pour appuyer ses développements, les *cas* d'une trentaine de firmes, *presque toutes américaines*[50] — *comme si la seule multiplication des cas (assez similaires), soumis au placage systématique de la même grille d'analyse, constituait en soi connaissance scientifique, universalité, validité interne, validité externe.*

Dans l'application de son modèle aux nations, Porter utilise le même procédé inductif à partir d'observations empiriques qui me paraissent bien trop limitées et à validité de généralisation nulle : l'échantillon retenu pour l'établissement de la théorie générale de l'avantage concurrentiel est de 10 pays seulement. De plus, et peut-être surtout, la grille d'analyse utilisée met en œuvre des catégories *plaquées*, déduites de réalités encore plus limitées : *les entreprises des secteurs industriels* étudiés 10 ans auparavant dans le cadre de ses travaux sur la stratégie compétitive des firmes. Il s'agit, de l'aveu même de Porter, d'une simple et directe transposition : « L'essentiel de ma théorie repose sur les principes de stratégie concurrentielle *dans des industries précises* [...] *j'ai commencé par étudier certains secteurs, certains acteurs de la concurrence, pour remonter ensuite jusqu'à l'économie comme un tout*[51]. » La notion de positionnement stratégique, par les coûts et par la différenciation, qui découle de cette analyse de cas et doit maintenant orienter les décisions et actions des parties entrant dans le grand jeu de la concurrence, va s'appliquer au niveau des entreprises comme des États.

Les nations et les États — et leurs politiques économiques — peuvent-ils être mis sur le même pied, intellectuellement, éthiquement, moralement, socialement, politiquement, qu'une firme ou une entreprise, quelle qu'elle soit ? *L'État-business* peut-il être une catégorie de pensée ou un fondement pour une action collective acceptable ? Ou même, un *idéal-type* théoriquement soutenable ? Les objectifs des États ou des nations sont-ils réductibles à des recherches *d'avantages*, de gains, de profitabilité (appelée « efficacité »), évalués strictement en termes d'indicateurs de rentabilité économique monétisée (ou pire, financière, puisque depuis longtemps l'économie officielle est réduite à une mécanique mathématico-comptable obnubilée par la maximisation de la seule valeur d'échange et de la rémunération du capital), de concurrentialité et de parts de marchés ?

Faisant de la planète un vaste champ de bataille pour compétition infinie, sous la seule contrainte de la maximisation des profits et des dividendes, Porter nous conduit donc, en bout de course, à calquer *le macroéconomique sur le microéconomique* et *les politiques nationales sur les décisions entrepreneuriales*. Le traitement de l'économie ne se conçoit plus qu'à très court terme, et sans considérer aucunement les déséquilibres, déjà désastreux, entre le Nord et le Sud, et entre les facteurs de production eux-mêmes (capital, travail et nature).

Le premier problème que pose cette méthode d'analyse est proprement méthodologique : la simple description de ce qui convient aux intérêts des dominants et l'entassement d'indicateurs de satisfaction de ces mêmes dominants ne peuvent tenir lieu de *description objective des phénomènes* ou de méthode scientifique. Le résultat n'est que le reflet *de l'idéologie strictement rentabiliste et maximaliste du capitalisme de type financier et multinational.*

Ensuite, le simplisme caricatural (qu'admet candidement Porter en préface) du modèle du « losange à quatre variables » ne peut rendre compte de l'énorme complexité (candidement admise par Porter, elle aussi) des faits et processus *réels* dont on parle. Alors *pourquoi continuer à faire comme si on pouvait asseoir solidement prévisions, formulations, planifications et décisions stratégiques, à partir de l'application de ce modèle*?

Le second problème est d'ordre épistémologique : il y a ignorance totale de différences de réalités. Lorsqu'on sait (depuis Max Weber au moins, voir notamment *Économie et société*) que le service public — l'État — obéit à une « logique de compte de budget » (l'objectif étant l'équilibre), tandis que l'entreprise privée à but lucratif, elle, obéit à une « logique de compte de bilan » (l'objectif étant la réalisation de bénéfices), comment peut-on prétendre juger l'État à l'aune des critères de l'entreprise privée, et en tirer argument pour dénoncer « l'inefficacité » de l'État, et même appeler à la privatisation tous azimuts ? Dire que le privé est « plus efficace » que le public n'a strictement aucun sens, car il s'agit d'univers dans lesquels « l'efficacité » ne se présente pas dans les mêmes termes, diffère en nature et en finalité. Ce n'est pas plus pertinent que de dire d'un poisson qu'il est plus efficace qu'une vache, en prenant comme cadre de référence de l'efficacité le milieu marin.

Tout cela est à rapprocher des accusations de « positivisme aigu et inconsidéré », de « confusions entre représentations et réalité », de « cautions pseudo-scientifiques au service des gros cabinets de consultants », que lui porte, de façon difficilement réfutable, David Knights[52] dont nous parlerons plus bas.

Sur cette base, on pousse les États à se transformer en comités de gestion des intérêts financiers transnationaux, et les nations à ne plus représenter que des espaces voués à la compétition entre géants du *business*, lesquels n'ont pour seule finalité que la multiplication la plus rapide possible de l'argent, au profit d'un cercle restreint d'êtres humains — leurs obligataires.

Le portérisme, par l'usage (abusif peut-être aux yeux de Porter lui-même) qui en est fait, a consacré ce système comme base pour la préparation de politiques et la prise de décisions dites stratégiques (autant aux échelles corporatives que gouvernementales et étatiques). Pour donner une petite idée de l'étendue de l'influence de Porter, notons que le Canada a eu recours aux services de M. Porter et à son modèle d'analyse sous le régime ultra-conservateur de Brian Mulroney. Les conseils de M. Porter étaient à la hauteur des attentes: il a pointé les programmes sociaux, les droits acquis des travailleurs, les subventions et aides gouvernementales accordées aux plus nécessiteux comme autant de freins au plein épanouissement des avantages compétitifs du Canada… Considérons également deux des points majeurs de l'analyse des potentialités de l'économie québécoise à laquelle s'est livrée le vice-premier ministre du Québec à l'automne 1999 — formulée en termes typiquement portériens d'avantages concurrentiels:

1. « Le Québec détient un avantage concurrentiel en ce qui a trait aux coûts de sa main-d'œuvre inférieurs de 37,4 % à ceux des États-Unis et de 52,7 % à ceux de l'Allemagne[53]. »
2. « Le Québec offre une fiscalité concurrentielle, les taux d'imposition sur le revenu appliqués aux entreprises y étant les plus bas. »

Sans nous attarder pour l'instant sur le type de programme d'économie politique que cela annonce: abaisser davantage le revenu des salariés — les *coûts* corporatifs — et dispenser toujours plus l'entreprise privée et les milieux financiers de payer leur dû à la société[54], soulignons qu'on retrouve là deux des chevaux de bataille chers à Porter, l'expression même des deux fameuses *stratégies génériques* dont il se fait l'apôtre: le *positionnement par les coûts* (bas salaires) et *le positionnement par la différenciation* (offrir des taux de taxation plus attractifs).

Mais que ne pose-t-on la question (qui touche à de profondes différences de gouvernance) qui reste la plus importante ici: la question de savoir pourquoi le salarié allemand, *payé 52,7 % de plus que le salarié québécois, est autant sinon plus productif?* Car, on le constate chaque jour, les produits allemands se vendent fort bien en Amérique du Nord, et certainement pas 52,7 % plus cher que les produits locaux !

Par ailleurs, n'y a-t-il rien de choquant, d'immoral, d'indécent pour un gouvernant d'affirmer que la faiblesse des salaires de ses employés — donc du niveau de vie de ses concitoyens, de ses consommateurs, de son propre peuple — est à considérer comme un avantage compétitif ? *A fortiori* dans un pays qui figure parmi les plus riches, à l'orée du XXIe siècle ?

On commençait, bien sûr, à s'habituer à ce genre de cynisme, présenté comme fondement d'une saine gouvernance dans les raisonnements économiques appliqués aux pays du tiers-monde, auprès desquels on fait valoir que la misère de leurs travailleurs leur est un atout à préserver jalousement, sinon à renforcer[55]. Mais on se trouve là en présence d'une des limites majeures de la théorie portérienne touchant à la gouvernance. Rappelons en effet que cela met en jeu la solvabilité de marchés entiers, le niveau de la *demande effective* planétaire, et donc, pour tous, pose le problème des débouchés réels (*cf.* prologue). Ces débouchés, affirmons-nous, ne peuvent à terme exister qu'à la faveur d'une *approche de complémentarité et d'utilité réciproque* des échanges et du commerce international — et, cela va de soi, du problème de la gouvernance des nations, en tant que marchés (nationaux ou en relation avec d'autres), et des firmes, en tant que lieux concrets d'application, *in fine*, de toute gouvernance (au moins sous l'angle économique, mais on le sait, *tout n'est de nos jours qu'économique*).

Nous voici, alors, avec une seconde limite théorique sérieuse au portérisme : le fait que les secteurs originellement considérés comme comparativement avantageux par la théorie économique (chez Ricardo notamment, et dans la tradition dite ricardienne) sont d'abord les secteurs où les salaires sont les plus élevés ! Car c'est là un signe, déduction élémentaire, de la vigueur et de la productivité du secteur concerné, alors que les secteurs à salaires les plus faibles, eux, témoignent forcément de niveaux de qualification de la main-d'œuvre et de demande — donc de *compétitivité* des produits — peu élevés[56].

Sur ce point majeur, Michael Porter ne se situe pas clairement et de façon convaincante par rapport aux deux grandes traditions dans la conception économique des avantages comparatifs : la tradition *smithienne* d'une part, et la tradition *ricardienne*, d'autre part. Réfléchit-il dans le cadre d'une hypothèse de *rendements non croissants* (Ricardo) ? Ou dans celui de la théorie du cycle de vie des produits, de Raymond Vernon (qui a montré qu'aucun avantage ne saurait être conservé par quiconque, dès lors que le produit et sa technologie se banalisent), ce qui nous ramène inévitablement à la fameuse approche dite *de la dotation en facteurs*[57], et qui est une réhabilitation, en dernière instance, de la tradition ricardienne (donc de l'hypothèse de rendements non croissants) ? Ou, au contraire, suit-il l'hypothèse des *rendements croissants* (Smith) ?

Ce que je retiens le plus, pour l'argumentation conduite ici, c'est que dans la tradition ricardienne, la notion d'avantage comparé pousserait non pas à la lutte et à l'affrontement, mais à la spécialisation complémentaire — ce qui permettrait non seulement aux pays dotés d'avantages précis de produire dans les domaines où ils sont le plus efficaces, mais aussi aux pays « inefficaces partout » de cibler davantage les domaines dans lesquels ils sont le moins inefficaces, c'est-à-dire, aux uns et aux autres, de produire dans les secteurs où les salaires sont, en termes relatifs, les plus élevés ! Mais il est vrai que Ricardo pensait en termes d'avantages comparés de nations, et non d'avantages du point de vue des intérêts de firmes multinationales.

Comment Porter traite-t-il de cette vaste question ? Dans l'ensemble, il me paraît la rejeter du revers de la main, en renvoyant simplement tout le monde dos à dos, en l'espace de quelque 20 pages, dans son *Competitive Advantage of Nations*[58]. Glissant d'un trait sur la théorie des avantages absolus de Smith, il reproche à la théorie des avantages relatifs de Ricardo de recourir à un raisonnement basé sur des différences inexpliquées de climat ou d'environnement, d'ignorer le facteur des économies d'échelle, les différences technologiques et de types de produits entre pays, la non-stabilité des facteurs de production, la circulation de la main-d'œuvre qualifiée et des capitaux entre nations...

Certes, on ne peut pas dire que Porter ait tort en tout point, mais on peut déplorer qu'il n'ait pas nuancé et considéré autant d'autres théories qui pointent du doigt les « déséconomies » ou coûts d'échelle, les barrières de toutes sortes — tarifaires, tarifaires cachées, ou non tarifaires — entre nations, même celles dites en situation de libre-échange, etc.

Pour ce qui est d'Heckscher et Ohlin, de Samuelson, et de toute la question de la dotation en facteurs (sous hypothèse supplémentaire que la technologie peut être considérée comme également accessible), l'essentiel de l'argument portérien peut se résumer au vague reproche d'ignorer les transferts internationaux entre filiales de firmes multinationales, et la possibilité de l'existence de facteurs similaires entre pays qui échangent.

Quant à Vernon, Porter en dit exactement qu'avec ses propositions sur le cycle de vie des produits, « il représente les balbutiements d'une théorie véritablement dynamique qui montre comment le marché national peut stimuler l'innovation[59] ». Mais, du même souffle, Vernon est semoncé pour avoir négligé des questions comme : Pourquoi les entreprises de certaines nations s'imposent-elles dans certaines innovations ? Que se passe-t-il lorsque la demande émerge simultanément dans des pays différents ? Pourquoi dans bien des pays l'innovation est-elle continue dans les industries nationales ?

Comme c'est souvent le cas avec les théories qui veulent s'imposer comme des sortes de charnières entre le politique, l'économique et le management, la critique ou le positionnement de Porter par rapport à des théories plus générales, devenues classiques et donc incontournables, en reste le plus souvent au niveau d'aspects secondaires et ne discute pas leurs arguments centraux. Rien n'invite de façon expresse et solide à renoncer aux débats entourant la notion d'avantage (concept pivot, s'il en est, du portérisme), qu'il soit absolu, relatif, en dotation de facteurs ou sous condition de cycle de vie des produits, ou encore sous hypothèse de rendements croissants ou de rendements décroissants.

Cette problématique est bien trop complexe pour être expédiée en quelques pages.

Pour en terminer avec cette question du caractère théoriquement peu convaincant du portérisme, j'invite à confronter ce que Porter écrit, invoquant ce qu'il dénomme, sans autre forme de procès, *la réalité* contre les Smith, Ricardo, Heckscher-Ohlin ou Vernon, et ce que dit l'ancien grand patron d'ABB (plus de 200 000 employés à travers la planète). Porter avance, triomphant et vague à souhait :

> Les théories des échanges reposant sur les avantages relatifs sont irréalistes dans bien des secteurs [...]. Dans la plupart des secteurs, tous ces postulats ne coïncident guère avec les *véritables données de la concurrence* [...] La théorie de l'avantage relatif est également frustrante pour les entreprises, car elle est très éloignée des réalités. En *négligeant le rôle de la stratégie d'entreprise* [...] Il n'est pas étonnant que *la majorité des chefs d'entreprise estiment que cette théorie n'aborde pas ce qui leur paraît fondamental, et n'offre pas d'orientation appropriée en matière de stratégie*[60].

Cependant, de son côté, l'ancien grand patron d'ABB, Barnevik, remarque :

> Les entreprises qui réussissent n'ont pas une stratégie extraordinaire que personne ne connaît. Ce qu'elles ont, c'est une façon bien à elles de motiver les gens, de les attirer dans une même direction, d'insuffler une mentalité de dépassement dans l'organisation et de développer une culture axée sur le changement. La clé du succès est faite à 90 % d'exécution et à 10 % de stratégie. Et de ces 10 % de stratégie, peut-être seulement 2 % sont de l'analyse, des données, des modèles et des outils. Les 8 % résiduels sont du cran et de l'intuition[61].

Voilà un coup dur, provenant du monde, si cher à Porter, de la *réalité des entreprises*, asséné, convenons-en, à presque tout l'édifice portérien, qui ne saurait en aucune manière se passer de modèles, de données, d'analyses de toutes sortes (de secteurs, de la concurrence, de barrières à l'entrée, etc.).

La conception portérienne est, en définitive, *aux antipodes* autant de l'esprit des théories originales du libre-échange (Smith,

Ricardo, etc., jusqu'aux continuateurs contemporains plus marxiens, comme Amin, Furtado, Gunder-Franck) que de l'aristotélisme qui a marqué, au moins philosophiquement, bien des cheminements de l'histoire de la pensée économique, depuis Quesnay jusqu'à Marx, et même Weber et au-delà. En effet, le portérisme prône sans nuance une compétitivité généralisée et la course à des avantages compétitifs, non pas complémentaires, équilibrés, soucieux de bien-être réciproque, inscrits dans la durée, dans le souci d'une homogénéité à construire et à consolider, mais, bien au contraire, tout à fait égoïstes, immédiats, dans un état d'esprit résolument belliqueux[62]. Quitte à ce que ces avantages soient conquis contre les intérêts de ses propres concitoyens, contre des secteurs entiers de l'économie nationale, contre les pays avec lesquels on prétend faire du libre-échange. Ainsi, Porter parle explicitement, et de façon répétée, d'*affrontements*. Et cela n'exclut pas, semble-t-il, le cadre de zones dites de libre-échange — ce qui est un comble, puisque la philosophie foncière en arrière-plan des théories du libre-échange et des avantages comparés est basée, on ne le répétera jamais assez, bien plus sur un esprit de complémentarité, d'homogénéité des conditions et de coopération, que de belligérance commerciale.

En effet, il convient de voir cette question du libre-échange en « combinant » en quelque sorte ce que l'on peut déduire d'Adam Smith quant à la « poussée de tous les prix vers le niveau des coûts de production » (grâce à la main invisible et à ses conséquences sur la politique de prix — forcément à la baisse — que doit adopter tout nouvel arrivant), ou la théorie des « avantages absolus », et ce qu'on peut déduire de David Ricardo quant aux conséquences des écarts de productivité de la main-d'œuvre, ou la théorie des « avantages relatifs ». Cette « combinaison » permet de montrer que chacun des pays engagés dans une relation de libre-échange a intérêt, non seulement à exporter ce que ses facteurs de production et ses forces productives lui permettent de faire « le mieux et avec la plus forte productivité », et à importer le « symétrique » des pays partenaires, mais aussi à entretenir des relations d'aide et de coopération avec ceux-ci, puisqu'il est dans son propre intérêt qu'ils demeurent toujours assez « efficaces » pour produire et vendre ce qu'ils exportent au plus près des coûts. Notons que cette compréhension du libre-échange est celle qui a primé dans l'institution de l'Union européenne, tandis que la forme de libre-échange vers laquelle se sont dirigés le Canada et les États-Unis se rapproche bien davantage de la vision portérienne.

Ensuite, Porter ne semble faire aucun cas des nombreuses positions qui invitent à la constante interrogation de la finalité *humaine* de l'activité économique — pas même de celles qui émanent du milieu même de l'économie-management, ou qui s'adressent à lui directement aujourd'hui (Mintzberg et Knights).

Sur le plan épistémologique, Porter postule, implicitement mais nettement, comme tous les économistes orthodoxes, que l'accumulation et la production de richesses peuvent être *infinies*, et que l'organisation sociétale qui repose sur ce postulat — capitaliste, résolument dominée par la finance, industrialisée et néolibérale — est un progrès en soi, qu'il convient de généraliser pour le bonheur de tous. Une soi-disant évolution naturelle de l'humanité mènerait inexorablement vers les structures de libre marché et l'économie concurrentielle. Or nous avons vu, en convoquant les Smith, Galbraith, Walras, Arrow, Debreu, Lypsey et Lancaster, à quel point ces notions sont largement atteintes d'inflation sémantique, et ne résistent pas à une analyse logique-historique serrée. Ce ne sont qu'hypothèses — au mieux des idéaux types, au pire des chimères et des fictions aussi vides que commodes pour faire passer pour scientifique ce qui n'est qu'idéologique. Porter endosse sans aucune retenue le traitement de ces catégories de pensée que sont le marché, la libre concurrence, l'offre et la demande, comme s'il s'agissait de *forces aussi réelles qu'agissantes*. Où Michael Porter et ses innombrables émules tiennent-ils compte de cette faille majeure de la théorie économique ? Ne s'est-il donc jamais arrêté à des travaux aussi déterminants et radicaux que ceux de Arrow et Debreu, de Lypsey et Lancaster ? Ou les considère-t-il comme faux ? Non pertinents ?

Porter ignore tout aussi superbement (ce qui est grave pour quelqu'un qui traite du devenir des nations et de leurs économies) les apports définitifs d'un mouvement de l'historiographie contemporaine aussi important que celui dit *des Annales*[63], qui montre comment les *avantages* tirés par les nations occidentales modernes l'ont toujours été — depuis l'essor de grandes métropoles économiques comme Gênes, Venise, Amsterdam, jusqu'au décollage de l'Angleterre et de l'Empire américain — au détriment de régions (coloniales ou non) entières du Sud (les pays aujourd'hui les plus démunis), souvent tellement pillées qu'elles n'arrivent toujours pas à s'en remettre[64].

Comment, encore, admettre le fait qu'aucune mention ne soit faite de Karl Marx et du matérialisme historique, dans un ouvrage qui prétend non seulement expliquer le développement historique des nations, mais prescrire sur cette base une orientation dans leur gouvernance ? Quoi qu'on pense du matérialisme historique, encore faut-il au moins *se situer par rapport à lui* et expliquer en quoi on peut le disqualifier d'avance et, implicitement, promouvoir le capitalisme néolibéral et ses « lois » au rang d'achèvement de l'Histoire (plutôt que d'une simple étape parmi les autres).

Mais au-delà de ces remarques générales, voici (à titre indicatif, car il y en aurait sûrement bien d'autres) certains des points à mon avis parmi les plus discutables, sinon les plus pernicieux et les plus intellectuellement douteux, qui parsèment les positions (directement explicites ou non) adoptées par Porter :

1. Comment peut-on, à l'orée du XXIe siècle, imaginer sérieusement que notre planète — ce qui semble aller de soi tout au long de l'œuvre de Porter — puisse supporter six, et bientôt huit ou dix milliards d'individus, tous vivant pour la croissance maximale, tous en compétition contre tous, et tous atteignant des niveaux de vie comparables ou supérieurs à ceux des plus nantis (*a fortiori* lorsque M. Campdessus, encore patron du FMI, annonçait, en début d'année 2000, que plus de deux milliards et demi d'individus sur terre « vivent » avec moins de deux dollars par jour) ? Or c'est là le monde idéal à la formation duquel tendrait ce type de « théorie prescriptive » — présent sous la forme d'un postulat de possibilité nécessaire à la légitimation d'un ordre autrement inadmissible.
2. La mondialisation de l'économie dont on nous rebat les oreilles, et que Michael Porter endosse sans retenue, n'a-t-elle vraiment rien à voir avec la phase impérialiste du capital, la phase

néocolonialiste de la géopolitique mondiale d'après-guerre? Choses dont ont déjà abondamment traité les néo-marxistes depuis Rosa Luxemburg et Lénine jusqu'à Samir Amin (qui, à l'anti-Davos de Porto Alegre à la fin de janvier 2001, traite la mondialisation de « feuille de vigne qui cache l'impérialisme »), et même des non-marxistes comme John Hobson[65] ou Galbraith[66]? Peut-on balayer du revers de la main les théories qui présentent la généralisation du système économique de type capitaliste à l'échelle de la planète, non pas comme un mouvement inéluctable et une bénédiction pour tous, mais plutôt comme la poussée hors frontières, souvent par le moyen de la guerre, des contradictions historiques du capitalisme, c'est-à-dire la réalisation des plus-values sur le dos de populations toujours plus nombreuses et la recherche de débouchés extérieurs toujours plus lointains, toujours plus vastes, l'accumulation toujours plus concentrée (c'est-à-dire, ô euphémisme! insuffisamment redistribuée) du capital, cela s'accompagnant d'un déphasage éhonté entre le discours (égalitariste, démocratique, libéral) de la superstructure productrice des idéologies et des croyances, et la réalité vécue au cœur de l'infrastructure (des pays nantis eux-mêmes): exclusion, paupérisation, précarité, chômage, inégalités criantes? Si on remplaçait le terme « mondialisation » par « impérialisme » ou « néo-colonialisme », toute l'analyse portérienne ne serait plus qu'un tissu d'affirmations idéologiques tout à fait partiales et sans fondements. Tout compte fait, Porter n'apporte pas autre chose qu'une énième *description de la façon dont fonctionne l'économie, telle que voulue par les dominants*. Ajoutant sa voix à celles, déjà bien nombreuses, des économistes officiels et autres chantres du système à la base de l'ordre mondial voulu par l'esprit des institutions de Bretton Woods.

3. Peut-on négliger, ignorer, rejeter toutes les analyses troublantes des tiers-mondistes et ne tenir aucun compte du dualisme structurel criant qui affecte les pays non développés, de la scission de ces pays en deux secteurs antagonistes[67]: le secteur « moderne », minoritaire, occidentalisé, le plus souvent corrompu et mafieux[68], extraverti, ploutocrate, et le secteur « tradi-

tionnel » largement majoritaire, déstructuré, appauvri, voué à la misère, livré en pâture aux exploiteurs les plus voraces[69] ? Ne faire aucun cas de l'inégalité féroce de l'évolution des termes de l'échange ? De la polarisation de la planète, pour reprendre la terminologie de Samir Amin, en *centres*, qui siphonnent, concentrent, absorbent sans cesse les capitaux, et en *périphéries*, qui font les frais de cette absorption ? Des effets (dévastateurs pour les pays du Sud) de la dollarisation de l'économie mondiale[70] ? Du comportement prédateur cynique, dévastateur et avéré des multinationales ? À titre d'exemples : ITT et les cuivrières américaines, en 1972, qui réalisaient des bénéfices de 4 milliards à partir d'investissements de seulement 30 millions au Chili[71] — comment oser parler d'un « avantage » quelconque pour ce pays ? — et les papetières canado-américaines qui dévastent sauvagement la forêt boréale — dont elles ont la concession à *perpétuité* ! —, cherchant à maintenir les profits gigantesques qu'elles en ont déjà tirés pendant des décennies[72].

4. Peut-on sérieusement faire l'hypothèse que la domination de fait, que nous vivons de plus en plus chaque jour, de l'économie planétaire par les multinationales et les transnationales puisse favoriser la concurrence et la compétitivité ? Et non pas plutôt, en toute logique, la concentration, les mégafusions, les quasi-monopoles (voire les monopoles, comme en témoigne l'affaire Microsoft et sa condamnation pour viol de la loi antitrust en novembre 1999), les oligopoles, enfin, toutes choses qui, par définition, sont des ennemies mortelles du marché et de la concurrence dits libres ? Ou alors aura-t-on recours à l'une de ces incroyables formules, véritables escroqueries sémantiques dont les économistes du sérail ont le secret, du genre « *concurrence monopolistique* » ?
5. Quels libres-échanges réellement libres et profitables pour toutes les parties peut-on imaginer entre des Goliath (comme les États-Unis ou l'Union européenne) et des David (comme le Mexique, le Canada ou la Tunisie) ? Où sont les homogénéités (sociales, culturelles, technologiques, économiques, etc.) minimales que supposent les bénéfices respectifs auxquels on

est en droit de s'attendre pour des pays entrant en libre commerce ? Prenons l'exemple de l'ALENA (1994) : ceux qui en vantent les mérites manient les chiffres avec dextérité et omettent les précisions qui leur seraient défavorables. Ainsi, bien des études ont montré comment cet accord dit de libre-échange (qui, à la différence de celui de l'Union européenne, ne permet la libre circulation que pour les capitaux et les produits) a résulté en fait, pour le Mexique, en l'afflux de biens venant des États-Unis — surtout — et en demande accrue de moyens de paiement envers les producteurs américains — ce qui a poussé la monnaie mexicaine vers une chute libre face au dollar, deux ans à peine après les accords de l'ALENA —, chute qui a conduit à la crise sans précédent que l'on sait. En plus d'une concurrence insoutenable pour les producteurs mexicains qui ne peuvent faire le poids face aux géants du Nord, la situation mexicaine a été aggravée par la venue massive de *maquiladoras*, ces entreprises américaines délocalisées vers le Sud, attirées par des salaires bien plus bas qu'aux États-Unis. D'aucuns pourraient penser que, tout compte fait, cela donne de l'emploi au Mexique, que cela peut provoquer des retombées en chaîne... Hélas, d'après un bilan établi récemment par un organisme spécialisé dans l'observation des résultats de ce genre d'accords[73], voici les grandes lignes des « retombées » réelles pour le Mexique après plus de six ans de libre commerce avec le Canada et les États-Unis : l'attrait conjugué des bas salaires mexicains, des exonérations fiscales et la suppression des droits de douane a entraîné une délocalisation massive de l'industrie des États-Unis. En six ans, 2300 sites de production ont été fermés aux États-Unis, ou délocalisés, y détruisant plus de 230 000 emplois. Mais cela n'a pas compensé, loin s'en faut, les retombées négatives qui se sont abattues sur les Mexicains : l'ouverture des frontières a mené à la faillite de près de 4 millions de producteurs agricoles et à la fermeture d'environ 3000 PME ! Les emplois ainsi perdus n'ont pas été compensés par les 600 000 « créés » dans l'industrie d'exportation (*maquiladoras*). Les salaires ont, en plus, *baissé de 23 % en trois ans* ! Tout ceci sans compter les incessantes et croissantes violations du code du travail, les atteintes à l'environnement, etc. Et pour ce qui est du Canada, une étude détaillée, disponible sur Internet et intitulée « Decade of Executives », montre comment, pour des firmes comme GM, Ford, GE, IBM, etc., l'évolution des « gains » depuis 1996 n'a en fait été réelle que pour les PDG et les *Chief Executive Officers* (CEO) (hauts dirigeants en anglais), américains et canadiens, avec une augmentation de leur « rémunération » oscillant entre 400 et 600 %, tandis que celle de la productivité et des salaires se situait autour de 18 % à 25 % !

6. La logique financière maximaliste du marché autorégulé du capitalisme à l'américaine (poussant ces derniers temps vers des sommets de spéculation aussi inimaginables qu'irrationnels, depuis le fol engouement suscité et entretenu par les entreprises de l'Internet[74]) est-elle à mettre sur le même pied que la logique du « marché social étatiquement régulé » du capitalisme industriel à l'allemande ou à la japonaise[75] ? Pourtant, Porter cite abondamment et prend indifféremment comme exemples des entreprises suédoises, allemandes, japonaises. La notion de « grappes industrielles », sorte d'épicentre du modèle portérien, ressemble étrangement à certains concepts comme celui de « pôles de développement » autrefois élaboré par François Perroux ou celui de complexes « d'industries-industrialisantes » mis en avant par d'Estanne De Bernis, sans parler de l'analogie, plus qu'évidente, entre ces « grappes » et le maillage étroit de l'industrie japonaise. Or tout cela suppose infiniment plus de coopération que de compétition, d'interventionnisme et de présence de la part de l'État que de laisser-faire, bien plus de concertation que de concurrence, bien plus d'entraide et de partage que de luttes et *d'affrontements* entre les firmes ou les nations. Tout, absolument tout, depuis le rôle de l'État (à travers le fameux MITI[76]) au type d'intégration interne et externe des entreprises, oppose par exemple les maillages de type japonais à ce que Porter présente comme des grappes. Comment les uns et les autres peuvent-ils remplir le même office « compétitif » pour leurs nations respectives ? Mais il est vrai que de nouveau, ni Perroux ni De

Bernis ne sont situés dans leurs propres contextes idéologiques, ni par rapport à la proposition sur les grappes, même si Porter les mentionne en bibliographie.

7. N'y a-t-il pas contradiction radicale lorsqu'on cite à maintes reprises, PNB, PIB et autres indicateurs de « compétitivité » à l'appui, les Japon, Allemagne, Danemark, Suède comme des exemples de réussite « compétitive », tout en se situant idéologiquement inévitables dans le type de politiques économiques, industrielles et sociales que l'on prône, presque aux antipodes des orientations et pratiques qui y ont cours ? M. Porter s'affiche résolument néolibéral, alors que ces pays sont, à tous égards, tout sauf néolibéraux ! Ils sont « social-démocrates », à économie « sociale de marché », à économie « étatiquement guidée ». Cela n'est-il donc pour rien dans leurs réussites ? Et cela peut-il être ainsi intégré, sans nuances, au modèle portérien ?
8. Le terme « avantage » lui-même est-il un concept neutre, quand on sait combien le jeu est inégal entre pays nantis et pays dits en développement, entre pays producteurs de matières de base et pays détenteurs de hautes technologies, entre toutes-puissantes multinationales et États du tiers-monde ? On semble oublier un peu facilement l'immense différence entre les conditions initiales qui ont permis le décollage économique de l'Occident au XVIIIe siècle (révolution technique et surrendements agricoles, comptoirs commerciaux extérieurs et colonisation comme leviers financiers) et les conditions actuelles à partir desquelles on demande aux pays du tiers-monde de faire leur propre décollage : agricultures anémiques ou sinistrées, marchés intérieurs désarticulés, productions extraverties, demande effective globale en chute libre, termes de l'échange en dégradation exponentielle, endettements en cercles vicieux, parités monétaires désastreuses, nature dévastée.
9. Comment peut-on, à l'instar de M. Porter, faire l'hypothèse (implicite mais fondamentale) que cette arène mondiale dénommée marché est une sorte de laboratoire transparent, tout propre et aseptisé où les joueurs sont tous transparents, honnêtes, égaux, dotés du même pouvoir devant les instances

internationales, *fair-play*, ne comptant que sur des avantages mérités venant, pêle-mêle, soit de la bonté de la nature et de la providence — tradition des avantages *ante facto* de la dotation en facteurs —, soit des capacités productives que les efforts et l'ingéniosité des entrepreneurs nationaux ont su développer — tradition des avantages *ex post* sous hypothèse de rendements croissants ? C'est passer outre la corruption, les corrupteurs, les mafias, les puissances financières, politiques et militaires qui manipulent joyeusement tous les marchés de tous les produits, tous les commerces, et même les régimes de pays démocratiques occidentaux[77]. Est-ce vraiment de la naïveté, quand on voit que même les Jeux olympiques (corruption des membres du Comité international olympique pour l'attribution des Jeux) ou les courses cyclistes (implication de laboratoires pharmaceutiques, de fabricants de matériels sportifs, dans les affaires de dopage des coureurs lors des tours de France 1999 et 2000) sont l'objet de sordides tractations qui faussent royalement toute la saine compétition qu'on voudra ? Concédons-le, il arrive à M. Porter de faire allusion çà et là aux « intérêts de coalitions » qui pourraient fausser les jeux du marché, mais pour lui, il s'agit surtout de l'État-réglementateur-ennemi-des forces-du-marché.

10. M. Porter ignorerait-il un phénomène, depuis longtemps considéré comme central dans l'analyse de l'environnement en management et dénommé « enaction[78] » (*enactment*) ? Il s'agit du fait que l'observateur d'un environnement en induirait au moins autant de caractéristiques projetées par lui, selon son point de vue et ses intérêts, que de caractéristiques « objectives ». Ceci sans parler des transformations inévitables que provoquera toute « étude sectorielle » dans n'importe quel environnement, à partir du moment où cette analyse donne lieu à des décisions et à l'implantation de stratégies. *Ce n'est alors plus l'environnement qui fait la stratégie corporative, c'est l'inverse* ! C'est là un point qui a déjà été très sérieusement abordé et confirmé, entre autres, il y a plus de 30 ans, par John Kenneth Galbraith dans *Le nouvel État industriel*[79]. Il y montre notamment comment la planification (stratégique)

de certains modèles de voitures par GM et Ford va contribuer à imposer, sur de nombreuses années, aussi bien les niveaux de salaires intérieurs et extérieurs que les prix de produits comme le caoutchouc, le fer, le charbon, l'acier. La planification stratégique des grandes firmes « fabrique » donc en grande partie l'environnement national et international, et fausse totalement le jeu de la concurrence, tout en sapant à la base l'idée même d'un avantage comparatif quelconque pour les pays producteurs de matières premières qui ne peuvent que se voir imposer, plans après plans, prix, salaires, taux de change, termes d'échange... Mais John Kenneth Galbraith n'a pas l'honneur d'être mentionné par M. Porter.

11. Le PNB (Produit national brut) est l'indicateur privilégié par Michael Porter (sept sur les seize critères retenus dans *L'avantage concurrentiel des nations* sont des éléments de PNB). Ignorerait-il que bien des spécialistes remettent en question la pertinence de cet indicateur macroéconomique comme mesure de performance et de santé économique[80] ?

12. Que dire de son hypothèse, implicite mais omniprésente, selon laquelle, somme toute, les gains des uns ne sont jamais que les pertes des autres ? Ne devrait-on pas parler plutôt de perte nette globale (considérant tous les éléments à faire entrer dans le calcul, tous pays et tous aspects — particulièrement écologique — compris) ?

13. Enfin, à l'instar de David Knights[81] et en complet accord avec lui, je ne peux que constater dans l'œuvre portérienne ces autres inadmissibles *manquements scientifiques et épistémologiques* :

– Un positivisme outrancier par l'application des canons de la méthode dite scientifique dure, propre aux sciences de la nature et de l'inerte (biologie, physique, etc.) à un objet non inerte, relevant de décisions et d'interactions humaines, positivisme qui découle naturellement et « ontologiquement » de tout ce qui est impliqué dans l'étude des organisations, des actes de management, de planification.

– Une objectivation-réification tout aussi outrancière des organisations et des groupes dirigeants organisationnels, qui les traite à la fois en sujets actifs et en objets dans cette recherche des mécanismes « objectifs » de définition, de planification, de sélection des stratégies.

– Le recours à d'innombrables *raccourcis heuristiques* consistant à transposer les desiderata idéologiques et les représentations mentales issus du monde des dominants en caractéristiques, prétendument objectives et universelles, des réalités économiques et organisationnelles.

– En fait, la projection systématique du modèle de Harvard, construit par la traditionnelle interaction de cette université avec les gros cabinets de consultation, dans sa prétendue théorisation des mécanismes de la stratégie des avantages compétitifs, est la symbiose entre l'architecture de sa théorie et les services que peuvent rendre les cabinets de consultation avec lesquels lui et Harvard ont toujours eu partie liée. Ce qui peut légitimement laisser penser que cette théorie a été, fort opportunément, montée en épingle et soutenue par les milieux harvardiens pour servir de telles fins.

– Une fusion entre la problématique de sa propre construction théorique et l'objet même de cette théorie, à savoir le fait de poser *a priori* les entreprises comme lieu d'avantages compétitifs, pour ensuite se mettre à la recherche de leurs avantages compétitifs.

– L'omission, aux conséquences incalculables, de l'évidence suivante : si les entreprises appliquaient effectivement le principe des avantages compétitifs et en sortaient gagnantes, *plus personne ne pourrait prétendre recourir à de tels avantages*. La théorie se tuerait elle-même du fait de sa propre généralisation.

– L'omission du poids de l'intervention, partout nécessaire et inévitable, des milieux détenteurs de pouvoir, particulièrement dans tous les phénomènes dont il est traité. Cette omission laisse supposer que les jeux compétitifs et stratégiques pourraient se jouer partout sur un mode aussi neutre qu'égalitaire et scientifiquement objectif.

– La construction, somme toute, de problèmes stratégiques et managériaux dont la théorie portérienne est « la » solution.

Ainsi, dans l'ensemble de l'édifice se profile une flagrante tautologie : *les problèmes posés sont directement ceux pour lesquels la théorie portérienne est faite* ! C'est une attitude *a-scientifique*, qui n'est pas sans rappeler les savoureuses formules de Cyert et March (*loose organisation model, garbage can model*), auteurs selon lesquels, dans la majorité des écrits en management et théories des organisations, on assiste à un carrousel de *solutions toutes faites à la recherche de problèmes. De problèmes tout prêts à la recherche de lieux de concrétisation et déjà accompagnés de solutions...* Et ainsi de suite[82].

Je pense avoir réussi ici à donner au lecteur une petite idée des failles qui peuvent lézarder des pans entiers de la pensée économico-managériale dominante actuelle, marquée tout particulièrement par la vogue de la *gouvernance* et de la *pensée stratégique* (*corporate strategy*), notions elles-mêmes dominées, et de loin, par les travaux de Michael Porter.

Comment admettre que des générations entières d'étudiants en management soient formées, souvent sans aucun esprit critique ni recul, à penser selon le système élaboré par Porter ? Que des programmes complets de gestion dite stratégique soient à peu près entièrement assis, sans discernement, sur les constructions portériennes ? Ces constructions ne relèvent-elles pas plus du parti pris idéologique que de l'objectivité scientifique ? Il convient cependant de reconnaître, à la décharge de Porter, qu'en général très peu de cas est fait des nombreux passages dans lesquels certaines de ses prises de position seraient susceptibles de nuire au triomphalisme de la pensée économique et managériale dominante (c'est ce qui arrive d'ailleurs à la plupart des auteurs devenus gourous en management[83]). Ainsi, on ignore généralement :

- Les fréquents passages où il vante les mérites des systèmes allemand, japonais, suédois, par rapport au système américain.
- Les passages où il admet qu'un haut taux de syndicalisation ou la présence de représentants syndicaux dans les instances dirigeantes des firmes de ces mêmes pays ne sont pas nécessairement nocifs.

- Sa reconnaissance, à travers ces exemples allemand, scandinave, etc., du fait que l'intervention de l'État n'est pas toujours aussi indésirable qu'on le prétend pour l'économie (même s'il ne le dit pas explicitement, bien sûr).
- Ses affirmations répétées que la « très grande complexité » des phénomènes dont il traite engage à la prudence vis-à-vis de tout modèle. *Y compris le sien.*
- Ses appels à la méfiance envers les puissances financières.

Il ne m'a pas été donné, non plus, de voir qu'on fasse grand cas de certains de ses avertissements proprement épistémologiques, au sujet par exemple :

- De *la définition même du concept de « compétitivité »*, à propos duquel il affirme : « Plus grave encore que *l'absence de consensus sur la définition* de la compétitivité, *il n'existe pour l'expliquer aucune théorie largement acceptée*[84]. »
- Du problème de *validité du passage des hypothèses aux vérifications* de terrain, dont il dit : « Bon nombre d'explications se fondent sur des postulats très éloignés de la réalité de la concurrence [...] J'ai eu quelque *peine à faire coïncider la majorité de ces hypothèses avec l'expérience acquise en étudiant et en travaillant avec des entreprises internationales*[85]. »

Pour terminer, j'aimerais ouvrir un peu plus largement sur la tendance générale en management, de laquelle le courant portérien participe. Tout d'abord, il m'apparaît de plus en plus clairement qu'à la fois la théorie portérienne, la vogue de ce que l'on dénomme *gouvernance*, et même certains courants se qualifiant de *postmodernes* ou de *constructivistes*, détournés (je dis bien *détournés*) des Piaget, Giddens, Eraly, etc., vers l'analyse des organisations et le management, procèdent d'un seul et même black-out *théorique à triple visage* :

- Sur le fond, on a fait le black-out sur les conceptions de traditions plus conflictuelles et plus matérialistes touchant à la dynamique de l'économie et des sociétés. Ainsi, avec le concept de gouvernance, se permet-on de mettre aux oubliettes lutte des classes, tensions entre capital et travail, tensions entre pouvoir de l'argent et pouvoir civil, tensions entre Nord et

Sud, tensions entre complicité pouvoir-argent et société civile, tensions entre transnationales et États.

- Sur le plan du cadre de pensée, on a fait le black-out sur la nécessaire « contextualisation » des phénomènes socioéconomiques, du fait que la neutralité prétendue de l'économie et l'apolitisme fonctionnaliste sont devenus l'horizon indépassable de la bonne gouvernance : tout l'accent est mis sur les *modalités et les moyens au détriment des structures et de l'histoire*.
- Sur le plan opératoire et prescripteur, on a fait le black-out sur l'idée même d'exploitation : le *stratégisme* à la Porter est devenu la pierre angulaire de l'apologie du système du grand capital, « *bienfaiteur pour tous et partout* », et de l'hagiographie des hauts dirigeants, présentés sans vergogne comme « sources des idées et des visions » dont la stratégie des firmes (et le stratégisme en général) serait « le prolongement », et même comme pourvoyeurs de cultures, de sens, d'identité auprès de groupes humains entiers, transformés (et le taylorisme le plus brutal n'a pas fait mieux) en *parties aveugles et dociles du système économique et organisationnel*.

C'est, je crois, en conséquence de ce triple black-out et de ses implications que Michael Porter peut se permettre d'annoncer en préface de ses principaux livres qu'il n'a tout simplement *pas de définition satisfaisante* de la *compétitivité* et de la *valeur*, alors même qu'il construit tout son édifice théorique sur ces deux notions !

Pour parler maintenant plus spécifiquement de l'analyse dite *postmoderne « avancée » ou constructiviste* qui domine en théorie des organisations[86], celle-ci semble avoir pour horizon indépassable la négation du caractère matériel-concret de l'évolution dialectique des sociétés humaines. La considération du fait social (donc organisationnel) comme une « relation » à peu près indemne de structures asymétriques de pouvoir me semble constituer un problème épistémologique de taille[87]. On se croirait revenu au Hegel de la « conscience qui cherche la conscience », ou de la Raison incarnée dans l'histoire, avec cet univers tout de concepts, de « réflexivité » dite « ontologique », de connaissances ou de savoirs dits « ordinaires » (pris comme apolitiques, a-idéologiques, purs de toute détermination par les rapports de production, les conflits de classes, les contradictions entre infrastructure et superstructure, la projection subjective de l'observateur, etc.). C'est une vision fuyant dans l'abstraction le terrain concret des rapports sociaux où l'économique est le déterminant par excellence (comme, *paradoxalement*, celui de la stratégie portérienne), pour laquelle le social est à peu près uniquement « dans la tête et les représentations mentales des gens », comme si un certain Marx ne s'était déjà profondément attaché, sur ce point précis, à *remettre Hegel sur ses pieds* !

Notes

1. Voir en particulier Berthoud, 1981.
2. Telles que les tribus amérindiennes étudiées par Georges Devereux, celles de Nouvelle-Guinée par Margaret Mead, Brasnislaw Malinowski ou Gregory Bateson, celles d'Amérique du Sud par Pierre Clastres, celles du Canada du temps des Iroquois (rapportées) par Friedrich Engels, où les notions d'individualisme, de propriété privée individuelle, de pouvoirs et de droits réservés pour les « chefs », soit n'existaient pas jusqu'aux débuts du siècle passé, soit n'ont jamais existé, au profit d'un communautarisme basé sur le collectif et le partage. Entre autres ouvrages : G. Bateson, *La Cérémonie du Naven*, Paris, Minuit, 1971 ; L. Dumont, *Homo aequalis : genèse et épanouissement de l'idéologie économique*, Paris Gallimard, 1977 et *Homo hierarchicus : le système des castes et ses implications*, Paris, Gallimard, 1979 ; P. Clastres, *La société contre l'État : recherche d'anthropologie politique*, Paris, Minuit, 1974 ; G. Devereux, *Ethnopsychanalyse complémentariste*, Paris, Flammarion, 1972 et *De l'angoisse à la méthode dans les sciences du comportement*, Paris, Flammarion, 1980 ; F. Engels, *Origines de la famille, de la propriété et de l'État*, Éditions Sociales, Paris, 1967 ; M. Mauss, *Essai sur le don*, Paris, PUF, 1966 et *Sociologie et anthropologie*, Paris, PUF, 1968 ; B. Malinowski, *Trois essais sur la vie sociale des primitifs*, Paris, Payot, 1975 ; M. Mead, *L'un et l'autre sexe*, Paris, Denoël, 1948.
3. Le lecteur ne m'en voudra pas, j'espère, de me dispenser ici des distinctions qu'Aristote introduit entre les deux formes possibles de chrématistique : une « naturelle » et liée à la forme d'acquisitions que requiert la vie de l'*oïkos*, et une autre *radicalement différente*, « contre nature », liée, elle, au fait de *placer la richesse dans la possession de monnaie en abondance*. C'est de cette dernière forme que je traite tout au long du présent travail.
4. Bulletin d'information de l'observatoire des transnationales, 5 février 2002. Site Internet : <www.transnationale.org>.
5. Faits qui remontent au début des années 1990, mais rappelés, entre autres, par le journal *Les Échos*, 6 décembre 2001.
6. Voir, pour une cinglante illustration de la façon dont l'agro-industrie, celle du porc en particulier, dégrade dramatiquement terres et nappes d'eau — en plus de traiter ignominieusement les animaux (très officiellement au nom de rendements financiers) : Hugo Latulippe, *Bacon, le film*, ONF,

Montréal, 2001; José Bové et François Dufour, *Le monde n'est pas une marchandise, des paysans contre la malbouffe;* Paris, La Découverte, 2000.

7. Le site <www.opensecrets.org> (Center for Responsive Politics) donne bien des pistes pour suivre les méandres du système de versement de pots de vin par ce genre de firmes aux politiciens américains.
8. *Cf.* « La crise de l'énergie en Californie a été provoquée par les entreprises », 7 février 2002, sur le site <www.transnationale.org/forum/finance>.
9. Le 7 février 2002, une parlementaire argentine révélait (déclarations reprises par le journal télévisé de Suisse Romande) comment, entre autres, la banque helvétique Le Crédit Suisse, avec la complicité de sa « filiale » argentine El Banco General de Negocios, ont — pendant qu'il était interdit aux Argentins de retirer le moindre sou de leurs comptes ! — évacué vers la Suisse, notamment, au moins 700 millions de dollars, en plus d'avoir contribué au blanchiment d'argent de trafic d'armes (à la Croatie en particulier) pour des montants (connus) d'au moins 250 millions de dollars.
10. *Cf.* entre autres, *Le Monde diplomatique*, février 2002, p. 10 à 13.
11. *Cf.* le quotidien montréalais *Le Devoir*, du 19 février 2002. Dans un article intitulé « Des milliards s'évaporent » (p. B 1), il est expliqué que pour justifier cette pratique, somme toute pas si nouvelle, qui porte souvent sur plusieurs milliards de dollars à la fois, on parle de « correction de tir » : les hauts dirigeants prennent ce genre de décision pour corriger les effets de mauvaises décisions prises auparavant.
12. Catastrophe survenue en 1984 dans une usine de pesticides, à Bhopal en Inde, et qui a fait plus de 1000 victimes.
13. Voir notamment l'*Éthique à Nicomaque*.
14. Voir notamment J. K. Galbraith, *L'économie en perspective*, Paris, Éditions du Seuil, 1989.
15. Alors que se montaient les plus formidables fortunes privées de l'histoire, grâce à un capitalisme effréné.
16. L. Kolakowski, *Histoire du marxisme*, t. 1 et 2, Paris, Fayard, 1987 (on attend toujours, semble-t-il, la parution d'un troisième tome annoncée).
17. John Stuart Mill est sans doute le seul non-marxien, à l'époque, à poser ce problème en termes de choix sociaux dans la redistribution des richesses produites.
18. Cette expression est de Frederick Taylor lui-même !
19. Sans parler de la monumentale chronique des horreurs de l'exploitation industrielle qu'est l'œuvre d'Émile Zola, ou des méticuleux comptes rendus historiques d'un Jean Neuville (*La condition ouvrière au* XIXe *siècle*, 2 t., Bruxelles, Éditions Vie Ouvrière, 1980).

20. Un des thèmes majeurs des travaux du Prix Nobel d'économie 1998, Amartya Sen, est précisément la nécessité de la réintroduction de considérations éthiques dans les réflexions sur l'économique.
21. J. Rueff, *Des sciences physiques aux sciences morales*, Paris, Payot, 1969; P. Dirac, *Directions in Physics*, Wiley, Sydney, 1976; G. Devereux, *De l'angoisse à la méthode*, Paris, Flammarion, 1980; F. Capra, *Le temps du changement, science – société – nouvelle culture*, Paris, Le Rocher, 1983; A. Jacquard, *J'accuse l'économie triomphante,* Paris, Éditions du Seuil,1995; B. Maris, *Lettre ouverte aux gourous de l'économie qui nous prennent pour des imbéciles,* Paris, Albin Michel, 1999.
22. Pour ce qui est des « fondamentaux » et autres « grands équilibres », c'est-à-dire des paramètres traitant des budgets nationaux, comptes nationaux, balances extérieures, inflation, parités monétaires, formation des prix, élasticité de l'offre et de la demande... où les « flux » le disputent allègrement aux « chocs », aux « masses », aux « corrections cycliques », aux « centres de gravité »...
23. Samir Amin, *L'Empire du chaos.*
24. *Cf.* des travaux tels que ceux du Prix Nobel d'économie 1992, Gary Becker, ou de J. P. Hazan. M. Hazan est un économètre connu, professeur à l'Université de Clermont Ferrand et conseiller auprès de la Banque mondiale. Il a exposé ce « calcul » lors d'une conférence donnée le 14 mars 1996 à l'École des hautes études commerciales de Montréal, avec le professeur Désiré Vencatachellum des HEC-Montréal, sur le thème « Développement économique et démocratie », où il était proposé modélisation mathématique et chiffrages d'indices tels que celui « d'optimum démocratique ».
25. *Cf.*, par exemple, Bernard d'Espagnat, *Conceptions de la physique contemporaine*, Paris, Hermann, 1965; *À la recherche du réel. Le regard d'un physicien*, Paris, Gauthier-Villars, 1981; ou encore le problème du « collapsus de la fonction d'onde », dans Henri Atlan, *À tort et à raison*, Paris, Éditions du Seuil, 1986; et bien sûr Einstein, sur le problème de la position de l'observateur — il en sera question plus loin.
26. *Cf.* les excellentes synthèses de J. Gleick, *La théorie du chaos. Vers une nouvelle science*, Paris, Flammarion, 1991, et de I. Prigogine, *Les lois du chaos*, Paris, Flammarion, 1993.
27. Nous reviendrons sur cette importante question plus loin, mais il s'agit là d'une véritable usurpation de sens et de tyrannie des mots, car ne peut être — *stricto sensu* — rationnel que ce qui est conforme à la raison. Or qu'y a-t-il de conforme à la raison dans le fait de s'acharner à maximiser ses gains ? D'un point de vue autant philosophique que moral et scientifique, un tel comportement est bien au contraire totalement non conforme à la raison (on en verra des justifications et des démonstrations tout au long de ce livre).

28. *Principles of Management*, New York, McGraw-Hill, 1955, (voir notamment le chapitre 4, et la partie portant sur le leadership).
29. Qui plus est, sur des animaux de laboratoire, c'est-à-dire des animaux *névrosés* ! (J. Cosnier, *Les névroses expérimentales, de la psychologie animale à la pathologie humaine*, Paris, Éditions du Seuil, 1966.)
30. Il suffit de voir les incessantes analogies entre l'entreprise et la ruche ou la fourmilière, entre les ouvriers, les employés et les abeilles ou les fourmis, les anthropocentrismes aussi flagrants qu'infondés qui alimentent les scénarios (faits souvent à l'avance) et les commentaires des documentaires animaliers qui rythment les programmations des chaînes de télévision de toute la planète.
31. *Cf.* le Prix Nobel R. Coase, « The Nature of the Firm », dans L. Putterman, *The Economic Nature of the Firm, A Reader*, Cambridge (Mass.), Cambridge University Press, 1986, p. 72-85 ; M. Novak, *Une éthique économique. Les valeurs de l'économie de marché*, Paris, Éditions du Cerf, 1987 et *The Catholic Ethic and the Spirit of Capitalism*, New York, Free Press, 1993 ; M. Olson, *The Logic of Collective Action*, Cambridge (Mass.), Harvard University Press, 1965 ; J. M. Buchanan et R. D. Tollison, *The Theory of the Public Choice*, Michigan, University of Michigan Press, 1984 ; O. E. Williamson, « Strategizing, Economizing, and Economic Organization », *Strategic Management Journal*, vol. 12, 1991, p. 75-94.
32. Voir René Passet, Pascal Petit, Bernard Maris, Jacques Généreux.
33. Voir Pareto, *Manuel d'économie politique*, Paris, Larousse, 1906.
34. La différence avec Marx et la théorie marxiste est uniquement que nul n'est besoin d'« équilibre » pour qu'il y ait exploitation.
35. L. Walras, *Éléments d'économie politique pure*, Paris, LGDJ, 1976 [1874] ; K. Arrow, *Social Choice and Individual Values*, New Haven, Yale University Press, 1963 ; G. Debreu, *Théorie de la valeur*, Paris, Dunod, 1959 ; K. Lancaster, « A New Approach to Consumer Theory », *Journal of Political Economy*, vol. 74, 1966, p. 132-157. Voir, pour une présentation aussi amusante qu'iconoclaste de ces « théorèmes », l'ouvrage de l'économiste Bernard Maris : *Lettre ouverte aux gourous de l'économie... op. cit.*
36. J'insiste particulièrement sur ce point : en Amérique du Nord, dans les *business schools*, il existe un enseignement de l'économie (à l'instar d'autres disciplines comme la psychologie, la sociologie...) pratiquement totalement expurgé de toute dimension qui ne va pas dans le sens de la rentabilité et de la maximisation des profits. On n'y enseigne qu'une partie infime de la science économique, même de celle que j'appelle dominante, ultralibérale... : les théories des équilibres macroéconomiques, celles de la microéconomie de production et d'équilibre offre/demande, avec quelques cours en prime parfois sur les théories du risque, des agences, des coûts de

transaction... *Le tout strictement d'un point de vue fonctionnaliste-pragmatiste (sans parler des multiples glissements vers une économie de plus en plus financière) exempt de toute mise en perspective historique, critique, politique.* Inutile de dire que jamais les étudiants de ces institutions n'y entendent parler de *confrontations ou de contradictions* entre idées économiques. Même des Walras, Pareto, Hayek, Nash, Debreu, Marshall..., ne sont pris que *dans ce qui conforte les idées et postulats de marché autorégulé, de « saine » concurrence, de rationalité des acteurs économiques (l*a question des oligopoles, la question de l'information asymétrique, celle de la non parfaite substituabilité des produits... bref, de l'imperfection du marché, sont le plus souvent traitées comme cas particuliers ou hypothèses d'école « pour mémoire »). *Si on ôtait ces prémisses, la quasi-totalité des contenus des cours dispensés en business schools s'effondreraient comme châteaux de cartes.* Or, une partie considérable du pouvoir de décision est concentrée entre les mains de gens ayant reçu de telles formations (spécialement de MBA, qu'on retrouve aussi de plus en plus en Europe), qui accèdent plus facilement (même si leur formation de base est tout autre) aux hauts postes industriels, financiers et politiques, sinon à des positions de conseillers, de consultants externes qui pénètrent tous les milieux.

37. *Économie en perspective*, Paris, Éditions du Seuil, 1989.

38. Je m'inspire ici, pour l'essentiel, de Bernard Maris, *Des économistes au-dessus de tout soupçon*, Paris, Albin Michel, 1990 et *Lettre ouverte*, *op. cit.*

39. Voir, entre autres, J. Généreux, *Les vraies lois de l'économie*, Paris, Éditions du Seuil, 2001 ; R. Guerrien, *La Théorie néoclassique. Bilan et perspective du modèle d'équilibre général*, Paris, Économica, 1989.

40. *Cf.* à ce sujet les liens et références que procure un site tel que : <rad2000.free.fr/chomclas.htm>.

41. *Essai philosophique sur le fondement des probabilités*, Paris, 1812 (rééd. C. Bourgois, 1986).

42. Et, de toute façon, s'il existe, dit Paul Samuelson, *le marché est une entité qui n'a ni cœur ni cerveau.* C'est, au mieux, ajoute Amartya Sen, une collection informe *d'abrutis rationnels* et *d'égoïstes primaires* (en théorie de concurrence parfaite) ou de *cyniques lobotomisés* obsessifs de la fonction d'utilité (en théorie de concurrence imparfaite).

43. Or tout ceci est parfaitement inexistant dans la réalité économique... il ne s'agit que de simples jeux de l'esprit, comme le dit J. Généreux (*Les vraies lois de l'économie*, 2001, p. 75-76).

44. J. Généreux, *id.* 2001, p. 78.

45. Notons au passage qu'il relève d'une solide et rancunière tradition née en Grande-Bretagne de considérer tout pouvoir étatique (de surcroît centra-

lisé) comme un ennemi des libertés et des peuples — pouvoir dont l'archétype est le sanguinaire État anglais ayant, tout au long de l'Histoire, cherché à asservir dans le feu et le sang Écossais, Irlandais, Gallois...

46. Notons que même les néoclassiques n'ont jamais été jusqu'à nier, ainsi que le font de plus en plus les ultra-libéraux actuellement, que l'État avait une fonction *naturelle indispensable* à jouer pour la vaste question des *biens publics* (défense, infrastructures publiques, éclairage des villes, justice, protection de l'environnement, etc.)... Quant aux résultats de l'ultra-libéralisme, *cf.* les cas de l'Angleterre ou de l'Argentine, où la dramatique cession au privé de nombre de services autrefois publics sème l'injustice et le chaos.

47. Il s'agit de logiciels utilisés dans le cadre de cours inter-universitaires, tels que *Netstrat, Mondiastrat* ou *Startsim.*

48. Le losange permet d'identifier l'environnement conceptuel, soit: les barrières à l'entrée (règlements gouvernementaux, pressions des groupes sociaux, mais aussi coût de démarrage d'une entreprise), les produits substituts (beurre par rapport à margarine, par exemple), le pouvoir des clients, le pouvoir des fournisseurs et les concurrents du milieu. Une fois l'analyse effectuée, et présentée sous forme de tableau en losange, il est possible — dans le cadre du modèle portérien — de connaître les facteurs clés de succès, de faire comprendre où sont les enjeux d'une entreprise ou d'un marché.

49. Il s'agit d'un outil d'analyse qui permet de mettre en évidence les activités clés de la firme, c'est-à-dire celles qui ont un impact réel en termes de coût ou de différenciation par rapport aux concurrents.

50. Xerox, Phillip Morris, Kodak, Polaroïd, Hewlett-Packard, Bosh, Sony, Procter and Gamble, Charmin Paper, Miller Beer, Chrysler, Ford, General Motors, Emerson Electric, Texas Instruments, Black and Decker, Du Pont, Harnischfeger, Fieldcrest, Mercedes, Hyster, MacIntosh, Coleman, Crown Cork and Steel, IBM, Illinois Tool Works, Martin Brower, etc.

51. *L'avantage concurrentiel des nations*, p. xvii.

52. David Knights, *Changing Spaces: The Disruptive Impact of a New Epistemological Location for the Study of Management*, 1992.

53. Mais pas un mot sur les « *désavantages compétitifs* » que représentent sûrement les PDG et les CEO des entreprises du Québec, si l'on rapporte les salaires qu'ils se paient (se chiffrant souvent en dizaines de millions de dollars), combinés à leurs options d'achat d'actions, avantages divers, fiducies familiales et autres, aux chiffres d'affaires qu'ils génèrent, aux parts de marchés mondiaux qu'ils couvrent, aux effectifs dirigés, et si on les compare, sous ce critère, à leurs collègues américains et allemands! En fait, si nos employés « attirent » les investisseurs, nos dirigeants, eux, auraient bien de quoi les repousser... Jusqu'à quand le scandale des « revenus des patrons », dépassant toute décence, sera-t-il encore un sujet tabou ?

54. Programme d'économie politique qui en dit long sur le rapport originel du portérisme avec les milieux de la haute finance américaine et du néolibéralisme...
55. C'est exactement ce que j'ai entendu dire, par exemple, lors d'un colloque très officiel en Colombie, à Cali, en avril 1997, par des conférenciers colombiens se réclamant de l'analyse portérienne de la compétitivité du pays (consignée dans un document intitulé *Informe Monitor, la ventaja competetiva de Colombia*). Quand on sait le niveau catastrophique du salaire moyen colombien — obtenu en combinant salaires des villes et salaires des campagnes, ces derniers essentiellement issus de la culture de la canne à sucre, qui continue à pratiquer des « salaires » d'esclaves, avec des conditions de travail dignes des temps de l'esclavage —, on se demande jusqu'où on peut pousser la misère des populations pour tirer des avantages économiques.
56. On peut aisément constater de tels faits en considérant les différents rapports qualifications/salaires que l'on trouve en RFA, au Japon et en Suède d'un côté (où, « comparativement » systématiquement plus élevés, ils n'en donnent pas moins lieu à une plus grande compétitivité sur les marchés mondiaux), et au Royaume-Uni, en France et aux États-Unis d'un autre côté (où, malgré l'inverse: main-d'œuvre moins formée — donc moins qualifiée — et moins payée, cela ne donne absolument pas d'avantages contre les produits et services allemands, nippons).
57. Rappelons que, dans les milieux académiques, c'est la théorie de tradition ricardienne (de l'échange, des avantages comparés...) qui est la plus répandue, même si Ricardo n'y consacre que quelques pages de ses *Principes d'économie politique*, et même si elle est sous « hypothèse de rendements non croissants », contrairement à la tradition smithienne qui, postulant la possibilité de croissance des rendements, peut justifier *ex post* et non plus *ex ante* l'avantage comparé. Il n'en demeure pas moins que les questions centrales en la matière restent celles de l'avantage qu'il y aurait à se spécialiser, à entrer en libre-échange — même en situation d'égalité en dotation de facteurs et de productivité —, à abandonner, à externaliser, à vouer à l'exportation tel ou tel secteur ou produit. À voir ce qui se passe de nos jours en matière de production et d'échanges internationaux, les ricardiens de tradition marxienne semblent les plus confirmés par l'histoire, chacun à sa façon — Rosa Luxemburg, avec les débouchés extérieurs pour les produits de consommation comme exutoire à la baisse du pouvoir d'achat du prolétariat; Lénine, avec la baisse tendancielle des taux de profit qui amène le capital à « s'exporter » vers les régions où les taux de profit sont plus élevés: régions moins développées ou précapitalistes; Samir Amin et les théoriciens du cercle vicieux du drainage continu de la valeur ajoutée réalisée en « périphéries » par les « centres capitalistes-impérialistes »... Mais on sait, de toute façon, que Raymond Vernon a, avec la notion de cycle de

vie des produits, réactivé la tradition ricardienne: quand le produit se banalise, le prix des facteurs retrouve toute son importance (d'où un fort logique et possible regain d'intérêt pour l'approche de la *dotation en facteurs* dite de Hecksher-Ohlin ou de Samuelson...). De toute manière, on peut conclure ici qu'il y aurait intérêt à se spécialiser en fonction de la dotation en facteurs, l'avantage tiré par la croissance des rendements étant toujours provisoire sous hypothèse du cycle de vie des produits...

58. Voir pour l'essentiel les pages 10 à 20.

59. *Ibid.*, page 18.

60. *L'Avantage compétitif des nations*, p. 11-13. Les passages en italiques sont de nous.

61. Journal *Les Affaires*, Montréal, vendredi 13 octobre 2000.

62. Le langage courant dans le cadre de ce genre de théorie utilise abondamment des termes tels que « conquête », « offensive », « guerre économique », « ennemi », « bataille », « champ de bataille »...

63. Avec, en particulier, l'œuvre monumentale de Fernand Braudel, *Civilisation matérielle, économie et capitalisme, les jeux de l'échange*, Paris, Armand Colin, 1980, 3 vol.

64. Voir à ce sujet les nombreux ouvrages, dûment chiffrés et documentés, de Pierre Jalée, René Dumont, Samir Amin, André Gunder-Franck, Celso Furtado, Michel Chossudovsky, ou même de Max Weber, notamment certains passages de son *Histoire économique* concernant le pillage des trésors amérindiens par les Espagnols, les Anglais...

65. Dans un livre intitulé *Impérialisme*, écrit au retour d'un voyage édifiant en Afrique... livre méprisé par les économistes officiels et voué, bien sûr, aux oubliettes.

66. Voir l'excellente analyse de ce qu'il appelle — ironiquement bien sûr — « la formidable réussite du programme reaganien » dans *Voyage à travers le temps économique*, Paris, Éditions du Seuil, 1997.

67. C'est aussi, par ailleurs, un phénomène qui commence à frapper les pays nantis eux-mêmes. À l'automne 1999, les quotidiens québécois attiraient l'attention sur l'aggravation de l'exode des jeunes des campagnes vers les villes; tandis que de leur côté, les paysans français ne cessaient de dénoncer les écarts entre les revenus des producteurs agricoles (secteur « traditionnel ») et les revenus accaparés par les intermédiaires des villes (« secteur moderne »).

68. M. Campdessus (alors directeur général du FMI) annonçait par ailleurs en conférence de presse à Libreville, en début janvier 2000, à la veille d'un sommet économique de l'Afrique de l'Ouest, qu'il « demanderait aux chefs d'États et de gouvernements africains de rapatrier les fortunes (soit dit en

passant plus gigantesques les unes que les autres) qu'ils possèdent à l'extérieur de leur pays». Or on sait que ces fortunes s'érigent la plupart du temps grâce à la participation active des multinationales occidentales — et avec la complicité de leurs gouvernements — chacun en faisant ses choux gras. Ainsi, et c'est un exemple parmi d'autres, le responsable pour l'Afrique de la compagnie Elf Aquitaine avouait candidement que la pratique de corruption des chefs d'États africains était une « pratique traditionnelle et courante de toutes les pétrolières... » ! (*Le Monde*, 24-25 octobre 1999.)

69. Voir, entre autres, René Gendarme, *La pauvreté des nations*, Paris, Cujas, 1963 et *Des sorcières dans l'économie: les multinationales*, Paris, Cujas, 1981.

70. Voir, parmi bien d'autres, Michel Chossudovsky, *La Mondialisation de la pauvreté*, *op. cit.*

71. Fait cité dans G. Morgan, *Images de l'organisation*, Montréal/Paris, PUL-ESKA, 1989, p. 361.

72. Comme en témoigne sans appel le documentaire *L'erreur boréale* de Richard Desjardins, ONF, Montréal, mars 1999.

73. <www.transnationale.org>.

74. Comme le célèbre cas de la compagnie Yahoo qui « valait » en bourse (aux derniers sommets atteints en 1999-2000 et avant la chute libre, au tournant 2000-2001, des valeurs du NASDAQ), autour de 77 milliards de dollars américains, alors qu'elle ne connaît quasiment que des pertes depuis qu'elle existe et que son chiffre d'affaires s'établit aux alentours des 200 millions, avec des actifs à valeur virtuelle !

75. Nous verrons plus en détail dans le cinquième chapitre les différences fondamentales qui existent entre ces deux types de capitalisme.

76. Le ministère de l'Industrie et du Commerce extérieur du Japon, qui est tout-puissant en matière d'orientation de l'économie et de stratégies industrielles.

77. Que l'on songe au sombre rôle joué par la Bank of New York dans le blanchiment et le détournement de sommes colossales issues de l'argent du FMI destiné à la Russie; aux scandales concernant le financement de partis politiques par de grosses firmes en France et ailleurs; à l'incroyable « affaire » de la réélection du chancelier Helmut Kohl grâce à l'argent fourni par une pétrolière française, sous la pression des plus hautes autorités françaises de l'époque de François Mitterand; à l'espionnage industriel planétaire opéré par les États-Unis avec leur système d'écoute par satellites (dit « Échelon »), qui a largement profité aux multinationales américaines (espionnage dénoncé notamment par la France et l'Allemagne); aux conséquences de l'embargo américain sur l'économie cubaine (obligeant notamment Cuba à baisser de 40 % la culture de la canne à sucre, sa principale

ressource); à la décision de l'administration Bush père de rompre le contrat sur le café passé avec la Colombie, faisant chuter les prix de 40 % et amenant de nombreux Colombiens à arracher les caféiers pour les remplacer par la culture de la coca; à l'embargo de fait décidé par la Trilatérale, les multinationales et les grandes banques américaines (avec D. Rockefeller à leur tête) contre le Chili d'Allende pour précipiter la chute d'un régime qui déplaisait aux magnats de la finance internationale; au fait qu'un Georges Soros, à lui seul, puisse spéculer contre la lire italienne ou contre l'industrie automobile coréenne, etc.

78. Voir sur ce concept l'ouvrage cité de G. Morgan, *Images of Organization.*

79. Paris, Gallimard, 1968.

80. Voir, entre autres, C. Cobb, T. Halstead et J. Rowe: « If the GDP is Up, Why is America Down? », *The Atlantic Monthly*, octobre 1995, p. 59-78.

81. *Op. cit.*

82. J. G. March *et al. Ambiguity and Choice in Organizations*, Bergen, Universitetsforlaget, 1976.

83. Pour n'en donner que quelques exemples des plus frappants, dans l'écrasante majorité des ouvrages traitant du management:

- On réduit, purement et simplement, la fameuse échelle des besoins de Maslow, pour ne pas s'embarrasser de considérations éthiques, de six niveaux à cinq: celui des « besoins spirituels » a disparu;
- On omet toutes les critiques formulées par Taylor contre les dirigeants et les financiers et leur cupidité exagérée, qu'il déclarait *nocive autant pour la qualité des produits que pour l'efficacité des relations de travail;*
- On oublie tous les passages où Adam Smith fustige ceux qu'il appelle les « maîtres d'industrie », leur « propension à trafiquer », leur « infâme devise: tout pour moi, rien pour les autres » ;
- On ne reprend que fort rarement de Henry Mintzberg (par rapport à ses travaux initiaux, ultra-hagiographiques du *business* comme *The Nature of Managerial Work*) ses critiques acerbes des MBA, des *business schools*, des excès du néolibéralisme, ou ses louanges à l'égard des « modèles » japonais et nordiques...

84. *L'avantage concurrentiel des nations*, p. xvi.

85. *Id.* Il référait ici à la fois à ce qu'il appelle l'« ancien paradigme » et à ses travaux avec la commission nommée par Reagan. L'italique est de nous.

86. Je fais ici allusion non pas à des auteurs que je considère comme appartenant au courant de la « réflexivité méthodologique » inspiré des Foucault, Derrida, Baudrillard, Barthes..., tels Mats Alvesson, Stewart Clegg, Steve Linstead, Bob Grafton-Small, Paul Jeffcut, mais aux aspects dominants de travaux tels que ceux de Ahmed Bouchikhi, Michel Audet, Richard Déry,

lesquels appartiennent plus, à mon sens, au courant de la « réflexivité ontologique », dans la lignée de Giddens.

87. *Cf.* en particulier l'ouvrage de M. Alvesson et K. Skoldberg, *Reflexive Methodology*, London, Sage, 2000.

Chapitre III

De l'économie traditionnelle, du souk et du marchandage à la pseudo-« nature » de l'*homo aeconomicus*

Quand on s'intéresse aux éléments auxquels la pensée économique fait appel pour présenter sa propre évolution vers les lois du marché et de l'offre et de la demande comme un progrès décisif de l'humanité dans la voie de la rationalité, il est assez surprenant de constater combien les préjugés les plus folkloriques dominent le tableau — notamment pour ce qui touche à l'analyse du sens et du fonctionnement d'institutions telles que le marché antique, le souk [1] oriental et africain, ou le marchandage [2].

Il a fallu, en premier lieu, présenter toutes ces institutions comme des formes soit archaïques, soit primitives, soit immatures, soit barbares, d'un mouvement qui devait inéluctablement conduire — parce qu'il contenait en lui, dès le départ, tous les germes pour cela — vers l'avènement de la forme achevée du marché civilisé, accompagné de son acteur central *l'homo aeconomicus*, prototype affirmé et confirmé de *la nature humaine*.

Il a fallu aussi, forcément, en second lieu, pour que l'édifice de la théorie économique occidentale actuelle tienne, proposer une conception de la nature et de la terre qui les présente comme des objets, des stocks à la disposition de l'homme — et de lui seul — pour qu'il en fasse ce que bon lui semble, en particulier les dominer, les domestiquer, les contrôler, les exploiter sans retenue ni limites.

Or ce genre d'idées, très matérialistes et occidentales, sont souvent, et encore de nos jours, bien étranges à l'Oriental, à l'Asiatique, à l'Indien, à l'Amérindien, à l'Africain traditionnels, comme en ont témoigné entre autres Louis Dumont, Max Weber, Georges Devereux, Friedrich Engels, Karl Polanyi et Conrad Arensberg, Maurice Godelier, Henri Bourgoin[3]...

Chez les peuples hors Occident, maints dictons et proverbes affirment la nécessité de préserver la terre aussi intacte que possible pour les générations à venir ; de traiter les animaux en frères ; de ne prélever de son environnement que le nécessaire pour vivre (souvent pour un jour à la fois). Nombreuses sont les peuplades d'Afrique ou d'Amérique qui postulent que nul être humain ne peut posséder une terre, une colline, un ruisseau. Qu'il ne fait, au mieux, que les emprunter à ses enfants[4]. L'homme n'est que partie de la nature, humble et simple créature parmi les créatures (y compris, souvent, végétales), plutôt que l'aboutissement suprême de la création et son destin, celui de régner sur le reste de la planète et de l'univers.

J'aimerais, à ce propos, soumettre à la méditation du lecteur cet édifiant et si actuel discours[5] du grand chef Seattle, de la tribu des Duwamish, prononcé en 1855 lorsque le président des États-Unis de l'époque, Franklin Pierce, demanda aux Indiens Duwamish de céder leurs terres à des colons blancs et offrit, en compensation, de les installer dans une réserve :

> **Mes paroles sont comme les étoiles...**
>
> Le grand chef de Washington envoie un message pour dire qu'il désire acheter nos terres. Le grand chef nous envoie aussi des paroles d'amitié et de bonne volonté. C'est là un geste bien aimable de sa part car, nous le savons, il n'a pas besoin de notre amitié.
>
> Mais nous réfléchirons à son offre, car nous savons — si nous ne vendons pas — que l'homme blanc viendra peut-être, armé de fusils, et s'appropriera nos terres.
>
> Comment peut-on acheter ou vendre le ciel — ou la chaleur de la terre ? Cette manière de penser nous est étrangère. Si nous ne possédons pas la fraîcheur de l'air ni le miroitement de l'eau, comment pouvez-vous nous les acheter ?
>
> Nous prendrons notre décision.

Quand le chef Seattle parle, le grand chef de Washington peut se fier à ce qu'il dit, aussi sûrement que notre frère blanc peut se fier au retour des saisons.

Mes paroles sont comme les étoiles, elles ne s'éteignent pas.

Mon peuple vénère chaque coin de cette terre, chaque scintillante aiguille de sapin, chaque plage sableuse, chaque nuage de brume dans les sombres forêts, chaque clairière, chaque insecte qui bourdonne; dans les pensées et dans la pratique de mon peuple, toutes ces choses sont sacrées. La sève qui monte dans l'arbre porte le souvenir de l'homme rouge.

Les morts des Blancs oublient le pays de leur naissance quand ils s'en vont pour cheminer sous les étoiles.

Nos morts n'oublient jamais cette terre merveilleuse, car elle est la mère de l'homme rouge. Nous faisons partie de la terre, et elle fait partie de nous. Les fleurs odorantes sont nos sœurs; les chevreuils, le cheval, le grand aigle sont nos frères.

Les hauteurs rocheuses, les luxuriantes prairies, la chaleur corporelle du poney — et de l'homme — elles font toutes partie de la même famille.

Si donc le grand chef de Washington nous envoie son message pour dire qu'il pense acheter nos terres, il nous demande beaucoup.

Le grand chef nous fait savoir qu'il nous donnera un endroit où nous pourrons vivre agréablement et entre nous. Il sera notre père et nous serons ses enfants. Mais cela se peut-il jamais?

Dieu aime votre peuple et a abandonné ses enfants rouges. Il envoie des machines pour aider l'homme blanc dans ses travaux et il construit pour lui de grands villages. Il rend votre peuple de plus en plus fort, de jour en jour. Bientôt vous inonderez notre pays, comme les eaux qui se précipitent dans les gorges après une pluie soudaine.

Mon peuple est comme une marée qui descend — mais qui ne remonte plus. Non, nous sommes de races différentes. Nos enfants et les vôtres ne jouent pas entre eux, et nos vieillards racontent d'autres histoires. Dieu est bien disposé à votre égard, et nous sommes des orphelins.

Nous réfléchirons à votre offre d'acheter nos terres. Ce ne sera pas facile, car, pour nous, cette terre est sacrée.

Ces forêts font notre joie.

Je ne sais pas, notre manière d'être n'est pas la même que la vôtre. L'eau scintillante qui bouge dans les ruisseaux et les fleuves n'est pas seulement de l'eau, mais le sang de nos ancêtres. Si nous vous vendons nos terres, vous devrez savoir qu'elles sont sacrées, et vous devrez apprendre à vos enfants qu'elles sont sacrées et que, dans l'eau limpide des lacs, chaque miroitement fugitif parle d'événements et de traditions que mon peuple a vécus.

Le murmure de l'eau est la voix de mes ancêtres. Les cours d'eau sont nos frères, ils étanchent notre soif. Les cours d'eau portent nos canoës et nourrissent nos enfants.

Si nous vendons notre pays, vous devrez garder ceci dans votre mémoire et l'apprendre à vos enfants : les cours d'eau sont nos frères — et les vôtres — et, dès ce moment, vous devrez accorder votre bonté aux cours d'eau, comme vous l'accordez à tout autre frère.

L'homme rouge s'est toujours retiré pour céder la place à l'homme blanc qui envahissait son pays, comme la brume du matin cède la place au soleil qui se lève. Mais les cendres de nos pères sont sacrées, le sol de leurs tombes est béni, il leur est consacré, et ainsi ces collines, ces arbres, cette partie de la terre nous sont consacrés.

Nous savons que l'homme blanc ne comprend pas notre manière d'être. À ses yeux, n'importe quelle partie du pays est semblable à l'autre, car il est un étranger, qui vient dans la nuit et prend à la terre toutes les choses qu'il lui faut. La terre n'est pas son frère, mais son ennemi, et lorsqu'il l'a conquise, il continue son chemin. Il laisse derrière lui les tombes de ses pères — et ne s'en soucie pas. Il vole la terre à ses enfants — et ne s'en soucie pas.

Oubliés, les tombes de ses pères et le patrimoine de ses enfants. Il traite sa mère, la terre, et son frère, le ciel, comme des objets faits pour être achetés et pillés, pour être vendus comme des moutons ou des perles luisantes.

Sa faim dévorera la terre et ne laissera rien qu'un désert.

Je ne sais pas — notre manière d'être n'est pas la même que la vôtre. La vue de vos villes fait mal aux yeux de l'homme rouge. Peut-être parce que l'homme rouge est un sauvage et qu'il ne comprend pas.

Dans les villes des Blancs, il n'y a pas de silence. Pas d'endroit où l'on puisse entendre les feuilles s'ouvrir au printemps ou les insectes bourdonner.

Mais peut-être est-ce ainsi parce que je suis un sauvage et que je ne comprends pas. Ce fracas, semble-t-il, ne peut qu'offenser nos oreilles. Que reste-t-il dans la vie, si l'on ne peut plus entendre le cri solitaire de l'engoulevent ou les chamailleries des grenouilles dans l'étang la nuit ?

Je suis un homme rouge et je ne comprends pas cela. L'Indien aime le doux bruissement du vent qui caresse l'étang — et l'odeur du vent, purifiée par la pluie de l'après-midi ou lourde du parfum des pins.

L'air est précieux pour l'homme rouge, car toutes les choses partagent le même souffle — l'animal, l'arbre, l'homme — tous, ils partagent le même souffle. L'homme blanc semble ne pas remarquer l'air qu'il respire ; comme un homme qui meurt depuis des jours, il ne sent plus la puanteur qui l'entoure.

Mais si nous vous vendons notre pays, vous ne devrez pas oublier que l'air nous est précieux — que l'air partage son esprit avec toute la vie qu'il contient. Le vent a donné leur premier souffle à nos pères, et il a recueilli leur dernier soupir. Et le vent devra aussi donner à nos enfants l'esprit qui les fera vivre. Et si nous vous vendons notre pays, vous devrez l'apprécier pour cette valeur particulière qu'il possède et pour son sol béni, l'apprécier comme un lieu où l'homme blanc sent, lui aussi, que le vent lui apporte le parfum suave des fleurs de la prairie.

Quant à votre demande d'acheter notre pays, nous y réfléchirons, et si nous nous décidons à accepter, c'est à une condition : l'homme blanc devra traiter les animaux du pays comme ses frères. Je suis un sauvage et je ne l'entends pas autrement.

J'ai vu mille bisons en train de pourrir, abandonnés par l'homme blanc, tués à coups de fusil à partir d'un train qui passait. Je suis un sauvage et je ne peux pas comprendre comment le cheval de fer fumant devrait avoir plus d'importance que le bison. Le bison, nous le tuons seulement pour pouvoir continuer à vivre.

Qu'est l'homme sans les animaux ? Si tous les animaux étaient partis, l'homme mourrait d'une grande solitude de l'esprit. Tout ce qui arrive aux animaux arrivera bientôt à l'homme aussi. Les maux qui touchent la terre touchent aussi les fils de la terre.

Vous devrez apprendre à vos enfants que le sol sous leurs pieds est fait des cendres de nos grands-pères. Et afin qu'ils respectent le pays, dites-leur que la terre est remplie des âmes de nos ancêtres.

Apprenez à vos enfants ce que nous apprenons à nos enfants : la terre est notre mère. Les maux qui touchent la terre touchent aussi les fils de la terre. Si les hommes crachent sur la terre, ils crachent sur eux-mêmes.

Car ceci nous le savons, la terre n'appartient pas aux hommes, l'homme appartient à la terre. Ceci, nous le savons.

Toutes les choses sont liées entre elles, comme le sang qui lie tous les membres d'une famille. Tout est lié. Les maux qui touchent la terre touchent aussi les fils de la terre. Ce n'est pas l'homme qui a créé le tissu de la vie, il n'en est qu'une fibre. Tout ce que vous ferez au tissu, vous le ferez à vous-mêmes.

Non, le jour et la nuit ne peuvent pas cohabiter.

Nos morts continuent à vivre dans les cours d'eau douce de la terre, ils reviennent avec le printemps, quand il s'approche à pas de loup, et leur âme souffle dans le vent qui ride la surface de l'étang.

Nous réfléchirons à la demande que nous fait l'homme blanc d'acheter notre pays. Mais mon peuple pose cette question : Que veut-il, l'homme blanc ? Comment peut-on acheter le ciel ou la chaleur de la terre — ou la vitesse de l'antilope ? Comment pouvons-nous vous vendre ces choses — et comment pouvez-vous les acheter ? Pouvez-vous donc faire tout ce que vous voulez de la terre — simplement parce que l'homme rouge signe un morceau de papier et le remet à l'homme blanc ?

Si nous ne possédons pas la fraîcheur de l'air et le miroitement de l'eau — comment pouvez-vous nous les acheter ? Pouvez-vous racheter les bisons, si le dernier bison a été tué ?

Nous réfléchirons à votre offre. Nous savons, si nous ne vendons pas, que l'homme blanc viendra sans doute avec des armes et s'emparera de notre pays. Mais nous sommes des sauvages.

L'homme blanc, qui possède passagèrement le pouvoir, croit déjà être Dieu, à qui appartient la terre.

Comment un homme peut-il posséder sa mère ?

Nous réfléchirons à votre offre d'acheter notre pays, le jour et la nuit ne peuvent pas cohabiter — nous réfléchirons à votre offre de nous installer dans la réserve. Nous vivrons à l'écart et en paix. Peu importe où nous passerons le reste de nos jours. Nos enfants ont vu leurs pères humiliés et vaincus. Nos guerriers ont été outragés. Après les défaites, ils passent leurs jours dans l'oisiveté — empoisonnent leur corps en avalant des aliments doux et des boissons fortes.

Peu importe où nous passerons le reste de nos jours. Il n'y en a plus beaucoup, de ces jours. Quelques heures encore, quelques hivers, et il ne restera plus un enfant des grandes tribus qui, jadis, vivaient dans ce pays et qui errent maintenant en petits groupes dans les forêts.

Plus un enfant pour pleurer sur les tombes d'un peuple qui, jadis, était aussi fort que le vôtre, et plein d'espérance comme vous ! Mais pourquoi devrais-je m'affliger du déclin de mon peuple ? Les peuples sont faits d'êtres humains — de rien d'autre.

Les êtres humains viennent et disparaissent comme les vagues de la mer.

Même l'homme blanc que son Dieu accompagne, ce Dieu qui lui parle comme à un ami, même l'homme blanc ne peut échapper à la destinée commune. Peut-être sommes-nous tout de même frères. Nous verrons.

Il est une chose que nous savons et que, peut-être, l'homme blanc ne découvrira que plus tard : notre Dieu est le même que le vôtre.

Vous croyez peut-être le posséder — tout comme vous cherchez à posséder notre pays — mais ceci, vous ne le pourrez pas. Il est le Dieu des hommes — le Dieu des Rouges comme celui des Blancs. Ce pays, pour lui, est précieux, et blesser la terre, c'est mépriser son créateur.

Les Blancs disparaîtront, eux aussi, peut-être plus tôt que toutes les autres tribus.

Continuez à infecter votre lit, et une nuit, vous mourrez étouffés par vos propres détritus. Mais en disparaissant, vous rayonnerez d'un magnifique éclat — animés par la force du Dieu qui vous a amenés dans ce pays et vous a destinés à régner sur ce pays et sur l'homme rouge.

Cette destination est pour nous une énigme. Quand les bisons seront tous massacrés, les chevaux sauvages réduits, quand les endroits retirés et mystérieux des forêts seront lourds de l'odeur des foules, quand l'image des champs mûrs sur les collines sera profanée par des fils parlants — où est le fourré ? disparu — où est l'aigle ? disparu.

Et s'il faut dire adieu au poney rapide et à la chasse, cela signifie quoi ?

La fin de la vie — et le début de la survie.

Dieu vous a donné d'exercer votre pouvoir sur les animaux, sur les forêts et sur l'homme rouge, pour une raison particulière — mais cette raison est pour nous une énigme. Peut-être pourrions-nous la comprendre si nous savions à quoi rêve l'homme blanc, quels sont les espoirs qu'il dépeint à ses enfants au cours des longues soirées d'hiver, et quelles sont les visions qu'il projette dans leurs pensées, afin qu'ils aspirent à un lendemain. Mais nous sommes des sauvages — les rêves de l'homme blanc nous restent cachés. Et parce qu'ils nous restent cachés, nous irons notre propre chemin. Car nous apprécions avant tout le droit que possède tout être humain de vivre comme il le désire — quelle que soit sa dissemblance avec ses frères.

Bien peu de choses nous unissent.

Nous réfléchirons à votre offre. Si nous acceptons, ce sera pour assurer la réserve que vous nous avez promise. Peut-être pourrons-nous y vivre à notre manière le peu de jours qui nous restent à vivre.

Quand le dernier homme rouge aura quitté cette terre et que son souvenir ne sera plus que l'ombre d'un nuage au-dessus de la prairie, l'esprit de mes pères restera vivant dans ces rivages et dans ces bois. Car ils ont aimé cette terre, comme le nouveau-né aime le battement du cœur de sa mère.

Si nous vous vendons ce pays, aimez-le comme nous l'avons aimé, souciez-vous-en comme nous nous en sommes souciés, gardez le souvenir du pays tel qu'il sera quand vous le prendrez. Et de toute votre force, de tout votre esprit, de tout votre cœur, conservez-le pour vos enfants et aimez-le comme Dieu nous aime tous.

Car il est une chose que nous savons: notre Dieu est le même Dieu que le vôtre. Cette terre est sacrée pour lui. Même l'homme blanc ne peut échapper à la destinée commune. Peut-être sommes-nous tout de même frères.

Nous verrons.

Grand chef Seattle

On est frappé par la sagesse, la lucidité prémonitoire et la tranquille sérénité que portent ces propos. C'est une véritable leçon de magnanimité, d'humilité, d'amour et de communion avec ses semblables et la nature. Une irrésistible force mystique s'en dégage. On est loin de la science économique et de son désastreux orgueil hyper-égoïste transformé en triomphe de la raison. Par exemple, le grand chef parle de « souffle » que l'être humain partage avec ses « frères » les animaux et les végétaux. Il ne peut m'échapper que, d'une part, cette notion de « souffle partagé » renvoie à l'idée (de haute conscience écologique) que tout le vivant est lié par le même destin et mérite le même respect, et que, d'autre part, elle rappelle ce saut métaphysique (soi-disant achèvement « rationnel » de l'humain, bouclé par René Descartes) qui a consisté à éliminer une des composantes intégrantes de « l'être » chez les Grecs anciens (qu'on trouve encore aujourd'hui chez les mystiques musulmans et orientaux), précisément le *souffle* (*pneuma* en grec et *ennefs* en arabe) qui avait toute sa place à côté de l'âme (*anima*) et du corps (*soma*). La dichotomie cartésienne « corps — âme » a procédé peut-être à l'élimination d'une possible conscience cosmique-écologique dont nous ne finissons pas de payer le prix...

Rappelons également que la notion occidentale de propriété individuelle (en particulier de la terre), si centrale à l'ensemble de l'édifice de notre pseudo-science économique et au développement de la modernité capitaliste, ne date en Europe que du XVe siècle. Comme le dit si bien Robert Heilbroner, un baron ou un duc du Moyen Âge ne possédait pas plus ses terres que le gouverneur de Californie ne possède la Californie. Cette notion a été longtemps discutée en Occident même. Le jour où un homme s'avisa d'entourer un terrain d'une clôture et de déclarer que c'était sa propriété, ce jour-là sont nées l'inégalité et l'injustice sociales, disait Jean-Jacques Rousseau. La propriété c'est le vol, renchérissait Proudhon.

La propriété, individuelle et égoïste, a cependant été, en Occident, sacralisée, elle est littéralement devenue quelque chose qui mérite sacrifice (qu'on se souvienne du discours tenu lors de la répression sans merci de la révolte populaire dite de la Commune, en France, à la fin du XIXe siècle, où la propriété figurait en bonne place aux côtés de Dieu et de la famille comme raison de massacrer les foules populaires révoltées).

On a donc le droit de tuer pour la propriété, et on peut mourir pour elle.

Cette idée de sacrifice et de sacré attachée à la propriété de choses et de richesses ne peut qu'être tout à fait saugrenue pour tout peuple chez qui le sens de l'existence n'y est pas investi à ce point, et chez qui la valeur de la personne n'est pas, pour ainsi dire, intimement confondue avec ce qu'elle possède.

Cette relation vorace à la propriété se fonde par ailleurs sur une idée de rareté — qui pousse à l'accaparement et à la lutte, bref, à des rapports d'hostilité et de bellicisme généralisés[6].

Ainsi, dans la mentalité matérialiste dominante, l'hostilité marque d'une part les rapports entre l'homme et la nature, celle-ci étant une sorte d'ennemi à combattre, conquérir et domestiquer, puisqu'elle s'acharnerait, fort malicieusement, à rendre les choses rares (l'économie ne s'est-elle pas définie, entre autres, comme *la science de l'allocation optimale des ressources rares* (depuis Walras, *Éléments d'économie politique pure,* 1976, on ne s'est nullement gêné dans les milieux des économistes orthodoxes et surtout de la *business economics*, de présenter ainsi l'objet de l'économie) et, d'autre part, entre les hommes, puisqu'ils ne sont que d'éternels rivaux dans la course à la possession de choses toujours plus rares[7] (ce qu'on appellera « saine concurrence »).

Ceci nous amène à conclure que la science économique n'est, à tout prendre, que la théorie d'une sorte de guerre qui « doit » opposer sans cesse l'homme à la nature, et l'homme à l'homme, dans l'appropriation de biens réputés rares et « normalement » (ou « rationnellement ») convoités, par chacun, en quantités infinies.

Si les Amérindiens et les sociétés du tiers-monde en général (le « sauvage », le « sous-développé ») sont dans l'incapacité chronique d'intégrer en profondeur les modes de pensée et d'action économiques occidentaux[8], c'est tout simplement parce que n'existent pas, dans leurs mentalités (hors les classes détentrices de pouvoirs octroyés depuis l'ère coloniale et, depuis, pour la plupart corrompues), les idées de rareté, de propriété individuelle et de maximalisme sur lesquelles ceux-ci sont fondés.

L'attitude réfractaire des masses du tiers-monde vis-à-vis de l'économie de marché de type occidental nous conduit à nous interroger en profondeur sur la nature et le rôle des marchés traditionnels — que l'historien Fernand Braudel a qualifiés de marchés « l'œil dans l'œil et la main dans la main », par opposition au marché moderne, anonyme, à distance et souverain par lui-même — et des économies dites informelles. (On parle d'économie informelle dans plusieurs cas : celui, par exemple de l'Italie où on estime qu'un fort pourcentage de l'activité économique échappe aux circuits officiels des systèmes de banques, d'impôts, etc., celui d'économies telles que celles de nombreux pays du tiers-monde où l'argent et les produits et services etc. circulent plus de façon « non visible » qu'à travers des transactions « enregistrées » par le truchement de documents tels que chèques, factures, cartes de crédits, comptes bancaires. Le système dit des « tontines » — sortes de coopératives de prêts circulants sans aucune sorte d'enregistrement — ayant cours dans une bonne partie de l'Afrique du Centre et de l'Ouest en est un bon exemple.)

De très nombreux économistes et historiens de l'économie, postulant une nature humaine (*l'homo aeconomicus*) évoluant vers le libre marché, présentent les marchés traditionnels comme les formes primitives d'un futur vrai marché, l'expression d'un stade dans une évolution linéaire vers la civilisation de l'économie industrielle capitaliste *et son libre marché*. On trouverait dans l'acte ancestral entourant les apparentes transactions entre « offre et demande », le marchandage, les racines et l'archétype prétendus du fonctionnement du marché capitaliste.

Or, selon nous, le marché traditionnel bien compris se présente plutôt comme un rappel privilégié de l'abandon, dans le cheminement qui a conduit de l'économique à la chrématistique, de la multidimensionnalité qui caractérisait tant les activités économiques que les autres activités mettant en relation les êtres humains entre eux. Le marché traditionnel se poserait de ce point de vue comme une alternative écartée dans le cours d'un processus dont nous avons vu qu'il n'était pas plus naturel qu'un autre mais s'était effectué sous l'impulsion d'un puissant travail idéologique de légitimation, politique et de coercition, ce qui diffère grandement de la perspective évolutionniste unilinéaire.

Considérons donc à cet égard l'une des dernières survivances du marché traditionnel : le *souk*[9], en nous centrant sur ce qu'y représente le marchandage.

Les familiers de Montaigne le savent, ce dernier a écrit dans ses *Essais* une virulente protestation contre le marchandage, qu'il déclare « haïr par-dessus tout ». Mais ces mêmes familiers de Montaigne auront très certainement compris que ce qui était visé par cet illustre auteur, c'est le marchandage dans son sens le plus vil, c'est-à-dire celui des basses tractations et sordides compromissions, au bout desquelles, comme dirait Aristote, « le vainqueur est souvent plus méprisable que le vaincu ». Le marchandage dont je voudrais parler ici, et qui est souvent considéré, je le répète, comme l'ancêtre du mécanisme de confrontation et d'équilibre de l'offre et de la demande, est le marchandage du marché « l'œil dans l'œil et la main dans la main », celui qui a accompagné ma petite enfance dans les souks hebdomadaires de la paysannerie nord-africaine profonde.

Que le lecteur me permette de rapporter quelques faits vécus çà et là et qui, selon moi, montrent à quel point on doit relativiser la conception dominante d'une soi-disant nature humaine « rationnelle » dans le comportement commerçant du petit paysan des places de village de l'antiquité ou des souks africains.

Déjà enfant, petit montagnard de Kabylie ou petit berger dans la profonde campagne marocaine, je ne manquais pas de remarquer, sans bien sûr tout comprendre, lors des hebdomadaires tournées au souk, que les façons de marchander — et l'issue du marchandage — étaient loin d'être semblables, mais variaient selon les personnalités, les liens de parenté ou de clan, les fortunes, les statuts socioéconomiques des gens entrant en transaction.

La véritable signification de ce qui se passait lors de ces authentiques joutes oratoires ne m'effleura que plusieurs décennies plus tard, à l'occasion d'un colloque à l'Université d'Istanbul en 1989. C'est là, au cours de shoppings collectifs à travers l'inénarrable Bazar de cette vénérable cité que le sens — je pense originel — du marchandage me frappa.

Bien que je n'aie parlé qu'anglais, comme mes collègues américains ou européens, il m'était systématiquement réclamé par les marchands turcs, pour les mêmes produits, un prix au moins deux fois inférieur à celui exigé de mes compagnons, n'ayant pas comme moi une « tête de Turc » !

Il me revint alors, lorsque j'essayai d'analyser la signification de cette différence de traitement, que dans les souks nord-africains de mon enfance, *le prix demandé par le marchand était* (lorsque l'acheteur n'était pas un « ennemi », un membre du clan ou de la famille élargie du vendeur) *systématiquement fonction du pouvoir d'achat qu'il attribuait au client.*

Je compris donc à Istanbul, ce souvenir aidant, que la logique de « formation des prix » — dans le Bazar comme dans les souks — était, sinon totalement du moins en bonne partie, une *logique d'adéquation entre pouvoir d'achat attribué au futur acheteur et prix consenti pour le produit convoité*. Une sorte de logique « Robin des Bois » serait ainsi en jeu dans l'essence même du marchandage, car le plus riche paiera plus pour que le plus pauvre puisse se procurer le minimum vital.

Ainsi il y a en quelque sorte trois ajustements concomitants qui s'effectuent:

1. un ajustement entre pouvoir d'achat et prix négocié;
2. un ajustement entre capacité de payement et satisfaction des besoins du plus grand nombre (les plus nantis payant un peu plus pour que les plus démunis puissent payer moins);
3. un ajustement entre valeur d'échange (du côté du marchand) et valeur d'usage (du côté de l'acheteur), autant au niveau individuel qu'interindividuel et collectif.

Sans compter, bien sûr, que le marchandage est aussi une pratique ancestrale de socialisation [10], une survivance millénaire de ce que le mot commerce signifie d'abord: une relation sociale; un jeu d'habileté oratoire, parfois une joute poétique, et aussi et toujours, un véritable *spectacle* auquel chacun peut assister, et participer s'il le désire.

Dans les souks de mon enfance, gagnait un marchandage celui qui, par exemple, faisait rire l'autre le premier, ou celui qui, au jugement des témoins alentour, avait fait une réplique particulièrement spirituelle ou astucieuse. Il existait en outre de véritables vedettes, artistes du marchandage connus et reconnus, qui attiraient les foules autant qu'ils étaient redoutés des marchands. Ils servaient volontiers de « soutien » au marchandage de bien des clients, ou même, parfois, marchandaient à leur place.

On se rend donc au souk autant pour commercer, acheter et vendre que pour marchander et assister au spectacle du marchandage des autres [11].

Par ailleurs, le notable ou le riche perdaient lamentablement la face s'ils osaient « commercer » en deçà du niveau qui sied à leur rang. Et je me souviens que les prix demandés aux personnes connues pour être nanties étaient quasi systématiquement plus élevés que ceux demandés aux plus démunis. (Ce qui n'excluait nullement, envers les uns ou les autres, des offres de « dons » purs et simples de la part du marchand, ou le recours, de la part de ce dernier — comme c'est encore souvent le cas aujourd'hui en Afrique du Nord —, à des formules du genre « donnez ce que vous pouvez » ou, littéralement, « ce que souhaite votre bon vouloir » — en arabe, *alli bgha el kahter,* formule qui risquait de mettre le riche dans l'embarras s'il se mettait à jouer — publiquement — les pingres !)

Ainsi un marchand se voyait souvent répondre par un client jugeant le prix (ou plutôt faisant mine de le juger) exorbitant : « Me prends-tu pour un pacha ? », ou après la Seconde Guerre mondiale : « Me prends-tu pour un Américain ? »

Pour ne pas risquer de perdre la face, il ne viendrait jamais à l'idée d'un notable ou d'un nanti de proposer, en contrepartie du prix annoncé, un prix *qui le ferait passer pour mesquin, qui risquerait de lui faire perdre la face*. Il convient de toujours équilibrer rang socioéconomique et contre-proposition.

On voit donc que le marchandage (là où il se pratique encore) est l'objet d'un immense malentendu interculturel, car pour l'Occidental en général, il s'agit d'un exercice devant conduire à « faire une bonne affaire », c'est-à-dire d'une sorte de lutte où le vainqueur sera celui qui aura imposé à l'autre son prix. « Bonne affaire » est alors synonyme de quelque chose comme « obtenir, dans une transaction, une plus grande quantité de satisfaction que l'autre ». À la limite, cela confine à chercher à duper l'autre, à exploiter tout rapport de force, toute position de faiblesse pour réaliser un gain à ses dépens.

Prenons quelques exemples propres à illustrer ce que je considère, à propos de ce fait social, comme un fossé entre cultures dites traditionnelles, d'un côté, et cultures dites industrielles-avancées de l'autre. Il s'agit, en fait, d'un fossé entre acceptions économiques basées d'un côté sur l'optimisation collective (interindividuelle) de l'adéquation entre pouvoir d'achat, valeur d'usage et valeur d'échange, et de l'autre sur la maximisation individuelle de la valeur d'échange (de la monnaie du côté de l'acheteur, et de la marchandise du côté du vendeur).

Le premier exemple me vient d'un collègue, Canadien bon teint, à son retour d'un voyage touristique au Maroc. Deux circonstances l'avaient alors laissé fort perplexe. L'une se rapportait au commentaire, pour lui énigmatique, d'un portier d'hôtel marocain à propos du prix payé pour une veste de cuir achetée à Marrakech. À la question de savoir si l'achat, au prix payé, était une bonne affaire, le portier répondit que c'en était sûrement une « puisque c'était un prix *convenu* entre acheteur et vendeur ». Ajoutant : « Un prix qui convient à l'un et à l'autre, c'est une bonne affaire. » La seconde circonstance était l'attitude d'un marchand ambulant lors d'une halte aux confins du désert. Ce marchand avait obstinément et fermement refusé le prix proposé par le collègue canadien pour un objet d'antiquité. Il avait fini néanmoins par l'accepter, mais seulement au tout dernier moment, alors que l'autobus redémarrait. Mon collègue, en bon Occidental, était convaincu que cette acceptation *in extremis* était le signe évident que « ce n'était pas une bonne affaire ». Il refusa tout net de payer le prix qu'il était disposé à accorder quelques instants auparavant. Ce qui dans l'incident l'étonna et le désorienta le plus, raconta-t-il, ce fut l'air offensé et même furieux que le marchand eut alors.

En fait, nous sommes ici en présence de deux dimensions de la « mentalité économique traditionnelle » qui expliquent, à mon sens, le désarroi de ce collègue, mis en situation littérale de panne de sens :

1. le portier, dans sa réponse concernant le bon prix de la veste de cuir, lui a signifié que, dans sa conception, une « bonne affaire », c'est un jeu où les deux parties sont gagnantes ;
2. le marchand ambulant de la halte de l'autobus a fini par accepter son prix à un *moment où il ne perdait plus la face.* Car en effet, et on le verra un peu plus dans les exemples suivants, le jeu du marchandage est aussi beaucoup un jeu où l'on doit gagner ou perdre dans le respect de certaines règles qui ont à voir avec la dignité et l'honneur de chacun, c'est-à-dire par lesquelles aucun ne doit perdre la face. La porte de sortie pour notre marchand d'antiquités qui avait refusé le prix proposé par son client, c'était de jouer au magnanime en offrant l'objet convoité au prix de l'acheteur *presque comme on ferait un cadeau*, au moment où l'autobus partait — moment symboliquement critique puisque dernière chance de « faire plaisir » au client, donc aussi, de faire aboutir la transaction sans perdre la face.

Mon collègue, après mes explications, fut aussi surpris que penaud de l'affront qu'il comprit alors avoir fait subir à ce marchand, sans le vouloir. Lequel marchand avait, en définitive, du point de vue qui était le sien, bel et bien perdu la face.

Je prendrai encore une illustration concrète, venant d'un tout autre horizon, mais elle aussi singulièrement significative quant à ce qui vient d'être évoqué.

L'histoire m'a été rapportée à propos d'un colon belge, quittant le Congo à la déclaration d'indépendance du pays dans les années 1960. Ce brave Belge désirait emporter avec lui en Belgique des tables artisanales congolaises faites de beau bois précieux. Il se rendit au village de l'artisan qui les fabriquait et s'enquit du prix. L'artisan, devant un Blanc européen (par définition « riche »), demanda bien sûr un prix supérieur à celui qu'il aurait exigé d'un indigène. Disons dix dollars par table. Mais notre ami belge, voulant marchander, lui demanda *quel serait le prix unitaire s'il lui achetait sur-le-champ tout son stock de tables.* À sa grande stupéfaction l'artisan répondit que, dans ce cas, ce serait quinze dollars la table ! Et le marchand d'expliquer : « *Si tu peux m'acheter d'un seul coup toutes mes tables, c'est que tu es riche, donc tu peux payer ce prix* ! »

Tout ce qui vient d'être dit à propos de la philosophie et de la pratique du marchandage peut aussi bien s'appliquer à celles de l'emprunt, de la dette et de l'intérêt en situation de marché traditionnel. Il est en effet bien connu qu'une dette peut être, chez les Asiatiques, et en particulier les Chinois, remboursable parfois sur cinq générations. Quel bon comptable occidental peut calculer un intérêt composé courant sur cinq générations ?

Il est aussi connu que maintes peuplades africaines et indiennes ont, depuis la nuit des temps, recours à des systèmes de coopératives informelles (dénommées par exemple *tontines* dans certaines parties de l'Afrique) qui font circuler biens et valeurs sous un régime complexe de redistributions — réglé par la tradition —, incluant remboursement sans intérêts, indexation sur l'inflation, respect de besoins différenciés, entraide et solidarité envers les moins favorisés par le sort...

J'ai, à ce propos, de très nets souvenirs personnels, lorsque je voyais mon propre père prêter ou emprunter, dans ce monde paysan profond et pauvre de la région des Abdas au Maroc, de l'argent, des semences, des animaux de trait, des outils. La formule alors utilisée par l'emprunteur (encore employée de nos jours) était invariablement: « Je rendrai cela le temps venu. » La formule était tout aussi valable envers un commerçant, lorsqu'on lui achetait à crédit.

Mais que veut dire « le temps venu » ? Cela peut signifier « lorsque je recevrai un mandat de mon fils qui travaille en France » ou « lorsque je ferai une récolte suffisante » ou encore « lorsque tu en ressentiras le besoin ». Il s'agit d'un temps indéfini, non mesurable, non linéaire et strictement événementiel. La tradition l'a implicitement déterminé: c'est le temps où les événements survenant dans la vie de l'emprunteur sont susceptibles de lui permettre de rétablir l'équilibre (à supposer que, bien sûr, le prêteur ne soit pas entre-temps mis en situation critique, auquel cas il peut réclamer un remboursement « avant le temps »).

Bien entendu, la réciprocité est la règle d'airain; mais il existe de subtiles façons de compenser — en quelque sorte — l'érosion inévitable de l'inflation, et, surtout, de contourner l'interdit (en particulier chez les musulmans) frappant la pratique de l'usure et de l'intérêt. À titre d'exemple, chez l'ethnie mozabite (sud de l'Algérie, musulmans de rite malikite), il est de coutume d'utiliser, pour déterminer les termes du remboursement à venir, une sorte de « panier » composé de plusieurs « valeurs étalons », qui indiquent le nombre d'hectares de terre, de quintaux de dattes, de têtes de chameaux, de chèvres, etc., que le montant emprunté permet d'acquérir au moment de l'emprunt — et que le montant remboursé devra équivaloir pour que le prêteur ne soit pas lésé[12].

Il existe aussi, dans les systèmes adoptés par les banques dites islamiques, dans certains pays musulmans à tout le moins, des modes de participation aux gains et bénéfices réalisés par les emprunteurs, en lieu et place d'intérêts. Ainsi, c'est le partage des bénéfices réalisés qui tient lieu de rémunération et de dédommagement du bailleur de fonds, et non l'intérêt.

Ce sont là, à n'en pas douter, de subtiles façons d'éviter les fractures dans les communautés (que craignait Aristote) puisqu'elles découragent le gain par la seule multiplication de l'argent par l'argent, et la trop grande domination du pouvoir de l'argent

— domination qui a abouti, dans l'Occident moderne, à la primauté de la logique financière maximaliste pure sur la logique de la production de biens et services réellement destinés à l'amélioration de la qualité de la vie de la communauté[13].

Plus loin, nous verrons que c'est le primat de la logique industrielle-productrice sur la logique financière qui contribue — entre autres — à la meilleure tenue (sur le long terme et malgré toutes les crises conjoncturelles) des socioéconomies de pays tels que la RFA, la Suède, la Norvège, le Japon, où ont cours des formes de relations entre entreprises, actionnaires, banques, qui sont bien différentes de celles qui président à la dynamique économique de pays comme la France, les États-Unis, le Canada, la Grande-Bretagne ou la Suisse.

On en arrive alors, inévitablement, à la signification et au rôle du travail (*acte* humain par excellence) en tant que base fondatrice de tout acte économique, même avant qu'il ne soit de la pure spéculation. Travailler pour augmenter indéfiniment le stock de monnaie *per se* ou travailler pour améliorer le bien-être de la communauté en harmonie avec son milieu ? Voilà la question lancinante qui entoure la pensée économique depuis les grandes interrogations d'Aristote.

Il est largement admis que travailler dur et sans relâche, sa vie durant, est le sort, le destin, la finalité, le devoir de tout être humain normalement constitué. C'est ce qui fait l'une des marques de l'Occident moderne. On peut dénommer cet état de choses, ou cette mentalité mettant le travail au centre de tout, *mystique du travail*, ou encore, de façon bien plus parlante, à la manière d'un Georges Devereux, *hyperactivité quotidienne soutenue*[14].

D'où nous vient donc cette mystique de l'hyperactivité quotidienne soutenue ? À qui profite-t-elle ? Pourquoi et pour qui l'être humain doit-il se soumettre au joug d'un travail forcené, comme on se soumet à une condamnation à perpétuité[15] ?

La science économique n'y est pas pour rien. Elle nous a habitués à penser, depuis au moins Adam Smith, qu'il ne saurait être de richesse des nations — et des individus — que par le travail, seul facteur permettant valeur ajoutée et accumulation. On le voit, nous sommes ramenés par cette question du travail à l'idéologie matérialiste moderne, faisant de l'accumulation de biens la plus haute valeur. Idéologie du travail et idéologie de l'accumulation maximaliste sont intimement liées.

Nous avons évoqué plus haut le fait que des peuplades entières de la planète sont réfractaires aux modes de pensée et d'action économiques occidentaux. Il en va de même pour le mode de production et de travail qui s'y rattache. On ne produit plus guère pour répondre à des besoins; on produit pour produire.

Rappelons, en suivant ce que nous apprend l'anthropologie (Clastres, Leach, Bateson, Devereux entre autres), que dans les sociétés « primitives », on ne se livrait à un travail à caractère intensif (moissons, chasses ou pêches saisonnières, labours, récoltes, constructions, etc.) qu'après s'être méticuleusement préparé, car il s'agissait d'activités à forte charge cosmogonique, investies de significations et d'effets dépassant leur simple effet utilitaire. Une certaine crainte pouvait ainsi être attachée à leur accomplissement. Diverses cérémonies et consommations rituelles de nourritures ou de produits euphorisants ou excitants étaient de mise (telles, par exemple, les feuilles de coca en Amérique du Sud). Une fois ce travail fini, d'autres festins et rituels étaient tout aussi nécessaires afin de — pour ne rester qu'au minimal aspect psychologique de la chose — réconforter les officiants et réintégrer le cours de la « vie normale ».

Il n'en va pas très différemment dans nombre de sociétés traditionnelles (l'ensemble du tiers-monde). Dans les campagnes berbéro-arabes de mon enfance en Afrique du Nord, par exemple, il m'a été donné des centaines de fois d'assister à de telles cérémonies préparatoires (et réparatrices) lors des périodes de grands travaux saisonniers de l'agriculture : labours, semailles, moissons, battages, etc. Dénommées *zerdas* (terme proche de « festin », « ripailles »), ces cérémonies étaient obligatoires, fortement ritualisées et pouvaient durer de une à deux ou trois journées. On y consommait quantité de couscous au poulet ou à l'agneau, de viandes à la braise et autres nourritures habituellement réservées aux jours de fête. Je me rappelle aussi que, pour plusieurs, on y fumait d'appréciables doses de kif (variante de cannabis).

En Occident même, on sait avec quelle fougue un Paul Lafargue (gendre de Karl Marx[16]) a plaidé pour *Le droit à la paresse* au moment de l'apogée triomphante de la révolution industrielle. On sait aussi comment les populations rurales européennes, aux XVIIIe et XIXe siècles, étaient *embrigadées par la force* dans les manufactures et les fabriques avec l'aide de la police et de l'armée, tant elles étaient également résistantes à la forme du travail industriel[17].

Je tire de cela trois conclusions :

Conclusion 1 Ne voilà-t-il pas de quoi montrer que pour une bonne partie de l'humanité, travailler dur de façon continue, chaque jour davantage que la veille, est *tout, sauf normal, naturel, obligatoire, allant de soi* ? Doit-on alors, au nom de la rationalité instrumentale hyper-productiviste née en Occident avec la révolution industrielle, *disqualifier de l'humanitude des pans entiers de la population mondiale* ?

Conclusion 2 S'agissant de l'évolution en cours aujourd'hui, de la mise au pas des populations à travers le monde de façon à les intégrer à l'ordre capitaliste mondialisé, un grand responsable est ce que j'appelle *le bras armé de la pensée économique dominante : le management* made in USA *et tout ce qui en dérive.* Partout aujourd'hui, tout autour de la planète, sauf au Japon — dans une certaine mesure et jusqu'à présent —, en RFA et en Scandinavie, le management à l'américaine est roi, en matière de conduite des affaires et de la vie matérielle des humains. Ce qui ne veut pas dire que les managements à la japonaise ou à l'allemande, etc., seraient hors de la course à la productivité — y compris financière —, ni qu'ils soient « la solution de rechange » unique souhaitable. Seulement, comme la vision de la société, du collectif, des producteurs (c'est-à-dire technique et industrielle) prévaut sur le pur point de vue financier (ce qu'aurait apprécié et approuvé un Thorstein Veblen[18]), les dégâts en termes socioéconomiques, environnementaux, etc., y sont moindres, à tout le moins.

Conclusion 3 D'où nous vient ce management, si largement considéré comme universellement valable et bienfaiteur ? Quels rapports particuliers entretient-il avec les milieux financiers dominants et le néolibéralisme ambiant ? Ces rapports présagent-ils de pratiques qui vont enfin générer la justice, l'abondance (en harmonie avec la nature) et le bien-être pour tous ?

Notes

1. Terme provenant de l'arabe et désignant le lieu physique où se déroulent les activités périodiques de vente, d'achat et d'échange de denrées, marchandises, services, qui est une survivance, par exemple dans les campagnes d'Afrique du Nord, des marchés ouverts, mobiles, hebdomadaires qui dominaient le commerce de l'Antiquité et du Moyen Âge.
2. Il n'est qu'à lire, par exemple, des travaux tels que *The European Miracle* d'un certain E. L. Jones, Cambridge (Mass.), Cambridge University Press, 1987 ou encore « Institutions » de D. C. North, *The Journal of Economic Perspectives*, vol. 5, n° 1, hiver 1991, p. 97-112.
3. L. Dumont, *Homo hierarchicus*, Paris, Tel, 1979; M. Weber, *Histoire économique*, Paris, Gallimard, 1991; G. Devereux, *Essai d'ethnopsychiatrie générale*, Paris, Gallimard, 1970; F. Engels, *Origine de la famille, de la propriété privée et de l'État*, Paris, Éditions Sociales, 1961; Polanyi, K. et C. Arensberg, *Les systèmes économiques dans l'histoire et dans la théorie*, Paris, Larousse, 1960; M. Godelier, *Rationalité et irrationalité en économie*, Paris, Maspero, 1966; H. Bourgoin, *L'Afrique malade du management*, Paris, Picollec, 1984.
4. Souvent, il n'existe toujours pas, dans ces socio-cultures, de mots pour désigner le fait de posséder une portion de la mère nature, de la terre, et ce, encore moins à titre personnel, individuel.
5. Le témoin américain qui a transcrit et traduit ce discours à l'époque a affirmé que ce qu'il avait pu écrire était très en deçà de la force poétique et évocatrice des paroles du grand chef dans sa langue. On dit qu'il existe plus d'une version de cette allocution. Les autres (pas plus de deux, en fait), que j'ai pu consulter, ne présentent que des différences très mineures par rapport à celle-ci.
6. Notons qu'une chose n'est « rare » qu'en fonction du désir que l'on en a. Rien, absolument rien, ne saurait être rare en soi. Ainsi, le pétrole *est*, l'or *est*... Ajouter « rare » ou « abondant » n'est que l'expression de notre volonté subjective d'en posséder infiniment ou non. L'or était-il « rare » pour les Amérindiens qui s'en séparaient pour quelques menues pacotilles ? Il faut tout de même bien l'admettre : tout sera d'autant plus rare que nous désirerons infiniment le maximum de tout.
7. La « régulation » des espaces de chasse, des chemins de transhumance, de migration traditionnels à ces sociétés ne donnait lieu au plus, avant l'ère des colonies, qu'à des guerres d'intimidation ou de confirmation de « droits »

de passage, et pratiquement jamais à des guerres d'extermination et de dépossession-occupation comme celles qu'on va connaître dès l'inauguration des guerres coloniales.

8. Je renvoie ici le lecteur aux travaux, entre autres, de Georges Devereux: *Essai d'ethnopsychanalyse complémentariste* et *Essai d'ethnopsychiatrie générale*, où il est analysé comment le travail occidental (industriel de surcroît), qualifié d'« hyperactivité quotidienne soutenue », est totalement étranger — et perçu comme une violence — en milieux dits primitifs; voir aussi Henri Bourguoin: *L'Afrique malade du management*; ou encore P. Clastres, *La société sans État*, Paris, Gallimard, 1972. Voir également les innombrables écrits (venant des milieux intellectuels du tiers-monde lui-même) appelant sans arrêt à la « révolution » et à la « mutation radicale » des mentalités des masses indigènes pour les convertir à l'économie occidentale moderne.

9. Je laisse au lecteur le soin de (re)découvrir les magistrales analyses de Godelier et de Polanyi et Arensberg (*op. cit.*) sur le sujet, analyses qui tranchent par rapport à de véritables bêtisiers, affligeants d'ignorance historique et ethnologique, tels que les travaux de certains auteurs comme North ou Jones (*op. cit.*), pourtant fort lus, enseignés et cités, particulièrement en Amérique du Nord et dans les *business schools*.

10. Et, bien entendu de régulation économique entre quantités, produits, demande, prix, etc. D'ailleurs peut-il en être autrement en l'absence de toute idée de comptabilité analytique, de structure de coûts, de salariat... bref, en l'absence de tout ce qui permettra, à partir du XVe seulement, en Europe, l'avènement de la comptabilité à partie double (système comptable qui a remplacé la comptabilité simple, dite « de caisse », par une comptabilité permettant l'intégration du salariat comme coût, et la construction du compte de bilan avec les notions d'actif et de passif?

11. Mon regretté ami et maître Maurice Dufour m'a raconté comment un antique épicier d'un village perdu du sud de l'Italie lui avait exprimé sa grande nostalgie du temps passé: « De nos jours, disait-il, les gens ne marchandent plus, ce n'est plus du commerce! »

12. Cette formule est, je pense, l'équivalent de ce que l'on retrouve dans un fameux passage de la *Somme théologique* de saint Thomas d'Aquin (« De la signification des actes humains »), où celui-ci préconise, à défaut d'intérêt, de s'entendre avec le bailleur pour un dédommagement équitable, une fois l'échéance arrivée.

13. Cinquante pour cent du volume des transferts financiers de Wall Street ne correspondent à aucune transaction de produits ou de services tangibles; ce ne sont que spéculations de l'ordre de milliers de milliards de dollars!

14. *Cf.* G. Devereux, *Ethnopsychanalyse complémentariste*, Paris, Gallimard, 1980 et *Essais d'ethnopsychiatrie générale*, Paris, Gallimard, 1970.

15. Cette question est au cœur d'ouvrages aux titres aussi évocateurs que *Souffrance en France* (C. Dejours, Paris, Éditions du Seuil, 1998); *L'Homme à l'échine pliée* (I. Brunstein *et al.*, Paris, Desclées de Brouwer, 1999). Elle est également abordée dans des dossiers de fond par la presse à grand tirage — voir par exemple le numéro du *Nouvel Observateur* intitulé « Le harcèlement moral », semaine du 6 mars 2000.

16. On n'a pas hésité, et à juste titre, à dénoncer les différentes (et parfois bigarrées) applications du marxisme comme des super-mystiques du travail, peut-être plus pernicieuses que celles du capitalisme puisque ayant la prétention affichée, elles, de conduire à terme à une sorte de société du loisir où, sans État ni classes, les humains auraient vécu dans une poétique fraternité, obtenant « de chacun selon ses capacités » et donnant « à chacun selon ses besoins ». Mais on sait le sort que l'histoire et les diverses nomenklaturas ont réservé aux pieux idéaux de Marx, d'Engels, de Lénine, etc.

17. *Cf.* entre autres P. Mantoux, *La Révolution industrielle au* XVIIIe *siècle* et J. Neuville, *La condition ouvrière au* XIXe, *op. cit.*

18. Grand économiste, iconoclaste, profond et original du début du XXe siècle, à la célèbre école de l'Université de Chicago, pour qui les hommes d'affaires, surtout soucieux de juteux et rapides rendements, étaient à considérer comme des *prédateurs*, ennemis plutôt qu'amis de la santé économique des nations. Il est l'auteur de deux ouvrages décapants : *The Theory of the Leisure Class* et *The Theory of Business Enterprise.*

CHAPITRE IV
Petite histoire de la plus-value et du management

Le marché de la théorie de la concurrence est un monde où les individus ont la liberté des rouages dans la mécanique de l'horloge.

René Passet

Les déchets, la transformation des forêts en latérite, les bidonvilles, la mercantilisation de l'air, de l'eau et des gaz à effet de serre [...] sont des créations de richesses.

Bernard Maris

AVANT D'ABORDER cette petite histoire du management, il convient tout d'abord d'attirer l'attention sur une mystification quasi ancestrale, un subterfuge linguistique faisant passer le management à l'américaine pour seul vrai, authentique, naturel, transcendant, scientifique, objectif, universel.

Ce subterfuge consiste, consciemment ou non (mais l'effet est le même), à toujours accompagner le terme de management, dès qu'il ne s'agit pas de management *made in USA*, d'un adjectif (ou d'une périphrase) qui le particularise, qui le fait passer pour quelque chose de singulier, de régional, de délimité, voire de folklorique, et donc, cela va de soi, pour quelque chose dont le potentiel d'adaptation ou de transposition ailleurs est très réduit, sinon nul.

Ainsi, on écrit et on dit systématiquement « management », sans autres précisions, lorsqu'il est question du management américain, et « management à la japonaise », « à l'allemande », « à la suédoise », etc., faisant passer automatiquement ces managements « autres » comme tout à fait spécifiques, chargés de particularismes culturels, voire de bizarreries les rendant non imitables, non exportables.

Il nous est difficile de ne pas voir dans cette véritable « tyrannie du vocabulaire » (John Saul, *Les bâtards de Voltaire*[1]) un de ces mécanismes par lesquels on « fabrique le consensus et le consentement », comme dirait Noam Chomsky (*Manufacturing Consent*).

Que de fois ne m'est-il arrivé, dans ma pratique d'enseignant en management, ou même de consultant, de me faire dire avec véhémence (par des personnes de tous âges, de toutes classes et nationalités) combien les managements allemand, suédois, japonais, sud-coréen, etc., étaient chargés de *spécificités* (entendre, le plus souvent : bizarreries idiosyncrasiques) *culturelles, ethniques, historiques* aussi inimitables et non transposables que non souhaitables. On évoque souvent plus précisément des caractéristiques qui seraient propres à ces peuples et correspondraient à ces types de managements. Ainsi, les uns seraient des fourmis indifférenciées et compulsivement suicidaires ; les autres des militaristes maniaques de la discipline et de l'autorité ; les troisièmes des alcooliques dépressifs obsédés du travail dont le modèle d'« État-providence » ne cesse de « s'effondrer ». Ou encore, on déclare péremptoirement : « Le Japon et l'Allemagne sont les grands perdants de la Grande Guerre, ce qui explique leur vitalité. »

Plus d'un est resté interloqué lorsque j'attirais son attention sur le fait qu'en tant que Français, Tunisien, Brésilien, Camerounais, Mexicain, Algérien, Colombien ou Québécois, il n'y avait aucune raison pour que le management à l'américaine lui soit plus proche culturellement ou soit plus facilement transposable dans son pays que n'importe quel autre !

Il ne s'agit en fait que de préjugés (et, on verra cela plus tard, d'une question d'intérêts de classe et du choix de la facilité), soigneusement entretenus par une propagande et un prosélytisme agressifs du management américain, que ce soit par le biais des écoles de gestion ou des aides liées et des cabinets de consultants. (Par « aide liée » on entend, en termes simples, le fait de mettre des conditions à toute forme de financement — ou aide — accordée à un pays. Cela peut revêtir diverses formes depuis l'imposition de contrats de réalisation avec des firmes du pays donateur, jusqu'à l'imposition de technologies et de services après vente, etc., l'idée étant que la dite « aide » puisse retourner d'une façon ou d'une autre au pays d'origine, souvent avec des bénéfices, d'ailleurs.) Contrairement au management américain, ceux du Japon, de l'Allemagne et des pays scandinaves n'ont jamais cherché à se répandre et à s'imposer à travers le monde en se clamant supérieurs et universels [2].

Cette question d'une supériorité et d'un plus grand universalisme apparents du management à l'américaine nous amène à faire son archéologie et sa généalogie, à l'examiner et à le déconstruire, selon les plans ethno-historique, socioéconomique, doctrinaire et théorique. Ce sera l'objet principal de ce chapitre (et en partie du suivant).

En tout premier lieu se pose la question de savoir pourquoi une certaine humanité, celle de l'Occident de l'Ancien et du Nouveau Monde au tournant du XXe siècle (entre la dernière décennie de 1800, avec les premiers pas des travaux de Fayol et de Taylor, et la seconde décennie de 1900, avec la publication de ces travaux et leur diffusion dans le public), *a soudainement eu besoin d'une toute nouvelle et même chose qui s'est appelée « administration générale » d'un côté et « scientific management » de l'autre.* Beaucoup ont prétendu que ce sont les progrès de la production industrielle qui, combinés à l'explosion de la consommation de masse, auraient créé la nécessité de rationaliser le travail. C'est là la version la plus répandue, la plus conforme à l'image d'Épinal que l'on veut accoler à l'avènement des capitaines de l'industrie capitaliste moderne. Et dans la même veine, les gourous de la réingénierie et du *downsizing* aujourd'hui seraient les grands prêtres du bon usage de l'inéluctable « troisième vague » du même progrès technologique continu.

Les tout premiers théoriciens de l'art de bien conduire (maximiser) la marche de l'atelier (Taylor) et de l'organisation (Fayol) auraient été les génies du nouveau bond en avant que venait d'accomplir l'humanité, rien de moins.

La plus grande, et la plus durable, des mystifications managériales est sans doute partie de là : décrire cet effort, somme toute limité, de présentation d'une organisation plus lucrative de l'atelier de travail d'un côté, et de description idéalisée du travail du chef d'industrie de l'autre, comme une percée de la science et de l'évolution des sociétés, alors que cela n'a jamais été — comme l'a écrit d'ailleurs Fayol lui-même — que la *doctrine* résultant de la *synthèse des idées des grands dirigeants d'entreprise.* Que peut-il y avoir là qui ait rapport avec la science ou le progrès de l'humanité ?

Nous avons évoqué brièvement, dans le prologue, les différentes « révolutions technologiques » pour mettre en question la légitimité de leur association avec l'idée de progrès social. Nous allons voir maintenant de quelle manière la « science du management » s'est inscrite dans ce mouvement et avec quelles visées. Nous verrons que le principe moteur de ces révolutions technologiques, la recherche de plus-value, est le même qui a présidé à l'apparition de la science du management et aux modes successives qui l'ont parcourue.

Revenons donc aux commencements, à la révolution industrielle et aux changements sociopolitiques encourus par ailleurs par la société et auxquels elle dut s'adapter.

À l'instar du genre de mémoire collective entretenu à propos de la guerre de Sécession américaine, opiniâtrement et fort romantiquement tenue dans les esprits comme la chevaleresque *guerre de libération des esclaves*, faite contre les mauvais et méchants esclavagistes du sud des États-Unis par les magnanimes et généreux philanthropes du Nord[3], il est entretenu une mémoire collective presque lyrique au sujet de la révolution industrielle. Qui, en effet, n'est pas (hormis des spécialistes et historiens impartiaux) convaincu que cette révolution a été une percée aussi majeure que décisive *pour le progrès de l'Humanité* ? Elle aurait apporté prospérité et mieux-être généralisés sur une triple et noble base : la *Science*, la *Technique* (modernisant et rentabilisant, dit-on, l'artisanat), et une *nouvelle race d'hommes*, aussi audacieux qu'épris de liberté, d'altruisme (créateurs d'emplois) et de travail acharné (par opposition à l'aristocratie) : les *Entrepreneurs*.

Remarquons que tout comme la fameuse guerre américaine, cette révolution aurait aussi contribué à la libération d'hommes asservis : celle des serfs, en *libérant le travail du joug du seigneur féodal*.

Il y a là plusieurs mystifications auxquelles la science économique et le management vont amplement s'abreuver. Le maître mot de ces mystifications sera le mot *libre* : libre marché, libre entreprise, libre travail, libre concurrence. Toutes ces nouvelles *libertés* étant, bien sûr, conquises contre l'inique régime aristocratique.

En fait, science, techniques et esprit d'entreprise n'ont été que les oripeaux qui servirent à légitimer une nouvelle domination, la domination des hommes d'argent remplaçant celle des aristocrates, hommes de guerre, de charisme ou d'illustre lignée. À consulter les livres d'histoire sérieux[4], il est évident que les véritables acteurs de cette révolution n'ont jamais été ni des scientifiques, ni de besogneux artisans, ni de généreux Robin des Bois pétris de témérité et d'esprit de création, mais beaucoup plus trivialement des faiseurs d'argent, en particulier, pour ce qui est de l'Angleterre des XVIIIe-XIXe siècles, des commerçants drapiers[5].

Le succès de ces derniers reposa essentiellement sur l'édit de lois d'expulsion et d'extorsion à l'endroit des couches défavorisées. En effet, en vertu des fameux *enclosure acts* (lois sur le regroupement des terres permettant l'expulsion des serfs et des paysans libres installés sur les terres domaniales, et ce, *en dépit de la loi coutumière* qui les protégeait jusqu'alors) et *poverty acts* (lois sur la pauvreté, assignant à résidence dans les villes les plus pauvres, sous couvert de charité et sous menace d'emprisonnement), les serfs et les petits paysans furent précipités, par foules entières, d'abord dans l'errance et la famine. Cela permit d'une part aux seigneurs de remembrer les terres, de les clôturer et d'y élever massivement le mouton pour le commerce lucratif des lainages, et cela constitua d'autre part, pour les nouveaux manufacturiers, la mise à disposition de cohortes innombrables de bras plus taillables et plus corvéables que jamais[6].

Le regroupement de ces serfs et paysans — femmes et enfants compris — démunis de tout dans les lugubres manufactures permit un taux de profit d'une ampleur inconnue jusque-là, grâce à leur exploitation forcenée dans un cadre sociopolitique marqué par une liberté aussi nouvelle que lucrative : les nouveaux seigneurs manufacturiers n'étaient plus soumis aux exigences coutumières qui engageaient les seigneurs de l'ancien ordre social à protéger, loger sur leurs terres, nourrir et soigner les serfs, inconditionnellement attachés à la glèbe. L'immense détresse des ouvriers, comme en témoignent d'innombrables rapports de fonctionnaires, n'avait d'égale que les colossales fortunes accumulées par les nouveaux capitaines d'industrie[7].

C'est vers la toute fin du XIXe siècle que des difficultés d'un nouveau genre, sans doute inattendues, vont survenir et faire émerger les bases de cette nouvelle *science* qui marquera tout le XXe siècle : le management — dont les fondements furent posés par deux publications majeures, d'un côté et de l'autre de l'Atlantique : *Scientific Management* de F. Taylor en 1911 aux États-Unis, et *Principes d'administration industrielle et générale* de H. Fayol en 1916 en France.

Il faut considérer un aspect très important de l'évolution de la société du Vieux Monde entre le XVIIIe et la fin du XIXe siècle, parallèle à la révolution industrielle : la démocratisation politique dans plusieurs pays européens, où des régimes jusque-là monarchiques et aristocratiques cèdent la place à des régimes républicains. Il s'agit là d'un *changement primordial dans le mode d'accès au pouvoir*, accès qui ne relève plus désormais de l'appartenance à la dynastie régnante, mais passe de plus en plus, même si c'est de manière imparfaite, par l'obtention d'une majorité de voix, à l'échelle de la Nation. Il a alors fallu se mettre, bon gré mal gré, à proposer et à faire passer des mesures et des lois permettant de se rallier les travailleurs, en proportion de leur capacité d'infléchir les résultats des élections.

Bien sûr, cela n'enlève rien à la portée des efforts de philanthropes et de partisans des classes laborieuses qui se font jour tout au long du XIXe, mais il est certain que sans leur capacité à influer sur les résultats électoraux, peu de choses auraient réellement été concédées en termes de droit du travail et de droits des travailleurs.

Or, à mon sens, c'est là le cœur de l'explication de cette soudaine apparition de la science du management et de l'administration industrielle et générale. Avec la promulgation (pour des raisons, encore une fois, souvent essentiellement électoralistes) de lois imposant un minimum de respect du travail et du travailleur (introduction de salaires minimums, de congés payés, d'un repos hebdomadaire, réglementations touchant aux conditions d'hygiène et de sécurité, à la protection en cas de maladie ou d'accident, au nombre d'heures travaillées), le producteur industriel s'est petit à petit retrouvé devant un problème inusité : *des coûts de production plus élevés, et donc une espérance de profits — à travail conduit de la même manière — toujours plus réduite.*

C'était là, bien entendu, une situation difficilement tolérable pour les entrepreneurs et capitaines d'industrie pour qui, par définition, le profit doit être rapide, maximal et toujours en croissance. Cela menaçait — puisque ces changements, quoique de nature politique, avaient des conséquences économiques directes en élevant les coûts de production — de donner rapidement corps à ce que Karl Marx a conceptualisé sous le terme de *baisse tendancielle des taux de profit.*

Les couches dominantes avaient désormais, de façon nouvelle, à se demander *comment obtenir au moins autant (si possible plus) d'outputs du facteur travail dans un équivalent temps désormais réduit, du fait que l'on avait à supporter un coût de ce travail « tendanciellement » plus lourd...*

Une telle question revenait à mettre la notion de productivité-rentabilité [8] du travail au cœur du processus de production, et poussait à se pencher sur le mode d'usage du travail par unité de temps. C'est ce que firent Taylor et Fayol, en proposant ce qui constituera tout le fondement et le principal fil conducteur de la science managériale jusqu'à nos jours : de se mettre à *organiser le travail*, dans l'optique de *le contrôler* pour lui faire produire (toujours) plus par unité de temps (et ce, bien sûr, hors du contrôle et de la volonté des travailleurs). N'oublions pas que Taylor et tous ses premiers émules se faisaient dénommer *ingénieurs en organisation du travail.*

Tout ceci est bien plus important qu'il n'y paraît à première vue, car *organiser le travail en dehors de la volonté et du contrôle de ceux qui l'exécutent est une nouveauté de taille.* Taylor le souligne à bien des reprises, lors de ses passages lyriques sur l'inadmissible « liberté » laissée jusque-là aux ouvriers de contrôler eux-mêmes à la fois le savoir et le savoir-faire dans le processus de réalisation de *leur* travail. Notons que Fayol, lui, condescendait à laisser 5 % de « fonction administrative » à l'exécutant et à l'ouvrier, les 95 % restants étant répartis sur l'ensemble de la hiérarchie, dont 50 % pour le seul directeur général !

Tout ce nouveau mouvement d'organisation et de contrôle du travail peut porter un autre nom : *la recherche d'une nouvelle forme de plus-value, la plus-value relative.* Cette nouvelle forme d'extraction de survaleur est dite « relative » en ce qu'elle ne peut s'obtenir, par rapport à la plus-value absolue, par le seul exercice « absolu » du pouvoir et le seul contrôle sur l'extension du temps de travail fourni comparé au temps de travail nécessaire à la reproduction de la force de travail. Voici, en termes marxiens plus précis, tout ce que cela veut dire.

En fait, Marx analyse séparément les deux formes typiques sous lesquelles se réalise le surtravail, il les désigne comme production de survaleur absolue et production de survaleur relative.

La survaleur absolue[9] correspond à une productivité donnée du travail social, à une valeur donnée de la force de travail. Elle révèle tout simplement, sous une forme immédiate, l'extraction d'un surtravail qui est l'essence de l'accroissement du capital : contraindre le travailleur à dépenser sa force de travail au-delà des nécessités de sa propre reproduction, du fait qu'il ne dispose pas lui-même des moyens de production nécessaires. Le moyen fondamental pour y parvenir est l'allongement de la durée du travail, la fixation du salaire de telle façon que le travailleur ne puisse reproduire sa force de travail qu'en travaillant plus longtemps. Cette tendance apparaît isolément (ou comme forme principale) avec les débuts du capitalisme, mais elle continue de jouer sur la base de n'importe quelle productivité du travail social. Elle suscite directement la lutte économique de classe des travailleurs pour la journée de travail « normale », qui s'efforce de contrecarrer la tendance à l'allongement de la durée du travail, y compris par des mesures légales[10]. Mais la survaleur absolue a pour limite la préservation de la classe ouvrière elle-même. L'histoire montre éloquemment l'élasticité de cette limite, dès lors que la concurrence de la main-d'œuvre et sa faiblesse d'organisation rendent le rapport des forces défavorables à la classe ouvrière. Inversement, la résistance organisée de la classe ouvrière rend cette limite plus étroite. Elle contribue à orienter le capital vers une seconde forme de survaleur.

La survaleur relative[11] a un principe inverse: l'augmentation du surtravail n'y est pas obtenue directement par prolongation du travail nécessaire, mais par la réduction de celui-ci, en faisant baisser la valeur de la force de travail, c'est-à-dire la valeur des marchandises nécessaires à sa reproduction. Ce résultat est obtenu par l'élévation de la productivité du travail qui est, en pratique, inséparable de l'accroissement de son intensité. Les méthodes qui permettent ainsi d'élever la productivité du travail ne comportent pas, contrairement à l'allongement du travail, de limite absolue. C'est pourquoi elles engendrent le mode d'organisation de la production matérielle spécifique du capitalisme. Elles reposent sur la coopération, sur la division du travail poussée entre les individus (division manufacturière en attendant l'organisation « scientifique » du travail et le taylorisme), sur l'utilisation des machines remplaçant partiellement l'activité humaine (ou plutôt se la subordonnant) et sur l'application des sciences de la nature au procès de production. Toutes ces méthodes concourent à élever le degré de socialisation du travail, en remplaçant le travailleur individuel, autrefois susceptible de mettre en œuvre à lui seul les moyens de production, par un travailleur collectif, complexe et différencié. Elles présupposent la concentration des travailleurs, donc la concentration du capital à une échelle toujours plus grande. Elles généralisent la division du travail manuel et du travail intellectuel dans la production elle-même[12]. La plus-value relative est ainsi, on le comprendra, prélevée dans un contexte plus contraignant — comparativement à la plus-value absolue de l'époque précédente, *une plus-value qui était obtenue grâce à un rapport de force absolument inégal*. Nous l'avons vu, par le pouvoir absolu dont il disposait, le propriétaire manufacturier avait pu imposer l'horaire que bon lui semblait, payer le salaire qu'il voulait, octroyer les conditions qu'il lui plaisait...

Le transfert de l'organisation du travail et de son contrôle depuis l'employé de base vers les dirigeants et patrons permettait donc de contourner les nouvelles limites à la plus-value absolue en allant chercher une plus-value dite relative. Ce fut le premier résultat offert par la science toute fraîche du management.

Dans le but de maximiser cette nouvelle façon d'obtenir de la plus-value, on étudia d'abord à fond ce que faisait le travailleur (les gestes effectués à la seconde près !), pour ensuite lui retourner le tout sous forme de description et de prescription de tâches, avec indication du temps pour chaque mouvement, afin d'obtenir ainsi un maximum d'outputs par unité de temps de travail.

Voilà les préoccupations qui ont préparé et marqué la naissance du management, et qui ont présidé d'ailleurs à ses principales orientations par la suite. Celles-ci ne seront que perpétuelle recherche de moyens les plus divers pour toujours mieux affiner l'extorsion d'une plus-value relative.

En effet, l'organisation toujours plus poussée du travail pour augmenter toujours davantage la marge de surtravail (portion rentable du travail par unité de temps ou différence entre travail nécessaire pour la reproduction de la force de travail et travail réellement fourni) a ses limites. Et ces limites sont constituées par la différence qui existe entre un travail résultant d'actes et de comportements *hétéronomiés* ou *hétéro régulés* (pensés, organisés, décidés en dehors du producteur direct, de l'opérateur — et souvent contre lui) et un travail résultant d'actes et de comportements, non pas totalement *autonomiés* ou *autorégulés*, mais, oserais-je dire, *conjointement-nomiés* ou *conjointement-régulés* (pensés, organisés, décidés conjointement et solidairement par les dirigeants et les dirigés, vivant avant tout en « état de communauté »). C'est sur ce mur qu'est venue se briser régulièrement la plus-value relative[13].

Pendant ce temps, les managements plus participatifs que l'on trouve au Japon, en Allemagne et en Scandinavie permettaient à ces pays, dès la fin des années 1960-1970, d'inonder la planète de produits et services à rapports qualité/prix/performance inconnus jusque-là, et toujours indépassables.

Ceci a provoqué le déferlement de vogues successives de recettes managériales que l'on croyait (surtout aux États-Unis) susceptibles de fournir les moyens de continuer à repousser les limites de la plus-value relative — telles que « chaînes socialisées », « enrichissement du travail », « culture d'entreprise », « qualité totale », et autres « management par la reconnaissance » ou « par l'éthique ». Mais, hélas, sans l'esprit ni le mode d'être ensemble, sans le renoncement aux privilèges, etc., qui devraient aller avec toute tentative prétendant associer le travailleur à la production ou le promouvoir au rang de partenaire de gestion. Tout cela est demeuré, systématiquement, recettes artificielles, manipulations, vernis cosmétiques et rituels désincarnés.

Ainsi en est-on venu, après avoir heurté l'impasse de la plus-value relative par la seule organisation du travail, à ce que je dénomme la recherche de *plus-value par la manipulation des perceptions*.

Il s'agit de toute la tradition (qui occupe en général la moitié des programmes de management) dite du comportement organisationnel, qui s'évertue, depuis Elton Mayo et les années 1930, à raffiner les façons de manipuler l'employé, en particulier par ses perceptions : perception du travail, de la situation de travail et de l'entreprise (par exemple, le pamphlet que GM distribuait à l'embauche, dès les années 1940, intitulé « Mon travail à GM et pourquoi je l'aime »); perception du chef, du contremaître, du leader, qui ne doivent plus passer, selon une citation de Taylor, pour « un de ces salauds du côté de l'entreprise et de la direction[14] » (*cf.* les simulacres de concertation et autres comportements dits de *direction démocratique* des groupes de travail); perception des décisions et du mode de prise de décision (*cf.* les simulacres de participation aux processus décisionnels par le biais des modes et techniques dites « de dynamique (ou d'animation) de groupes », de *brain storming*, de direction par objectifs, etc.). Même la perception du rapport salaire/travail a connu sa forme de manipulation : présenté comme une fonction *subjective* de ce que l'employé *donne* à l'entreprise *et en reçoit* par rapport *à ce que donnent et reçoivent* les autres employés, mais surtout pas par rapport à ce que réalise l'entreprise en termes de profits, ou à ce que s'octroient les dirigeants. (*Cf.* les subtiles théories de Adams, entre autres, qui invitent à voir l'équité en termes de rétributions basées sur les contributions comparées des employés.)

On continue partout, encore de nos jours, à enseigner en détail le « comportement organisationnel » et son invraisemblable arsenal d'outils d'infantilisation/manipulation de l'employé, bien que tout cela soit totalement inopérant depuis longtemps, pour la simple raison que la vraie question restera toujours non pas : *comment motiver l'employé ?* mais plutôt : *pourquoi l'employé n'est-il pas motivé ?*

La vogue de la plus-value relative par la manipulation des perceptions a, elle aussi, connu son Waterloo (en pratique, encore une fois, même si on s'entête à l'enseigner dans les *business schools*) avec notamment, durant les années 1970, les assauts des entreprises de type nippo-rhénan [15], et fut suivie par la vogue du *management par l'excellence* puis de la *culture d'entreprise* (après la publication du fameux *In Search of Excellence* de Peters et Waterman). L'ère de la *plus-value relative par la manipulation de la subjectivité et des énergies libidinales venait de voir le jour.* Il ne s'agissait plus seulement de manipuler des perceptions, mais désormais des valeurs, croyances, représentations mentales, symboles, image de soi, idéal du moi, identité, etc. ; cela touchait à la personne et au sentiment intime d'elle-même [16].

Tous les employés, cadres et dirigeants compris, sont dorénavant priés de confondre leur propre idéal du moi avec celui (façon de parler) de l'organisation qui les emploie. Autrement dit, ils sont invités à troquer leur identité pour l'introjection pure et simple de l'idéal organisationnel tel que proposé par la haute direction, pour les valeurs qu'elle met en avant, pour la culture d'entreprise qu'elle désire installer.

Bien sûr, tout cela est autant voué à l'échec que le reste, car la connaissance la plus élémentaire en anthropologie nous montre qu'il est totalement aberrant de supposer que subjectivité, ontologie et valeurs puissent se traficoter et se manipuler et, encore moins, se fabriquer, être inculquées de façon calculée ; de croire que la culture de groupes humains puisse se manufacturer sur mesure, voire se *remythologiser* par des mesures de *revamping* de symboles, de rituels, de rites, de cérémonies [17], aussi artificiels que morts (dans un sens que j'emprunte à Branislaw Malinowski : un mythe ne peut être « opérant » que s'il est « vivant », c'est-à-dire activement intégré et participant autant du cosmogonique et du sacré que du vécu concret de chacun).

Après ces échecs, on en est venu alors, vers la fin des années 1980 et dans les années 1990, à recourir frénétiquement à une autre forme d'obtention de la plus-value relative, bien plus cynique : une *plus-value relative par la réduction exponentielle, individuelle et collective du coût travail.*

Voilà ce que visent essentiellement tous ces nouveaux mots d'ordre et vogues technologiques apparus depuis les années 1980 : *réingénierie*, restructuration, *downsizing*, fusion, réseau, entreprise virtuelle, *core business*. On ne peut pratiquement plus réaliser le taux de profit attendu, actuellement, que par *la compression continue du facteur travail*, et ce, aux deux niveaux possibles à la fois : au niveau *collectif*, par des *réductions massives dans les effectifs ;* et au niveau *individuel*, du fait que, bien sûr, ceux qui restent en poste doivent *travailler* — au mieux, pour le même salaire — *toujours plus et plus vite qu'auparavant* afin de compenser le travail que faisaient les licenciés [18].

Mais l'ultime forme de plus-value relative, redoutable et sauvage, en ces débuts de XXIe siècle, n'est, à tout bien considérer, qu'une sorte de *retour à la plus-value absolue féroce du* XIX*^e^ siècle*, cynisme insolent, hypocrisie, formations réactionnelles [19], justifications névrotiques et mensonges en prime (on affirme que l'humain est le capital le plus précieux ; on parle de management par la reconnaissance, de partenariat ; on ose s'afficher partisan de l'*empowerment* des employés, d'une *éthique des affaires* alors que jamais les faits n'ont contredit autant ce qui est dit).

En effet, par la grâce de la déferlante idéologique néolibérale qui veut faire du *business*, des faiseurs d'argent, des obsédés de la rentabilité financière (que je me garde bien de confondre avec les entrepreneurs, aux sens veblenien et schumpeterien du terme), bref du capital et du capitalisme financier, des sortes de super-citoyens au-dessus de tout et de tous, exemptés de tous les devoirs, au-delà de toutes les lois, nous revenons à marche forcée vers les heures les plus sombres et les plus cruelles du capitalisme. Le *désengagement de l'État*, la *déréglementation*, c'est la bride sur le cou à l'argent et au capital pour exploiter humains et nature sans limites, sans contraintes et sous un rapport de force qui fait désormais de la finance internationale le maître de tous, y compris des États.

Le « système capital » ne s'en prive pas, plus que jamais aux abois dans sa lutte pour maintenir, coûte que coûte, la suprématie de la logique maximaliste du *business* alors qu'il est *aux prises avec une accélération sans précédent de la baisse tendancielle*[20] *des taux de profit*[21]. La dernière forme d'obtention de la plus-value combine alors un double processus infernal : l'exploitation plus barbare que jamais et des humains et de la nature[22]. On brûle ainsi la chandelle par les deux bouts.

Karl Marx, avec quelle prémonition ! a tout bonnement dénommé *plus-value extra* ce cumul de toutes les plus-values possibles. Sur beaucoup de points avare de définitions détaillées, Marx laisse souvent le lecteur mesurer lui-même la portée des notions, même parfois centrales, qu'il évoque. Il en est ainsi de la plus-value extra dont il dit, au plus précis à mon sens, ceci dans le livre premier du *Capital*[23] : qu'il y a plus-value extra lorsque « le capitaliste [...] fait pour son compte particulier ce que le capital fait en grand et en général dans la production de plus-value relative ». Mais en interprétant cette notion au plus près de ce que l'auteur a semblé vouloir y mettre, on peut la considérer comme la forme *terminale* (en régime de mode de production capitaliste financier, surtout de type anglo-américain) de recherche et d'extraction de surtravail, consistant en une sorte de cumul ou combinaison de l'ensemble des formes de plus-value correspondant aux différents niveaux de gains que le capital peut effectuer : substitution de la technologie à l'homme, coupures de postes, mystifications et manipulations par une pensée unique devenue redoutable propagande, baisses individuelles et collectives des coûts du travail, économies d'échelle, fusions, réseaux, organisations virtuelles, délocalisations, flexibilité de la main-d'œuvre, externalisation massive des coûts, destruction du milieu...

Mais la plus-value extra, on s'en doute, cumule aussi les limites de chacune des deux autres (absolue et relative), elle est donc non seulement la forme ultime de plus-value dans le cadre du capitalisme traditionnel, mais sa forme la plus mortelle. Car il reste une constante dans l'idéologie de base derrière chacune des différentes formes d'extraction de la plus-value : l'hypothèse que, quelle qu'en soit la forme, elle peut continuer à être réalisée *en vue d'une accumulation infinie, par l'exploitation (directe ou indirecte) tout aussi infinie du travail humain et de la Terre*. Mais il est désormais plus que certain que les économistes du capital et leurs servants, les managers, se sont radicalement trompés : *aucune limite de quoi que ce soit ne saurait être repoussée indéfiniment.*

Quand le profit ne s'obtient pratiquement plus qu'en générant chômage, exclusion, pollution, et qu'en recourant à des échappatoires fiscales, à des manipulations spéculatives, à des mégafusions entre géants qui reconstituent des empires financiers dépassant les PNB de nombre de pays (ce qu'on n'avait pas revu depuis les titans du début du siècle réduits par la loi américaine antitrust, comme l'empire pétrolier Rockefeller), c'est le début de la fin du capital traditionnel qu'il convient d'y voir et non pas le simple signal de recourir à de nouvelles recettes managériales et stratégiques.

Le saut, car saut il faudra, doit dès lors être conçu non plus en termes de degré mais de nature. Ce ne sont plus les modalités et les recettes qu'il faut changer, mais les fondements des rapports entre le capital d'un côté, le travail et la nature de l'autre. C'est à un changement radical des façons de raisonner à propos de l'économie, des organisations et de la gestion (et donc des façons de concevoir, conduire, vivre les rapports de production et de travail) qu'il faut songer d'urgence.

On ne peut plus refuser de voir que le *salut ne peut désormais venir que du partenariat, du partage, de la protection des environnements et du renoncement définitif au maximalisme.* Dans cette perspective, quitte à largement déplaire (et je le comprends aisément) à une partie de mes collègues marxistes — ou néomarxistes —, j'aurai l'audace de proposer ce que je dénomme une *plus-value consentie, optimale* (au sens de moindres dommages à la nature et aux hommes) *et partagée.*

Nous verrons plus en détail les exigences et les conditions de possibilité de cette forme de plus-value à la faveur d'une présentation du modèle de capitalisme et de management nippo-rhénan, qui ouvre à cet égard certains horizons (au chapitre cinq). Il s'agirait d'une forme de plus-value qui à la limite n'en serait plus une[24], au sens strict de l'analyse marxienne, d'une forme de plus-value dont le mode d'obtention s'attacherait à respecter, au moins, l'intégrité et la dignité des personnes — toutes les personnes — d'un côté, et celles de la nature — toute la nature — de l'autre, en plus de permettre une plus juste répartition des richesses, y compris dans les rapports Nord-Sud. La survie de tous, même si les conditions en paraissent utopiques, est à ce prix !

Mais, bien sûr, pour le capitalisme dominant, une plus-value consentie et partagée est une solution tout à fait *indésirable* puisqu'elle remettrait en question sa tenace vocation dominatrice et maximaliste.

De son côté, impuissant à se trouver un réel chemin de renouvellement, à l'instar de l'économisme néolibéral, le management pratique à son tour ce que j'appelle la politique de l'autruche rationnelle : il continue à rationaliser (au sens psychanalytique) son mode d'agir et à justifier sa suicidaire persévérance dans la légitimation des hyper-égoïsmes corporatifs et patronaux[25].

Notes

1. Paris, Payot, 1994.
2. Ce qui, comme l'a souligné il y a près de vingt ans J.- J. Servan-Schreiber, conforte l'Occident anglo-américain dans l'illusion de sa propre supériorité (préface à E. Vogel, *Le Japon médaille d'or*, Paris, Gallimard, 1983).
3. Alors que cela n'a jamais été, lorsqu'on en analyse les raisons profondes, que la façon — assez féroce et cynique — dont les *businessmen* du Nord ont réussi à réduire ce qu'ils considéraient comme une concurrence déloyale de la part de leurs confrères du Sud, qui possédaient, à travers l'esclavage des Noirs, une main-d'œuvre particulièrement docile et gratuite ou quasi gratuite.
4. À commencer par les œuvres monumentales de Fernand Braudel ou de Paul Mantoux ; et, pour ce qui est des États-Unis, d'Alexis de Tocqueville, de Thorstein Veblen, etc. (*op. cit.*).
5. Voir les explications, extrêmement documentées, de P. Mantoux, *La Révolution industrielle au XVIII*e *siècle*, Paris, Génin, 1959 et de H. Braverman, *Travail et capitalisme monopoliste*, Paris, Maspero, 1976.
6. Bien entendu, dans les ouvrages bien-pensants, on parle de *libération* de dizaines et centaines de milliers de pauvres paysans et serfs surexploités...
7. Les terrifiantes descriptions de la détresse ouvrière de F. Engels et de K. Marx proviennent de rapports très officiels d'inspecteurs et de médecins de Sa Majesté la Reine. Voir aussi (ce qui peut aider à mieux comprendre l'œuvre de Zola) J. Neuville, *La condition ouvrière au XIX*e *siècle*, Paris, Vie Ouvrière, 1976 et 1980, 2 t.
8. La productivité est souvent confondue avec la seule rentabilité financière du travail, mais ce n'est pas son sens premier. C'est une question sur laquelle nous reviendrons, mais disons ici brièvement que le terme « productivité » renvoie à une question fondamentale de rapport entre moyens et résultats obtenus *autant en termes physiques, écologiques, humains, sociaux, que financiers*, alors que, de manière systématique, ne sont en fait retenus comme indicateurs d'efficacité que les seuls indicateurs financiers : les *rendements par unité de capital investie.*
9. *Le Capital*, livre premier, sect. III.
10. *Le Capital*, livre premier, chap. X.
11. *Le Capital*, livre premier, sect. IV.

12. *Cf. Encyclopedia Universalis, Marx et le marxisme, Les deux valeurs surtravail*, p. 14-648.
13. Voir à ce sujet l'analyse magistrale de B. Sievers dans *Work, Death and Life Itself*, Berlin-New York, Walter de Gruyter, 1996.
14. Tout ceci est relaté en détails par Taylor, dans *Scientific Management* et dans *Testimony Before the House Committee. Cf.* F. Taylor, *Œuvres complètes*, Paris, Dunod, 1970.
15. Il s'agit d'entreprises porteuses d'une tout autre philosophie économique et managériale, issue des traditions japonaise et allemande-scandinave de participation-partage-concertation. Nous verrons cela en détail dans le cinquième chapitre.
16. *Cf.* W. F. White, *The Organization Man*; H. Marcuse, *L'Homme unidimensionnel*; M. Pagès *et al.*, *L'emprise de l'organisation*, Paris, PUF, 1979; N. Aubert et V. de Gaulejac, *Le coût de l'excellence*, Paris, Seuil, 1992; B. Sievers, *Work, Death and Life Itself*, Berlin et New York, De Gruyter, 1996; M. Villette, *L'Homme qui croyait au management...* Ainsi que O. Aktouf, « Theories of Organizations and Management in the 1990's: Towards a Critical Radical Humanism? », *Academy of Management Review*, vol. 17, n° 3, juillet 1992, p. 407-431 et « Le management de l'excellence: de la déification du dirigeant à la réification de l'employé », *in* T. Pauchant (éd.), *La quête du sens*, Paris et Montréal, Éditions de l'Organisation et Presses HEC, 1996.
17. On a connu, tout au long des années 1980, une véritable déferlante de consultants, de gourous, d'auteurs en management proposant à qui mieux mieux des titres du genre *Remythologizing your Organization*, *Changing the Organization Culture*, *Managing by Symbols*. *Cf.* pour références, exemples et discussion de tout cela: O. Aktouf, « Symbolisme et culture d'entreprise, des abus conceptuels aux leçons du terrain », *in* J.-F. Chanlat (dir.), *L'individu dans l'organisation. Les dimensions oubliées*, Montréal et Paris, PUL et ESKA, 1990.
18. Et ce, avec le sourire (il existe à ce sujet un documentaire de la BBC, datant de 1998, portant sur le soi-disant miracle thatchérien de Melton Queens en Angleterre et intitulé: *Souriez! vous êtes exploités*), et sans montrer que l'on travaille la nuit, les fins de semaine, que l'on souffre, que l'on est débordé, de peur de figurer dans les prochaines charrettes.
19. En termes très simplifiés, il s'agit d'un mécanisme pathologique, courant en situations de souffrance, et bien connu en psychanalyse, qui consiste à affirmer, afficher, etc. — inconsciemment et *exagérément* —, à peu près exactement le contraire de ce qui est réellement ressenti, vécu ou agi. Ainsi, lorsqu'une belle-mère manifeste de l'amour par des gestes d'affection débordants à l'égard de sa belle-fille, cela peut aisément être le signe, au contraire, d'une profonde aversion, sinon d'une haine difficile à contenir

(ce qui sert à masquer le caractère inacceptable de la haine et de la souffrance infligée à l'épouse de son fils).

20. Je renvoie le lecteur à la définition donnée dans le prologue à la notion de « baisse tendancielle des taux de profit ». Je parle ici en plus d'accélération, car il faut maintenant chaque jour plus de réductions de coûts pour encore faire du profit. Le rapport M/L (moyens de production/travail) est poussé de plus en plus vite à la hausse car les coûts fixes par poste de travail (en raison ne serait-ce que de l'informatisation généralisée de toutes formes d'activités) ne cessent de s'élever, tandis que la rapidité de l'obsolescence des systèmes (machines, robots, ordinateurs, logiciels, etc.) occasionne des renouvellements qui précèdent souvent l'amortissement. C'est pour contrer cette accélération de la baisse des taux de profit que les entreprises se livrent de plus en plus sauvagement à des fusions et aux licenciements qui les accompagnent. Tous les ingrédients que Marx avait prévus pour tendre vers cette accélération sont réunis: gigantisme par les fusions — acquisitions, hausse du taux de mécanisation — automatisation par unité de travail, plus grandes difficultés de réaliser de la plus-value sur le facteur travail devenu composante plus réduite de la structure de production, plus forte concentration du capital sous forme de capital fixe, hausse des coûts d'immobilisation, etc., donc règne de l'équation d'airain « profit-chômage + dégradation de la nature ».

21. Car la moitié de la planète est désormais en état d'insolvabilité chronique, et les coûts de respect ou de « réparation » de l'environnement deviennent totalement prohibitifs. Une illustration de ce que les coûts de « réparation » ou de respect de la nature soient devenus prohibitifs, dans le stade atteint aujourd'hui par le mode de production capitaliste, nous est clairement donnée par le fait que G. W. Bush se soit désisté du traité de Kyoto, invoquant ingénument *ne pas vouloir adopter des mesures qui nuiraient au niveau économique américain.*

22. Tout cela sera dûment argumenté et explicité au chapitre VI.

23. T. 2, p. 10 de la publication de 1976 aux Éditions Sociales, Paris.

24. Les fondements de cette autre forme de valeur ajoutée seront examinés dans les prochains chapitres, lorsqu'il sera question des liens entre management et reconnaissance/appréciation des actes humains et des « ressources humaines », d'une part, et d'autre part des rapports entre management/économie et ressources naturelles/énergie.

25. Égoïsme corporatif et patronal frisant désormais la plus cruelle des barbaries et le crime contre l'humanité, quand on sait que, par exemple, malgré des profits sans cesse en hausse, les 500 plus grandes firmes des États-Unis ont licencié en moyenne 400 000 employés par an durant les 10 dernières années ! À elle seule, faut-il le rappeler, GM a amassé des centaines de millions de dollars en subventions publiques et des milliards de dollars

(exactement 23 sur les dernières 10 années) en bénéfices, tout en jetant à la rue 260 000 employés...

CHAPITRE V

Le management comme casuistique et concrétisation de la « trahison chrématistique »

En casuistique, on ajoute des cas à des cas. L'économie est devenue une immense accumulation de cas particuliers.

Bernard Maris

Tout ce qui a un prix n'a pas de valeur.

Friedrich Nietzsche

À voir les qualités qu'on exige des serviteurs, combien de maîtres seraient capables d'être des valets ?

Pierre-Augustin de Beaumarchais

APRÈS AVOIR PARCOURU d'une manière un peu particulière, en quelque sorte, comme dirait J. K. Galbraith, « le temps économique dans ses relations au management », je propose que l'on voyage, dans ce chapitre, un peu plus au cœur du « temps managérial » lui-même, pour vérifier pourquoi et comment on peut ne voir au fond, dans ce « temps du management » et de son expansion, que l'expression d'une autre vaste mystification : ce que j'appelle la scolastique et la casuistique managériale.

Écoutons tout d'abord un économiste lui-même, Richard Langlois, exprimer son indignation et son désarroi devant ce qu'est devenue l'économie aujourd'hui :

> *On n'entend plus parler que d'économie. Si au moins l'économisme ambiant — cette subordination d'à peu près toutes les sphères de la vie humaine à la logique comptable — soulageait la misère et les inégalités, on pourrait considérer la déshumanisation qui en résulte comme un moindre mal, une sorte de prix à payer. Mais on observe le contraire. Le discours économique dominant cautionne plutôt l'enrichissement des riches et l'appauvrissement des pauvres. Piètre caution d'ailleurs, puisque la science économique n'est qu'une sorte d'astrologie revue et corrigée par une caste sélecte de nouveaux gourous jaloux de leur pouvoir. N'êtes-vous pas fatigués de vous faire rouler par les économistes ? C'est un économiste qui vous le demande*[1].

Le management traditionnel et les écoles de gestion seront donc l'objet du présent chapitre, dans la mesure où ils sont le lieu de systématisation, de légitimation, de justification pratique et d'application concrète de cette « science du cautionnement de l'enrichissement infini des plus riches ». À cet égard, bien plus que l'économisme lui-même, c'est le management, dans sa forme américaine et tel qu'enseigné dans les écoles de gestion, qui serait pour moi le plus directement coupable de ce cautionnement, que ce soit à l'échelle des individus, des entreprises ou des nations, puisqu'il a, avec la même idéologie de base, autant déferlé sur la planète, sinon plus, que la pensée issue de l'économisme libéral et néolibéral.

Comment, dans le managérialisme, ce domaine de concrétisation par excellence de l'économisme (souvent encore plus *dogmatique* puisque s'embarrassant peu des précautions épistémologiques et méthodologiques que prennent tout de même certains économistes du courant dominant), *a-t-on pris en charge ce cautionnement* ?

Le premier point que j'aimerais soumettre à la réflexion concerne la prise en charge par le management de ce glissement qui, déjà dans les écrits d'Aristote, était présenté comme un danger mortel pour la survie de la communauté humaine en tant que communauté.

Le second point, lui, touchera aux méthodes et aux orientations de l'enseignement en management, en particulier, et à une méthode hautement privilégiée dans tout enseignement en management qui se respecte depuis l'exemple de Harvard: la sempiternelle et incontournable *méthode des cas*. Nous verrons également que le management a tout à fait repris à son compte la fuite dans le mathématisme de la science économique.

Enfin, dans un troisième point, nous nous demanderons si, en relation avec tout ce qui précède, il n'y aurait pas intérêt à voir dans l'actuelle vogue de la qualité totale, et ses nombreux échecs retentissants, une conséquence de la trop grande importance accordée (par l'attitude chrématistique) à la valeur d'échange au détriment de la valeur d'usage (le contraire n'étant envisageable qu'avec une attitude réellement « économique »).

Rappelons qu'Aristote posait que de sa *vertu physique naturelle*, tout produit humain, jusque-là destiné à un usage *économique*, glisserait inéluctablement vers un usage *chrématistique* avec l'envahissement de la monnaie et du *fétichisme* dont elle menace de faire l'objet. Et il mettait en garde contre la disparition, ce faisant, du lien rattachant les activités de production à la communauté et à *l'oïkos*.

Les débats philosophiques et théologiques reprendront tout au long des siècles un questionnement dont les premières bases étaient posées par Aristote. On se demandera si la monnaie peut produire la monnaie; on se posera la question de la légitimité de l'usure, de toute forme de prêt à intérêt, de toute forme de spéculation, et aussi de la réalisation, du taux et de la destination du profit...

Les positions d'Aristote sont, elles, bien tranchées: l'usure et le prêt à intérêt sont « contre nature » (ils seront plus tard des péchés) [2]. Ouvrons ici une parenthèse qui mérite le détour: l'usure n'est-elle pas, somme toute, *le mode archaïque de production de richesse sur le mode capitaliste*? Ne serait-elle pas, même, une *première phase nécessaire* du mode de production capitaliste, puisqu'il nécessite une accumulation antérieure (*primitive*) de capital? On comprend, en connaissant l'influence qu'a eue Aristote sur la pensée des théologiens, autant musulmans que chrétiens (pour ces derniers à partir de saint Thomas d'Aquin qui a repris en bonne proportion les commentaires du philosophe musulman Averroès), le stigmate millénaire frappant l'acte de faire se reproduire et d'accumuler l'argent et sa si longue culpabilisation. Prenons l'exemple du Québec, où la tradition et le poids de l'Église ont subsisté très tardivement, et où il est fréquent d'entendre ou de lire que « jusqu'à la Révolution tranquille (les années 1960) il était courant de *se sentir coupable de faire de l'argent* ». Et pour cause ! Par le relais de saint Thomas d'Aquin, le Québec a entretenu jusqu'à la post-modernité le sentiment de culpabilité devant la trahison *chrématistique* de l'*économique*[3] contre laquelle mettait en garde Aristote.

Quant au profit, le poids particulier accordé par Aristote, et plus largement la société grecque antique, aux notions d'*oïkonomike* et d'*oïkonomia,* lui interdit de fait, de droit et de morale d'être maximaliste ou égoïste. L'archétype de l'entrepreneur économique, dans le langage aristotélicien lui-même, c'est *le chef de famille*, il ne peut donc agir autrement qu'en *pater familias* vis-à-vis de sa maison (et par extension, à travers la notion d'*oïkos*, vis-à-vis de la communauté). Car à côté de droits indiscutables, cet *entrepreneur pater familias* est soumis à toute une série de contraintes et d'obligations envers les membres de la communauté, dans un cadre très strict *de solidarité et d'entraide indéfectibles.* Le vrai problème, en fait, n'a jamais été (*cf.* Aristote, saint Thomas, Luther, l'histoire de l'affairiste et riche première épouse du prophète Mahomet dans l'islam) l'acte de *faire de l'argent en soi, mais la façon de faire et la façon d'user de l'argent produit.*

C'est ici, et dans l'attitude équivalente du confucianisme (l'extension à l'ensemble de la société des relations de solidarité, d'entraide et de respect qui fondent l'institution familiale), qu'il convient de voir les bases du fonctionnement de « l'autre capitalisme », celui des pays germano-scandinaves (amplement luthériens) et du Sud-Est asiatique.

L'immense renforcement de la puissance et du pouvoir de ceux qui pouvaient battre monnaie — palais et temples — passera par cette capacité d'amasser rapidement des fortunes par un effet boule de neige providentiel (même au prix de quelques entorses aux séculaires codes d'éthique de l'*oïkonomia* et du marché non anonyme).

Ce furent, avant les protestants calvinistes, les juifs qui profitèrent de cette possibilité décuplée de s'enrichir en faisant faire de l'argent à l'argent, par la pratique de l'intérêt et de l'usure (ce que leur foi, suivant une affirmation du Deutéronome, ne leur interdisait pas dans la mesure où c'était pratiqué à l'endroit d'« ennemis » non juifs).

Mais la chrétienté ne sera pas longtemps en reste puisque dès le XVIe siècle, avec un certain moine Jean Calvin, les milieux d'affaires chrétiens — d'abord des régions de Genève et de Lyon — trouvèrent à leur tour la possibilité de concilier enrichissement individuel par l'usure et conscience religieuse[4].

C'est, par ailleurs, l'extension conjuguée de l'usage de la monnaie et de la comptabilité à partie double (recours à une forme de comptabilité qui permet la distinction entre le débit et le crédit, le compte de bilan et la « calculabilité » de l'acte humain afin d'en faire un acte salarié et intégrable à la logique du compte de bénéfice, contrairement à la comptabilité à partie simple, qui, jusqu'au XVe siècle, n'était que « comptabilité de caisse », indiquant simplement les débours et les recettes), comme le montrera le génie de Max Weber dans son monumental *Économie et société*[5]. C'est là, à mon sens, une des conséquences de la position calviniste sur l'intérêt, parmi celles qui ont permis l'essor de la révolution industrielle. Car cette forme de comptabilité y était nécessaire pour l'ensemble du processus d'accumulation du capital (par l'usage des comptes de bilan et de bénéfices) et pour la rémunération du travailleur en système de salariat. Max Weber montre[6] comment tout cela s'est construit sur une soi-disant libération du travailleur, devenu, par le déclin du système féodal et le passage du cadre de vie et de production familial/artisanal au cadre de production industriel (la manufacture), une sorte de réserve anonyme et interchangeable d'actes calculables (pour être salarié, alors qu'auparavant sa rétribution était assurée sous forme de partages, socialement codifiés, du fruit de l'effort collectif).

Cette généralisation de la monnaie, combinée à l'extension de la comptabilité à partie double, a donc provoqué, d'une part, la déstructuration de la communauté domestique du Moyen Âge (sorte de survivance d'organisation familiale équivalente à l'antique *oïkos*) grâce à la *calculabilité des actes humains*, et, d'autre part, la possibilité d'une séparation — du fait de l'avènement de l'acte salarié — de la sphère de vie domestique par rapport à celle de la production et du commerce, sphères qui étaient traditionnellement intimement reliées, sinon symbiotiques et monolithiques.

Le gigantesque glissement, pluriséculaire, de l'économique vers la chrématistique allait connaître une accélération fulgurante, par la voie d'abord d'une certaine sanction théologique, comme nous l'avons vu, puis par voies idéologiques et théoriques.

Pour être bref, disons que les voies idéologiques seront alimentées par les singulières interprétations successivement faites des pensées d'Adam Smith, de Charles Darwin et de Herbert Spencer. Ces penseurs ont apporté à point nommé, chacun à leur façon et sûrement malgré eux, de quoi soutenir le tout nouvel individualisme (jusque-là péché et tare sociale) désormais promu au rang de vertu cardinale propre à une nouvelle race d'hommes, les commerçants affairistes et les financiers-entrepreneurs industriels. Cette vertu est dorénavant réputée *voulue par Dieu* (prédestination, non-nécessité du vicariat, et interprétation de la réussite personnelle matérielle sur Terre comme un signe d'élection[7]); *justifiée par le marché* (qui ne se porte au mieux que lorsque chacun pousse de toute son énergie dans le sens de son égoïsme et de son enrichissement exclusif); *confirmée par les lois de la nature* (qui *sélectionne les plus entreprenants, les plus forts, les plus intelligents*); et enfin ardemment *appelée par le progrès et la civilisation* (puisqu'elle est indispensable au passage des sociétés humaines *d'un état inférieur vers un état supérieur*)[8].

Voilà, à mon sens, le socle fondamental sur lequel va progressivement se faire la substitution de l'esprit chrématistique à celui de l'économique. Cette substitution va largement trouver appui et complément dans trois superbes confusions:

1. La confusion entre *individualisme et libertés individuelles*;
2. La confusion entre *production et redistribution des richesses* (l'économique), d'une part et *accroissement infini et accaparement de ces mêmes richesses* (la chrématistique), d'autre part;

3. La confusion entre *juxtaposition d'individus entrepreneurs « libres de diriger leurs entreprises comme bon leur semble », « marché libre » et « démocratie »*.

Voyons à présent comment et en quoi le management a été un des vecteurs — sinon *le* vecteur par excellence — de consolidation et d'expansion de l'esprit chrématistique, tout en prétendant faire œuvre économique.

Rappelons, cela n'est pas sans importance, que l'entreprise capitaliste industrielle, dans sa forme moderne, est née physiquement en Angleterre au XVIIIe siècle, et qu'elle s'est, pour ainsi dire, *épanouie sur le plan doctrinal et théorique* aux États-Unis d'Amérique, tout au long du XIXe siècle et de la première moitié du XXe siècle. C'est, bien entendu, dans cette « terre de liberté » que l'amalgame idéologique dont nous parlions plus haut a trouvé le terrain d'application rêvé. Massivement importé depuis cette Angleterre de la nouvelle liberté individuelle d'entreprendre et de s'enrichir, sous la sainte bénédiction de l'anglicano-calvinisme[9], du marché, de la sélection naturelle, il ne lui manquait plus que le célèbre *time is money* du premier grand idéologue du Nouveau Monde, Benjamin Franklin.

Le management, comme théorie et comme idéologie-praxis, s'est amplement abreuvé à ces sources tout en en intégrant goulûment deux autres : l'école de l'économie néoclassique, née vers la fin du XIXe siècle, et la vision rationaliste (instrumentale) et positiviste, héritée des Newton, Bacon, Laplace, Auguste Comte.

Notons en passant que cette vision, combinée au fonctionnalisme utilitariste (qui constitue l'assise épistémologique de toute la pensée de l'économisme dominant et du management à l'américaine), a contribué à développer la curieuse conception dite humaine des organisations, véritable credo behavioriste, bien connue sous les théories de l'*organizational behavior*, du *leadership* et de la *motivation*[10].

Mais c'est bien plus l'influence de l'économie néoclassique qui intéresse notre présent propos. Rappelons que le management, dans ses racines fondatrices, est né quasi simultanément sur les deux rives de l'Atlantique (Taylor, 1911 et Fayol, 1916), comme *la science de l'organisation du travail* visant une productivité optimale.

Par ailleurs, en introduisant la théorie de la valeur marché (en lieu et place de la valeur travail) par le *libre* jeu de l'offre et de la demande, la science économique s'est, avec les néoclassiques, affranchie d'un bien lourd fardeau, ce dont profitera allègrement la doctrine managériale naissante : la valeur des marchandises ne proviendrait plus du travail (social) qui y est incorporé, comme le prétendaient d'une façon ou d'une autre les classiques, mais d'une sorte de *mouvement de subjectivité* (calculée) de la part d'une *abstraction* (solvable) *dénommée consommateur*, qui offre un prix maximisant ou optimisant, sous certaines conditions, une certaine fonction d'utilité...

On sait à quel point l'univers technico-économique dans lequel est formé le lauréat des écoles de gestion est un univers encadré, sur les plans théorique et idéologique, par les présupposés de l'économisme dominant. Ne retenant de l'immensité et de la diversité de la pensée économique universelle qu'une infime partie d'une non moins infime école, l'école néoclassique, la doctrine managériale a imposé (à travers l'expansion prosélytiste et séductrice du modèle américain) une vision du processus et de la finalité de la production des richesses totalement en rupture avec tout ce qui peut ressembler à l'*oïkonomia*, pour établir — *avec tous les honneurs d'une science positive et pratique* — le règne sans partage et sans frontières de la *chrématistique*.

C'est ainsi que des générations d'agents actifs et zélés, *véritables militants de la chrématistique appliquée*, mêlant intimement individualisme, égoïsme, maximalisme érigés au rang de valeurs hautement prisées (en plus d'être théorisées et mathématisées), sont sorties des écoles d'économie et de gestion pour investir à peu près tous les lieux de planification et de décision qui façonnent chaque jour la vie de centaines de millions de gens à travers la planète.

Depuis déjà plusieurs années, bien des autorités notables du management dénoncent de façon toujours plus véhémente ce qu'ils appellent la fuite des enseignements en gestion vers des abstractions et des sophistications, notamment économicomathématiques, qui ont peu à voir avec les réalités des entreprises. Parallèlement, les dossiers qui se succèdent dans les magazines et la presse grand public expriment l'ampleur des déceptions suscitées par les hauts diplômés en management auprès de leurs employeurs.

Si on essaie de résumer l'essentiel des reproches adressés aux écoles de gestion et à leur « produit » privilégié, le MBA, leur plus gros péché serait de se vouloir très savants, de chercher à rendre toujours plus *scientifique* un domaine où l'expérience pratique, le bon sens, l'intuition, le souci du concret, la qualité de la relation à l'autre sont bien plus déterminants que la maîtrise des modèles statistiques et des calculs abscons et sophistiqués, lesquels constituent une véritable fuite en avant dans le *remplacement du réel par le discours abstrait sur le réel.*

C'est dans ce contexte qu'une des autorités les plus en vue de ces dernières années, Henry Mintzberg, a pu écrire qu'il fallait *former des managers et non des MBA*. Il déplore que ces derniers aient acquis une sorte de *droit* à être immédiatement nommés à des postes de *leaders*, en dépit de leur manque de connaissances pratiques et d'expérience, tandis que celles et ceux qui ont été formés sur le terrain et savent ce que sont les réalités des organisations croupissent au plus bas de l'échelle du pouvoir[11].

Le manager ainsi formé en *business school* est le plus souvent un orfèvre de l'analyse théorique, un virtuose du calcul, un jongleur de modèles, mais un bien piètre gestionnaire du concret, du quotidien, du terrain, et un tout aussi piètre gestionnaire de ses rapports avec ses semblables (en particulier les employés). Ceux-ci, il n'a appris à les connaître et à les traiter qu'en termes de facteurs de production, de variables d'équations, d'inputs ou de ressources. Si l'on jette, par exemple, un regard sur l'évolution du contenu des programmes et des cours dans les écoles de gestion, comme je l'ai fait pour les années allant de 1930 à 1980[12], on constate ce très net glissement vers une « technicisation » et une « mathématisation » systématiques de la formation, de la pensée et de l'analyse. Plus de 95 % des cours offerts dans les années 1980 sont de caractère purement technique ou économique, alors que ces enseignements représentaient moins de 60 %

des programmes en 1933 ! À l'inverse, depuis 1980, environ 3 % des cours proposés seulement relèvent des disciplines humaines et sociales — et encore, il s'agit de cours hautement « adaptés » et à forte teneur statistique du type « Comportement organisationnel » ou « Comportement du consommateur » — alors que dans les années 1930, on pouvait rencontrer dans les programmes des cours de philosophie, de littérature, d'histoire, et même d'ethnologie !

La très suspecte vogue actuelle de préoccupations pour ce que l'on dénomme *l'éthique des affaires* [13] dans les programmes d'enseignement, les publications et les milieux du *business* n'est-elle pas une façon bien tardive de tenter, sans réellement savoir ce qu'on fait, de rattraper les effets cumulés de plus de deux siècles de chrématistique effrénée, désormais intolérables (et dysfonctionnels pour les intérêts de ses propres tenants) ?

Et puis, introduire des soucis d'éthique dans les écoles de gestion, cela n'a-t-il pas quelques relents de *recherche de bonne conscience* ?

C'est ce que tendrait à laisser croire le rapprochement frappant que l'on peut faire entre la *méthode dite des cas*, largement utilisée en gestion, y compris et surtout dans les écoles de gestion les plus prestigieuses, et la *casuistique*.

Pour l'expliciter brièvement aux non-habitués des écoles de gestion à l'américaine, disons que ce que l'on dénomme « méthode des cas » consiste en une méthode d'enseignement, candidate au statut de révolution pédagogique pour beaucoup de ses adeptes, qui base sa façon de transmettre les savoirs gestionnaires à peu près exclusivement sur la *discussion de cas* en classe. Un peu comme en médecine où on étudie les cas cliniques pour apprendre aux futurs médecins à aboutir au diagnostic (terme largement utilisé en écoles de gestion) et préconiser une thérapeutique (soumettre des « recommandations » en jargon managérial).

Ce qu'on dénomme « cas » est ainsi une sorte de récit qui se veut issu de « la vraie vie » et qui soumet à la réflexion et à la discussion des circonstances, des difficultés, des moments de décisions, des croisées de chemins, etc., « vécus » à un moment ou à un autre par de « vraies » entreprises. L'ensemble de l'acte pédagogique consiste alors à se mettre à la place des protagonistes du récit (en général les décideurs de l'entreprise en question) et, à la lumière des théories du management, à essayer de trouver une ou plusieurs solutions au problème soulevé dans le cas. Il s'agira de prendre les décisions qui sortiraient l'organisation d'un mauvais pas, qui amélioreraient sa position ou ses performances, etc.

Il est très probable que bien des enseignants en management ignorent combien est ancienne la méthode des cas. La majorité, sinon la totalité, des auteurs qui en traitent la font remonter à l'utilisation de l'étude de cas dans l'enseignement du droit jurisprudentiel, notamment à la Harvard Law School de Cambridge, à la fin du XVIIIe siècle.

Mais en fait, et sans extrapolation exagérée, on peut voir apparaître l'ancêtre de la méthode des cas dans l'usage de la casuistique[14]. La casuistique est définie comme la *partie de la morale ou de la théologie qui traite des cas de conscience.* Elle serait apparue, au sens technique, au tournant des XIIe-XIIIe siècles, avec notamment la publication des *Sommes morales*, posant et résolvant de grands nombres de cas de conscience.

Fort opportunément, c'est à la suite du concile de Trente, pièce majeure du mouvement de contre-réforme sous Paul III au XVIe siècle, avec les temps difficiles que vivait alors l'Église, que la casuistique va connaître sa plus large diffusion et son utilisation la plus intensive — portée plus spécifiquement par la Compagnie de Jésus *qui se spécialise dans la direction de conscience.*

Jadis, l'attitude et la pratique casuistiques ont fini par en irriter plus d'un, et en particulier certaines institutions fort chrétiennes comme celle des jansénistes. Était plus spécifiquement dénoncé l'acharnement (devenu un véritable art de sophistes) mis par les casuistes à user de tous arguments, théories, raisonnements, pourvu qu'ils aient la vertu d'aboutir *à résoudre le problème de conscience*, *à régler le cas* de conscience, à trouver, en toute circonstance, en jonglant subtilement avec lois, morale et théologie, *le chemin de la bonne conscience.*

Les jansénistes reprochèrent en particulier aux casuistes de la Compagnie de Saint Ignace de Loyola d'être *laxistes* et de se faire *les vecteurs d'une morale plus facile et plus relâchée.* Ainsi, Pascal, dans *Les Provinciales*, les accusera-t-il de rien de moins que « *d'adapter la morale à chaque catégorie sociale* et de *faire apparaître la vertu comme facile* afin de maintenir tout le monde dans la religion ».

À l'instar de son ancêtre plus ou moins direct, la méthode des cas, véritable *casuistique managériale*, accompagnerait les inévitables problèmes de conscience, même occultés ou inavoués, générés par le processus systématique *d'usurpation chrématistique de l'économique.* À l'instar de la casuistique, également, on peut penser que c'est une façon de se donner systématiquement bonne conscience, puisque les solutionnaires sont, toujours et de toute façon, un certificat de bonne conduite et de bonne conscience pour des managers qui doivent, au nom d'impératifs dits économiques, *au nom des lois du marché, au nom de la saine concurrence, prendre des décisions* souvent décrites comme pénibles, graves, courageuses, donc, au fond, à importante connotation de *culpabilité.* Plus particulièrement en ces temps de plans sociaux, de rationalisations des effectifs, où il est de bon ton de restructurer et de « couper » *sans états d'âme*, n'a-t-on pas, plus que jamais, besoin de casuistique ?

On peut très aisément appliquer aux inconditionnels de la méthode des cas les deux compléments de définition que l'on donnait du casuiste des siècles passés : « moraliste subtil et accommodant », « personne qui transige avec sa conscience à force de subtilités ». Ne se peut-il pas que ce soit pour les mêmes raisons que celles qui ont poussé les Jésuites à s'adonner à leur œuvre de direction de conscience des gens de pouvoir que les dirigeants actuels en management se trouvent en besoin de casuistes, et aussi, depuis quelques années, d'introduire des enseignements dits *de l'éthique en business ?* En parler, c'est déjà faire acte de casuiste, c'est faire comme si, dans le *business*, éthique il y avait[15] !

D'autre part, en examinant la pédagogie mise à l'honneur par les Jésuites à l'époque de leur rôle actif dans l'enseignement, d'autres similitudes apparaissent. Les Jésuites ont mis en œuvre une pédagogie qui a été leur marque de fabrique, souvent résumée par la formule, sans doute empruntée à Montaigne : « Mieux vaut une tête bien faite qu'une tête bien pleine». Bien sûr, en la détournant de la charge anti-obscurantiste que voulait y mettre Montaigne.

Sur ce sujet, un spécialiste, Alain Guillermou, écrit: « Au siècle où la *controverse* est un genre à la fois religieux et littéraire extrêmement répandu, *c'est en préparant l'élève à la dispute* [...] qu'on en fera un *bon rhétoricien* [...] un homme *capable de soutenir une thèse et de convaincre*[16] ». Il ajoute que cela n'est pas sans présenter le danger de « permettre au plus médiocre *rhéteur* d'aligner des phrases creuses et de donner le change[17] ». C'est pour minimiser ce danger, semble-t-il, que les Jésuites se sont mis, contrairement aux usages de l'époque, à enseigner dès le secondaire des matières telles que les sciences et la philosophie (qui n'étaient dispensées jusque-là qu'au niveau de l'université). La culture générale, et même l'érudition, semble avoir été l'antidote que les maîtres jésuites ont utilisé pour juguler le risque de former de *vains rhéteurs aux beaux discours creux de sophistes*, par un accent sur le seul art de la discussion et de la *dispute*.

On s'adonnait aussi, dans les écoles des Jésuites, à des sortes de *compétitions pédagogiques*, en « excitant les élèves à l'émulation [...] les répartissant (par exemple) entre Carthaginois et Romains, essayant de gagner, pour leur camp, la victoire en thème latin ou en grammaire[18] ».

Or tout cela n'est pas sans rappeler, et dans l'esprit et dans la lettre, ce qui se passe dans nos écoles de gestion avec la méthode des cas, entre autres les fameux « concours interuniversitaires de cas ». On y reconnaîtra aisément *l'art de la dispute*, de la *controverse*, de *la compétition*, de la *rhétorique pour bien discourir et convaincre*. Cela s'appelle développement des habiletés ou *skills* dans nos écoles de gestion — mais ce n'est pas, toutefois, compensé par l'érudition et la culture, puisque la culture générale et les humanités sont plutôt bannis des programmes!

Tout « cas » devant être « résolu » (sinon le professeur et son institution y perdraient leur crédibilité), il est inévitable que les écoles de gestion finissent par tomber dans les travers qui ont fait le discrédit des « casuistes » et de la casuistique, devenus synonymes de la tentative de trouver une solution, de justifier, d'admettre, de confirmer, d'absoudre à peu près tout et son contraire, même s'il faut pour cela faire appel aux raisonnements les plus retors et aux arguments les plus spécieux.

Que de fois n'ai-je moi-même été témoin, autant comme étudiant en gestion qu'ensuite comme professeur, de situations où *l'argument ultime*, aussi abscons et spécieux que lapidaire (devant les scrupules exprimés par certains lors d'études de cas impliquant le licenciement de personnel, l'élimination de concurrents, le rachat à vil prix de sous-traitants, la conquête de marchés sans être trop regardant sur la manière) était bien souvent un argument du genre : *c'est la loi du marché, c'est la dure loi de la concurrence, c'est la survie de l'entreprise et de l'économie qui est en jeu, c'est la loi du profit*... Et, bien évidemment, cela *suffit pour justifier les mesures envisagées et donner bonne conscience*, et il y a toujours, à l'appui du cas étudié, quelque *bonne théorie*, quelque bel article de quelque grand savant du management (américain de préférence) pour *légitimer*, *confirmer*, voire *glorifier* les décisions prises ou à prendre, quelles qu'elles soient [19].

J'ai déjà analysé ailleurs en détail [20] la genèse et l'usage de la méthode des cas en management.

Avec bien d'autres auteurs et non des moindres [21], j'en arrive à la constatation que c'est là une méthode dont :

1. La *fonction heuristique* se limite à réfléchir en miroir le discours et l'idéologie des *dirigeants des milieux des affaires* ;
2. La *fonction didactique* est avant tout de conditionner à agir (*décider*) en *ayant pour seule finalité et justification la rentabilité financière ;*
3. La *fonction pédagogique* est de développer une sorte de *réflexe de choix rapides parmi des catalogues de décisions à orientation systématiquement pragmatiste, fonctionnaliste et maximaliste.*

Ainsi, en élevant au rang de véritable institution heuristique et pédagogique ce qui n'est qu'artifice rhétorique et subtilité manipulatrice — la méthode des cas —, la pensée managériale a pris avec ardeur et détermination le relais de la théorie économique néoclassique qui, prétendant sortir du champ de la philosophie sociale pour intégrer celui des sciences, avait procuré l'absolution quant aux douloureuses questions que posaient les classiques : qui s'enrichit ? De quelle façon ? Au détriment de qui ?

Tout comme son ancêtre jésuite, la méthode des cas possède la vertu particulière d'aider parfois à justifier l'injustifiable, au nom d'une morale que l'on peut « adapter selon les catégories sociales », et, bien entendu, accommoder de façon à « transiger » au mieux avec sa propre conscience. Ces accommodements, ces compromis avec la conscience, ne sont-ils pas de bonnes façons pour lever les derniers scrupules économiques lorsqu'on s'adonne, et de plus en plus sauvagement, à la chrématistique ?

Intéressons-nous maintenant au vautour qui accompagne le Prométhée chrématistique : l'abandon progressif de la primauté de la valeur d'usage, au profit de la valeur d'échange. Pour assurer toujours plus l'orientation séculaire prise par le management dans son glissement inconditionnel vers la maximisation de la (seule) rentabilité financière (la chrématistique) on a sacrifié :

1. la qualité et la durabilité des produits et des services (en abaissant sans cesse les coûts, les temps de réalisation, en rognant sur les inspections de qualité, la sécurité, le respect de l'environnement, les effectifs) ;
2. la qualification du travail (ce dernier étant immanquablement considéré, dans l'optique chrématistique, comme l'un des principaux coûts dont l'entreprise doit se libérer, c'est de cela que procède ce que l'on nomme aujourd'hui *l'employabilité*, qui consiste en la qualification/formation minimale et immédiatement utile que doit assurer l'institution éducative, pour le service de l'entreprise) ;
3. la nature et le milieu de vie du vivant (ne peuvent être que « stock de ressources inépuisables » ; l'air, l'eau, les sols, que facteurs gratuits contaminables à merci ; les problèmes d'environnement, d'écologie, d'écosystèmes, que « coûts » supplémentaires et « agacements de rêveurs ») ;
4. l'emploi (qui, comme on l'a vu lors des discussions à propos de la plus-value extra de Marx, devient *collectivement et transnationalement* un facteur à réduire systématiquement pour demeurer *compétitif*).

Joël De Rosnay a forgé une excellente expression pour rendre compte de ce qu'a donné cette trahison chrématistique de l'économique : l'*égo*nomie. J'endosse sans hésitation une telle formule qui dit, on ne peut mieux, tout l'égocentrisme et tout l'égoïsme qui accompagnent l'esprit et la lettre de ce qui a usurpé le nom d'économique.

Or, aujourd'hui, tout porte à croire qu'Aristote tient sa revanche : l'économique ne peut que revenir en force contre la chrématistique sous les irrésistibles coups de boutoir des réussites des « autres capitalismes », portés par les pays industrialisés que Michel Albert, Lester Thurow, Amitaï Etzioni et d'autres dénomment « non spéculateurs/financiers » et « de marché social », les pays sud-est asiatiques et germano-scandinaves[22].

Il convient de préciser ici qu'il faut être très vigilant face à ce que l'on peut lire souvent ça et là à propos de « dépassement », de « désuétude », d'« échecs », des modèles de ces pays par rapport à l'autre camp :

- Les indicateurs utilisés sont quasi systématiquement de types strictement financiers et monétaires puisqu'ils font état de performances de l'économie en termes de performances boursières, de profits, de rendements sur capital, de PNB. Par exemple, comment tenir compte, dans la performance de Volkswagen, du fait que cette entreprise a évité la mise à pied de 30 000 de ses salariés ?
- Il n'est tenu aucun compte des décisifs progrès de ces pays en termes de contrôle de la pollution industrielle, de qualité de la vie, de protection du milieu naturel, de capacités productives installées, de culture moyenne du citoyen, de degré de qualification de l'employé moyen. Par exemple, comment quantifier ou monétiser le fait que la Suède laisse aux générations futures une forêt et des cours d'eau qui sont des paradis de propreté et de diversité écologique comparés à ceux du Québec ? Ou le fait que l'Allemagne ait maintenu dans plusieurs de ses villes des systèmes de tramways dont on connaît les bienfaits en termes de transports urbains, de propreté atmosphérique, etc. ? Que 25 grands projets, touchant de grandes villes comme Munich, tendent à éliminer purement et

simplement les automobiles des centres ? S'agit-il là de coûts ? De déficits ? D'investissements ? Ou de vraies performances économiques[23] ?

En effet, c'est à un heureux dosage de chrématistique et d'économique, et *non à des super-techniques de management*[24], que ces nations doivent leurs succès. Celles-ci, dont les cultures et les valeurs (confucianisme d'un côté et luthéranisme de l'autre) interdisaient la seule poursuite d'une valeur d'échange maximale, ont *su trouver les moyens de concilier valeur d'usage et valeur d'échange*[25].

C'est ce qui a contribué à forger, entre autres, ce qui est désormais devenu légendaire : la qualité et la fiabilité des produits et services de ces pays, leur productivité et la qualification de leur main-d'œuvre.

D'autre part, sans nier non plus les importants problèmes de « réajustements » et de « corrections » auxquels doivent aussi faire face ces pays dans le désarroi économique mondial, soulignons que même des Henry Mintzberg et des J. K. Galbraith[26] répètent à l'envi que « ces pays s'en sortent mieux que les autres ». Il suffit de rappeler que dans les fusions entre des entreprises allemandes et leurs partenaires anglais, américains, etc., ce sont les Allemands qui sont, jusqu'ici, les « acheteurs » (Daimler-Benz et Chrysler, Deutch Bank et le groupe de banques américaines Bankers Trust, Volkswagen et Jaguar), et que, au plus profond de la crise du Sud-Est asiatique, en octobre 1998, le Japon disposait d'une réserve en devises de 200 milliards de dollars, de 30 % de l'épargne mondiale, et de capacités installées à travers le monde de produire encore l'équivalent de ce que produisent les États-Unis, soit environ 15 % des richesses mondiales. Par ailleurs, le cas du rachat de Nissan par Renault, qui n'a pas eu d'impact dramatique sur l'emploi japonais, illustre la capacité du Japon — qu'il partage avec l'Allemagne et la Scandinavie — de recycler et redéployer sa main-d'œuvre victime de désastres sectoriels. Il avait montré cette même capacité, par exemple, lors de la restructuration totale du secteur de la sidérurgie dans les années 1970. Ajoutons que Japon, Allemagne et Scandinavie sont toujours les pays où l'espérance de vie est la plus élevée au monde, la qualité de vie optimale, le taux de répartition des richesses le plus favorable aux démunis, les mesures de protection de l'environnement et de contrôle de la pollution industrielle les plus efficaces (au point que, par exemple, les technologies de contrôle des déversements des industries des pâtes et papiers et celles de contrôle des émissions d'oxyde de carbone sont aujourd'hui d'importantes sources de revenus pour la Suède et le Danemark).

Pour ce qui est des États-Unis et de leur économie, j'aimerais ici mettre le lecteur en garde contre les « effets d'annonce » qui les montrent sans cesse sous un jour favorable, même sous le coup des scandales financiers les plus énormes. Tout d'abord, malgré les euphémismes utilisés à ce sujet, les États-Unis sont bel et bien entrés en récession depuis le début de 2001 (ce qui était plus que prévisible à cause de l'énormité de la bulle de l'économie virtuelle). Cependant, on essaye toujours de nier les évidences en citant les taux de chômage, de croissance « insolemment favorables » de ce pays. Je rappelle que : 1. la croissance et le « miracle » américains doivent être pondérés par la misère et la non-croissance entretenues par les multinationales américaines dans le tiers-monde ; 2. le taux de chômage ne tient compte ni des populations carcérales (record mondial absolu, prisons devenues lucratifs *business* privés, un État comme le Texas comptant plus de prisonniers que la France, l'Allemagne et l'Italie réunies), ni des pseudo-emplois de type précaire, intérimaire, du chômage déguisé ; 3. l'aide directe de l'État entretient largement les profits des plus grosses entreprises[27] ; 4. la pollution industrielle y fait des ravages sans aucune commune mesure avec des pays comme la Suède, l'Allemagne et le Japon (cas les plus récents : la prolifération des micro-algues dans les États gros utilisateurs d'élevages industriels comme la Caroline du Nord, du moustique de la maladie du Nil dans le Nord-Est : résultat direct du réchauffement du climat car ce moustique n'a rien à faire à de telles latitudes nord, élévation constante des émissions de CO_2, les États-Unis étant responsables de 25 % de celles-ci à l'échelle mondiale) ; 5. ce pays a été classé, par Amnistie Internationale en 1998, sur le même plan que la Chine et Cuba pour le non-respect des droits humains ; 6. son économie est, comme le dit

Michel Chossudovsky[28], une véritable *économie de rente au détriment de pays comme les Philippines, Haïti, Taiwan, le Mexique*, en y sous-traitant à vil coût une bonne partie de la production de son économie; 7. enfin, que, dans les mots d'Emmanuel Todd[29], « *le monde a besoin de se répéter qu'il y a un miracle américain, car c'est le dernier, après la chute de l'Est, auquel on peut espérer se raccrocher, et on le fera à tout prix* ».

Bien sûr, je n'idéalise ni ne glorifie nullement les pays nippo-rhénans et ce qu'ils font, je ne les propose pas non plus comme solution de rechange au capitalisme à l'américaine. Je me contente de constater que, au même jeu rentabiliste, ils font mieux, moins cher, plus propre, plus respectueux de la dignité du citoyen et de la nature, plus décent, au moins sur leurs propres territoires. Et ils se passent, avec grand profit, semble-t-il, de ces temples de la casuistique moderne que sont les *business schools*, ce qui tient certainement en partie au fait qu'il n'est pas nécessaire pour ces pays de recourir à une institution finalement destinée davantage à justifier et à généraliser la pensée et la pratique chrématistiques qu'à instruire réellement.

Tout cela étant, proposons une comparaison plus formelle de certaines caractéristiques des capitalismes et des managements de type nippo-rhénan, d'une part, et de type anglo-saxon d'autre part, afin de mettre en lumière les options qui existent à l'intérieur même du système économique capitaliste.

Des deux types de capitalisme et de management qui dominent la planète, l'un est orienté vers la maximisation de la valeur d'échange à court terme, et fondé sur la pensée économique néoclassique et néolibérale, c'est-à-dire sur le dogme du marché libre et autorégulé. C'est le capitalisme « financier-spéculateur », dont le prototype est le capitalisme anglo-américain.

Le second, plus orienté vers la capitalisation de long terme et la maximisation de la valeur d'usage (ce qu'on appelle partout de ses vœux, sous le vocable « qualité totale »), est fondé sur une pensée économique qui doit davantage aux économistes classiques et à la notion de marché social, c'est-à-dire un marché non pas autorégulé mais guidé et surveillé par l'État, pour garantir un minimum de bien-être pour tous et pour préserver la nature.

C'est le capitalisme « industriel-producteur », dont le prototype est le capitalisme nippo-rhénan. Ainsi que le montre clairement Michel Albert[30], le financement de l'économie y est de « type bancaire ». La spéculation de type « spéculateur-boursier » y est pour ainsi dire « structurellement » impossible, du fait de la limitation du paiement de dividendes au niveau de la valeur réelle des actifs et des performances de l'entreprise, et de l'accent mis sur les gains en capitalisation comme mode de rémunération des actions, plutôt que sur le profit maximal à court terme. Ce sont donc les investissements productifs, les efforts de maintien de l'emploi (considéré comme un « droit » socialement reconnu et non comme un « privilège » que chaque individu doit conquérir de haute lutte), de qualification du travail, de recherche et de développement, etc., qui deviennent sources de gains et d'avantages compétitifs, et non le gonflement de valeurs fictives basées sur les coupures sauvages (*downsizings*, désinvestissements, fusions et redéploiements *synergiques*), la pollution impunie et les manipulations financières.

Il en découle un management très différent du management traditionnellement lié au type néoclassique et néolibéral, américain : le capital y est considéré et traité comme un des facteurs de production parmi les autres, et non comme le seigneur et maître absolu. Ainsi, les trois facteurs de production — capital, travail et nature (sous la forme des ressources naturelles) — y sont conduits à se respecter et à chercher l'équilibre et l'harmonie entre eux. Cela se fait par voie de négociation permanente et par des jeux de contre-pouvoir, à travers des mécanismes de partage des décisions et de planification commune entre État, travailleurs, écologistes, entrepreneurs, représentants de la société civile...

La rémunération des facteurs (autrement dit, la répartition des richesses produites et le maintien de l'équilibre entre les trois facteurs de production : capital, travail, nature) n'y est pas scandaleusement en faveur du seul capital et l'État n'y est pas un comité de gestion au service du milieu des affaires.

Cela dit, une précision est nécessaire ici : je suis bien conscient que ces pays pratiquent aussi une sorte de double éthique (au sens webérien) : une *éthique interne* qui préserve le milieu, les populations nationales, et *une éthique externe*, qui souvent n'a rien à envier aux méthodes des multinationales américaines, dans la délocalisation vers le tiers-monde des productions (voir les cas d'Adidas, d'IKEA, de Volkswagen). Mais si, par ailleurs, *tous les pays adoptaient des « éthiques internes » du même type que celles de ces pays*, nul ne pourrait plus se comporter chez l'autre en cynique prédateur (comme peut le faire Daimler-Benz aux États-Unis en fermant les usines Chrysler). Cependant, cela impliquerait un contrôle du marché et du comportement du capital. Si un tel contrôle existait déjà, les cataclysmes provoqués par les brusques mouvements du capital privé transnational, par exemple, entre 1995 et 1999 en Corée, en Thaïlande, en Indonésie, au Brésil, au Mexique, en 2001-2002 en Argentine, etc., seraient impossibles ou considérablement réduits. C'est un peu ce type de contrôle que tentait (mais avec quelle timidité !) le gouvernement Jospin en France devant les comportements de plus en plus prédateurs des groupes financiers et industriels (affaires Michelin, Danone, Mark & Spencer, Swissair) au printemps 2001, en essayant de faire passer des lois qui rendraient plus coûteux les licenciements abusifs en situation de profits (par des amendes, une taxation) que la conservation des emplois.

Abordons maintenant la question de la gestion interne de l'organisation. Les deux managements correspondant à ces deux capitalismes sont caractérisés, l'un par la tradition hiérarchique pyramidale, la séparation entre la conception et l'exécution, la séparation des rôles (stratégie, études, planification étant nettement distingués de la réalisation ou de la production), et l'autre, quasiment à l'inverse, par l'interaction continue entre la conception et l'exécution, l'interface généralisée entre les échelons et les fonctions (l'interpénétration constante des structures et des niveaux par le biais des cercles de qualité, des comités de concertation, de codécision, de co-détermination[31]), les liens systématiques, directs, sans délais ni formalités, à la demande (de n'importe laquelle des parties) entre employés et dirigeants, terrain, siège et haute direction,

Tout cela nous ramène inéluctablement à une des éternelles questions que se pose l'humanité sur elle-même : qu'est-ce qui fonde, qu'est-ce qui alimente la constitution des groupes et le fonctionnement complémentaire/synergique de leurs membres ? Une des notions retenues par l'anthropologie en réponse à cette question, la notion de contrat-consentement, pourrait constituer le pivot autour duquel s'articulerait le renouvellement des mentalités tant souhaité dans nos organisations [32].

En effet, nos sociétés modernes ont évolué vers une organisation des affaires humaines où prédomine la relation contractuelle, régie selon un droit dit positif, recherchant l'objectivité, le respect des droits et la légalité. Or, un contrat, *tout légal qu'il soit, ne peut assurer l'engagement*, l'adhésion, la motivation qui pousseraient la personne à la réalisation consciencieuse et vigilante de sa part contractuelle. En un mot (nous en verrons les raisons plus loin) un contrat, s'il n'est accompagné de consentement (c'est-à-dire de l'adhésion volontaire, négociée et renégociable, à la satisfaction de toutes les parties, et en représentation d'intérêts respectifs convergents), peut fort bien n'être qu'un *masque cachant un rapport de force plus démobilisateur que constructif*. Il n'est pas besoin de longs développements pour admettre que le management de type hiérarchique est plutôt propice à une relation de type *contrat/rapport de force*, alors que l'autre, que l'on nommera participatif, est bien plus de type *contrat/négociation et consentement*.

Mais d'où proviennent les bases de ce second type de management, dont les succès se confirment bon an mal an malgré les inévitables soubresauts épisodiques et la « crise mondiale » ?

Un parcours rapide des grands axes historiques qui ont fondé l'un et l'autre nous montre que la nécessité de répondre à la question fondatrice de toute action humaine *commune* : « Qui a tort, qui a raison ? » pour infléchir ou indiquer ce qui doit être fait en commun, a conduit à deux voies radicalement différentes.

Au Japon et en Extrême-Orient en général, le raisonnement logique strict de type occidental, basé en particulier sur la notion de « tiers exclus » (c'est-à-dire sur le « ou » exclusif du « vrai *ou* faux », « tort *ou* raison »), n'est pas une tradition, ni, encore moins, une philosophie de vie. Les pays d'Extrême-Orient ont, depuis des millénaires, par le fait, entre autres du confucianisme, intégré dans leur façon d'être la *tierce possibilité d'avoir à la fois tort et raison*. Et, dans une certaine mesure, il en va de même pour les pays germano-scandinaves, pour des raisons qui tiennent à la survivance, à travers le luthéranisme, d'éléments de la « loi du juste milieu » aristotélicienne (notion exposée dans *La Politique*[33]).

Henri Atlan[34] rapporte à ce sujet une parabole chinoise fort édifiante : un sage, philosophe et juriste, rendant la justice, donne raison non seulement à chacun des deux plaignants en dispute (qui affirment bien sûr, chacun, le strict contraire de ce que dit l'autre) mais *aussi à ses disciples lui donnant tort d'agir de la sorte* ! Ce que cette parabole exprime est très proche de ce que montreront, chacun à sa façon, Poincaré et Einstein au début du XXe siècle : *le fait d'avoir tort ou raison est relatif, ce jugement n'a de sens qu'en fonction de la position, du point de vue de celui qui l'exprime*. Notons, cependant, que cela n'a rien à voir avec le vrai ou le faux, dans la mesure où il s'agit d'affaires de la vie humaine concrète.

Souvenons-nous de deux des fameux exemples imaginaires utilisés par Einstein :

1. Deux témoins « auditifs » d'un meurtre s'étant produit dans un train en marche, affirment le contraire l'un de l'autre, et pourtant *chacun dit vrai et a raison !* Le fait est que l'un est *dans le train* et l'autre *sur le quai*. Deux hommes se battent en duel au pistolet à bord du train *en marche* et *tirent en même temps*, mais un seul est tué. Disons celui se trouvant vers l'avant du train. Au détective effectuant l'enquête, le témoin à bord du train va certifier avoir entendu les deux coups de feu en même temps ; ce qui est *vrai de son point de vue, puisqu'il se déplace, comme l'air qui s'y trouve, à la même vitesse que le train*. Cependant, le témoin se trouvant *immobile* sur le quai, lui, *va certifier avoir nettement entendu un coup de feu avant l'autre* ; ce qui est tout aussi *vrai, à partir de sa position, puisque étant immobile, le son du coup tiré de l'arrière va lui parvenir à la vitesse du son augmentée de la vitesse du train, alors que le son de celui tiré de l'avant va lui parvenir à la vitesse du son diminuée de la vitesse du train* (car tiré en direction de la queue du train). Ainsi, les deux témoins disent le contraire l'un de

l'autre, à propos du même « fait objectif », et pourtant *tous deux disent vrai et tous deux ont raison* ! Le vrai problème est *affaire de systèmes de référence.*

2. Deux voyageurs, voyageant dans des trains allant dans des directions et vitesses (par hypothèse proches de celle de la lumière) différentes, ne pourraient en aucun cas voir le même objet de la même façon. Chacun aura donc « sa » vérité. *Le vrai et le faux ne sont plus, là aussi, que question de systèmes de référence.*

La différence de point de vue de chacun des protagonistes (sage, plaignants et disciples de la parabole chinoise, ou de chacun des voyageurs de nos trains) tient donc au fait qu'ils ont des systèmes de référence différents ; en d'autres mots, à la position différente que chacun occupe par rapport à l'objet dont il est question. Nous sommes là en pleine théorie de la relativité restreinte, théorie admise et appliquée par la physique, et ignorée par l'économie-management.

Revenons maintenant au type de réponse à la question « Qui a tort, qui a raison ? » dans les deux systèmes d'économie-management en cause. Pour la tradition du « modèle » nippon et germanique, en l'absence de tiers exclu (d'un « ou » exclusif), il faudra bien *que chacun prenne le temps d'écouter le point de vue de l'autre*. Aucun ne peut, *a priori*, frapper de nullité la vision de l'autre, prétendre que la sienne est, *sui generis*, meilleure ou supérieure[35]. La tradition occidentale est, on le sait, marquée de son côté par le cartésianisme et le principe logique du « tiers exclu », qui peut s'énoncer, en termes très simples, de la façon suivante : si deux propositions expriment le contraire l'une de l'autre, soit l'une des deux est fausse, soit les deux sont fausses. *Il n'y a pas de troisième solution possible.*

Ce qui importe dès lors le plus pour notre réflexion, c'est que, sous ce principe du tiers exclu, lorsque deux ou plusieurs personnes doivent convenir d'une voie commune ou prendre une décision qui les implique ensemble, le moyen de « trancher » entre points de vue différents reste, le plus couramment, *l'argument d'autorité* : aura — ou donnera — raison, a priori, celui qui détient le pouvoir — que ce pouvoir soit légué par la tradition (par exemple celui lié à la propriété) ou conféré par la loi, le grade, le savoir (le pouvoir du juge, de l'agent représentant l'autorité publique, de l'expert, du « chef »).

On a donc construit depuis près d'un siècle, en Occident anglo-américain, un management correspondant, basé sur l'autorité unilatérale, pyramidale.

Au Japon, au contraire, en l'absence de tiers exclu *a priori*, devant l'obligation du maintien de l'harmonie, du « juste milieu » (confucianisme et shintoïsme), et devant les lois et traditions de *cogestion*, de propriété/obligation (célèbre loi allemande qui définit comment tout propriétaire de quelque chose a des obligations collectives et sociales associées au fait d'être propriétaire[36]), il a fallu trouver des moyens, *non pas d'imposer les termes d'un contrat* et ses modalités d'exécution, mais *d'intégrer différents points de vue*, puisque aucun n'a, *en soi*, préséance. *La détention du pouvoir ne suffit pas pour donner raison.*

Les pays germano-scandinaves ont de leur côté emprunté une voie analogue, sous les effets du luthéranisme, porteur à plusieurs égards (à travers le thomisme) des notions et valeurs aristotéliciennes, celles d'amitié entre les hommes (dite « amitié utile » en termes aristotéliciens, c'est-à-dire comprise aussi et surtout comme désir d'assurer son propre bien *et* celui de l'autre) et de juste milieu, par exemple, et sous l'héritage du fonctionnement « concerté » du village antique germanique ou nordique — qu'a décrit Max Weber[37].

La notion de juste milieu et la centralité archétypale des liens du communautarisme familial sont ainsi un point commun important de l'aristotélisme et des religions orientales (confucianisme-bouddhisme-shintoïsme), et impriment, peut-on dire, un même esprit aux types de capitalisme-management que l'on retrouve dans les pays que ces courants de pensée ont marqués[38]. Par contraste, les pays anglo-saxons ont été marqués par l'individualisme et l'élitisme du calvinisme anglo-américain.

Voilà donc fort certainement, en partie, les origines des pratiques managériales nippo-rhénanes basées sur des principes et des instruments, non de planification, de commandement et de contrôle, mais *d'obtention et de maintien du consensus*. Et ces principes et instruments ont pour noms « cercles de qualité », « comités paritaires », « comités de concertation », de « co-décision », de « co-détermination », etc. Aucun « contrat » entre dirigeants et dirigés n'y est envisageable sans consentement. L'adhésion de tous et chacun, par consensus, y est la clé de l'engagement collectif.

Il convient cependant de bien s'entendre sur le sens du principe de base proposé ici : il ne s'agit pas, comme certains pourraient le supposer, de se mettre à transformer l'organisation en une tour de Babel généralisée, où tout le monde discute de tout et de n'importe quoi. C'est là, très souvent, un prétexte facilement — et de bonne foi sans doute — invoqué par les dirigeants pour rejeter l'obligation de (se) changer et d'évoluer vers un management plus participatif, *plus (réellement) à l'écoute des points de vue des autres protagonistes hors et dans l'entreprise, en particulier les employés de base.*

Il s'agit seulement pour moi de se poser, si possible, de « bonnes » questions quant à ce qui pousse l'autre à *collaborer* ou non. Les finalités rentabilistes, productivistes ou maximalistes restent une autre question.

On peut ici emprunter à Pascal les notions d'« art de persuader » et d'« art d'agréer ». C'est là une autre façon de parler de contrat-consentement, mais aussi du véritable « art » du bon dirigeant, qui est de savoir persuader en processus d'échange de points de vue (et pas de s'évertuer à « expliquer » unilatéralement le sien) pour emporter l'agrément (et non l'obéissance ou la soumission).

La logique dominante du tiers exclu dans le modèle anglo-américain a amené à confondre persuader avec imposer, et agréer avec obéir. Or, toute mesure, aussi intelligente et aussi « vraie » soit-elle, qui est imposée à autrui pour qu'il y obéisse, ne peut générer que passivité et inertie, et donc nécessité de contrôle, de surveillance, d'évaluation, de sanction. *La coercition reste, disait l'éminent spécialiste américain des organisations, Charles Perrow, le seul moyen de faire faire un travail par nos semblables, tant qu'ils seront maintenus dans un système basé sur la subordination hiérarchique.*

La contrainte et la coercition sont filles du rapport de force et mères du conflit et de la confrontation permanents. Le tout n'est que frictions incessantes et pertes infinies d'énergies. Or qui dit pertes d'énergies dit coûts exponentiels[39].

Il vaut mieux, et de loin, une mesure — ou une décision — médiocre ou moyennement intelligente, mais bâtie sur l'adhésion (ou à tout le moins le consensus) de toutes les personnes concernées. L'exécution a alors toutes les chances de se faire bien mieux en termes de qualité des résultats, sans frictions, plus vite et sans nécessiter de contrôle ni de surveillance harcelante !

Que vaut une décision, aussi rapide et hautement intelligente soit-elle, si elle est unilatérale, brutale (par définition lorsque imposée), incomprise, non admise par ceux qui doivent lui donner vie, la concrétiser ?

Bien entendu, « persuader-agréer » et « contracter-consentir » *nécessitent du temps*. Le temps de se comprendre et de s'ajuster au même diapason. Mais ce temps-là n'est pas du temps perdu, comme on le croit communément. *Le temps réellement perdu est celui qui est passé à tenter de vaincre l'absence de motivation*, l'incompréhension, la résistance, l'inertie, et aussi celui passé à essayer de corriger tout ce qui en découle : rebuffades, retards, animosités, pour ne pas dire sabotages[40].

Voilà bien des raisons qui militent en faveur d'un management de contrat-consentement, portant *ipso facto*, en lui-même, les conditions du respect des engagements relativement aux finalités et aux modalités de ce qui est à faire *ensemble*.

L'acceptation et l'intériorisation des motifs et l'adhésion sont les plus grands garants de la motivation, de l'attachement à remplir ses engagements et de la qualité du travail. C'est ce que j'appelle l'appropriation. Un acte approprié est un acte qui fait de l'acteur lui-même (l'exécutant) son plus sévère et plus exigeant juge et contrôleur.

Il est bien d'autres vertus attachées à ce mode de management, parmi lesquelles je me contenterai d'évoquer l'une des plus prosaïques : la démultiplication de l'effet de synergie par celui de la combinatoire. On sait en effet que toute augmentation de la complexité d'un environnement entraîne, pour les systèmes qui s'y trouvent (incluant les organisations), la nécessité d'augmenter la variété de leurs modes de « réponses » face aux éléments qui évoluent dans — et modifient — ce même environnement. C'est là la seule manière de concevoir logiquement et concrètement ce qu'on désigne par innovation, créativité, ou capacités créatrices : l'aptitude d'un système à survivre et à se conformer aux exigences toujours nouvelles et changeantes du milieu dans lequel il tente de continuer à exister.

Tout système ou organisation qui se montrera incapable de ce supplément de créativité sera à terme inexorablement condamné. On peut aisément admettre que l'augmentation de la créativité d'un système est fonction des interactions entre les éléments qui le composent (la créativité pouvant se rapporter à la possibilité de faire émerger — par combinaison d'informations diverses et éparses — de l'information nouvelle, inédite). Tout comme l'intelligence et la créativité de l'individu ne sont que de la mémoire combinée, celles de l'organisation, ensemble d'individus, sont des intelligences différentes combinées[41].

Plus il y aura, dans une organisation, de possibilités d'interagir, de se concerter, de confronter et d'ajuster les points de vue, plus la créativité, par l'émergence démultipliée et la combinatoire d'informations inédites, sera possible, systématique, en délais minimaux... C'est cela et rien d'autre, l'organisation intelligente, éthique et apprenante qu'appellent ardemment de leurs vœux les gourous les plus en vogue du management de ce début de siècle.

Insistons sur le fait que l'intérêt d'un tel mode organisationnel dépasse les seules considérations philanthropiques qui peuvent y être attachées, et concerne la survie même de l'entreprise à long terme. Finissons-en avec deux illusions managériales tenaces qui sont pour celle-ci de véritables écueils :

1. La croyance que *contrôle et exercice d'autorité sont synonymes d'efficacité*. Rien n'est plus faux : le contrôle est une chose et l'efficacité une autre. Et l'efficacité aujourd'hui passe de plus en plus par la créativité collective.
2. La croyance, encore plus pernicieuse et plus tenace, *que l'intelligence et la créativité d'une entreprise sont situées en un lieu et un seul de l'entreprise : le sommet de la pyramide et ses*

environs immédiats. Là encore, rien n'est plus faux. Il n'y a pas plus d'intelligences supérieures *en soi et hors contextes précis*, que de *visions ou de représentations officielles et unilatérales de l'organisation, de son environnement et de ce qui s'y passe*. Le corollaire est, bien sûr, qu'il n'y a pas non plus d'intelligences inférieures *en soi*. Nos intelligences respectives[42] sont bien plutôt *différentes* et aussi valables les unes que les autres, selon le lieu de l'entreprise, la tâche, le contexte, le point de vue, le rôle, l'angle de vision, la position.

C'est de la confrontation, fécondation, combinaison de ces différences que naît et s'épanouit l'intelligence organisationnelle, s'il en est une. Le principal rôle et la *vertu cardinale du manager d'aujourd'hui est de faire en sorte que ces combinaisons puissent se faire et ces différences s'exprimer et se féconder*. C'est de permettre à l'ensemble des points de vue de vivre, se vivre et se dire (il est à déplorer, par exemple, que dans l'obsession d'une rentabilité financière à court terme partout régnante, l'on soit amené à vider les entreprises, entre autres, de leurs employés les plus anciens, qui en sont la mémoire). C'est de mettre en place des conditions, des ambiances, des forums, des lieux d'expression, d'échange, de concertation, à tous les niveaux et dans tous les sens (et surtout pas des chaînes de planification – décision – surveillance – contrôle).

L'organisation créatrice et efficace, c'est l'ordre dynamique par la tolérance d'une certaine dose de « bruit » et de désordre[43]. Mais c'est aussi le désir, de la part de chacun et de chacune, de jouer le jeu, la décision de collaborer activement et de livrer son intelligence. Cela *se mérite de la part des dirigeants : il faut mériter la coopération de ses employés, pour la simple raison qu'on ne peut l'exiger*. Que cela s'appelle cercles de qualité, comités paritaires, équipes semi-autonomes, ou management transversal, par projets ou encore par plateau, le principe fondamental est le même : intégrer par cercles concentriques (ou en interfaces) successifs, le local au général et le stratégique à l'opérationnel, le dirigeant au dirigé, le spécialiste au machiniste...

Pour cela, bien sûr, il faut une tout autre conception des statuts et rôles des personnes dans l'organisation. Ces personnes ne doivent plus être considérées comme des « ressources[44] », mais comme des « partenaires » en état de choisir l'adhésion en toute connaissance de cause. Or cela suppose de la part de ces acteurs une certaine liberté-responsabilité et, par-dessus tout, des *raisons* de faire ce choix. Sinon, ils se comporteront — et c'est leur ultime refuge, *proprement ontologique*, pour protéger leur identité profonde par le recours à divers mécanismes de défense — en « ressources », en objets, dont il faut indéfiniment et héroïquement combattre l'inertie[45].

Au milieu des années 1970, déjà, on avait commencé à se rendre compte que la supériorité des produits et des services sur les marchés n'était pas seulement une question de super-recettes de gestion. On s'est mis à regarder enfin — après des décennies de pensée mécaniste en management —, avec sérieux et profondeur, du côté de l'humain comme origine de tout ce qui se passe ou ne se passe pas dans une organisation. On a commencé à voir l'homme autrement que comme « la machine la plus compliquée à gérer », comme on disait si souvent jusqu'aux années 1950-1960[46].

C'est de culture, de valeurs, de symboles et d'adhésion volontaire que l'on s'est mis à traiter, bien plus que de techniques de motivation ou de contrôle de maximisation des efforts. L'ère du *work hard* (travailler dur) cède désormais la place à l'ère du *work smart* (travailler intelligemment). C'est le primat de la qualité et de la satisfaction du client et de l'employé. C'est aussi la reconnaissance que, quelle que soit l'importance (certes cardinale) des techniques, de la technologie et des technologues, rien ne peut se faire réellement et efficacement sans l'implication délibérée de ceux qui constituent, en fait, l'essence de toute organisation : l'ensemble des personnes qui en sont membres, et plus spécifiquement, celles qui sont en interface directe avec le produit, le consommateur. Ce sont leurs interrelations, leurs sentiments, leur qualité de vie ensemble, et ce qui se passe dans leur tête qui déterminent le comportement, l'efficacité et la performance de l'organisation.

Voilà donc le management ramené au cœur de ce qui donne lieu à œuvre commune et solidaire entre les humains : les raisons fondatrices, réciproquement émises et acceptées, pour entrer en rapports de coopération durable. C'est le cheval de bataille actuel des penseurs les plus écoutés : depuis ceux qui parlaient de culture d'entreprise et d'excellence, jusqu'à ceux qui prônent l'entreprise « intelligente et apprenante », ou encore « éthique et spirituelle », sinon basée sur un « management par la reconnaissance ». Il semble enfin évident qu'il n'est de performant, d'intelligent et d'apprenant dans une organisation que les personnes, toutes les personnes, qui la constituent.

L'ère de la qualité et de l'amélioration continue apporte des exigences jusque-là ignorées du management occidental prédominant : faire que chaque membre de l'organisation, où qu'il soit et quoi qu'il fasse, remplisse son rôle en acteur actif, complice, responsable et en état d'adhésion permanente. On est loin, très loin, de la gestion de rouages passifs, dociles et obéissants, que l'on traite ainsi qu'on les désigne : comme des « ressources ». Il ne s'agit plus de vaincre l'inertie — par l'effort quasi héroïque des managers — des objets réfractaires et indolents que seraient les employés (conçus comme en état d'insuffisance motivationnelle permanent), mais de mettre en place des conditions telles qu'ils veuillent donner, non pas leurs réserves d'énergies passives, mais leur vigilance, leur intérêt, leur intelligence, et jusqu'à un attachement personnel pour ce qu'ils font.

De plus, le « faire ensemble », la force créatrice de la synergie du travail en équipe et en temps réel, est de plus en plus reconnue comme passage obligé de l'appropriation active de l'organisation et de son sort par ses membres.

L'esprit de ces remarques n'est surtout pas de promouvoir l'analyse et l'organisation des « conditions d'appropriation » comme une autre façon de manipuler les personnes afin qu'elles « donnent » plus. Il est question, et profondément, d'une *situation d'appropriation totale*, où tout est fait en fonction des objectifs que se fixe la collectivité, comme collectivité, peu importe la manière : autogestion, cogestion, participation, *empowerment*.

Le management traditionnel, hiérarchique, cloisonné et pyramidal n'était et n'est toujours pas préparé, ni en théorie ni dans les pratiques, à une telle révolution, laquelle concerne les mentalités, notons-le bien, de tous les échelons d'employés, mais surtout et avant tout des cadres et dirigeants.

Par ailleurs, la forme de management proposée ici, qui se rapproche du type nippo-rhénan, et qui repose sur l'adhésion, demande un certain contexte : un minimum de projet de société encadré par une économie sociale de marché.

Tout cela, bien sûr, impose des limites à l'ambition d'une multiplication infinie des gains financiers. Voilà pourquoi la voie d'une « économie sociale de marché » et son corollaire, le management de type nippo-rhénan, sont une autre *solution indésirable* aux yeux des gens du milieu des affaires adeptes du néolibéralisme et du marché débridé.

Notes

1. Richard Langlois, *Pour en finir avec l'économisme*, Montréal, Boréal, 1995.
2. Sauf bien sûr sous la forme, qu'on retrouve dans son principe en islam et en chrétienté, d'un *dédommagement* que pourrait consentir — par une entente réciproque — l'emprunteur au prêteur, en guise de *compensation* pour *manque à gagner ou préjudice* subi du fait de la non-disponibilité de la somme prêtée pendant la durée du prêt.
3. Voir, bien sûr, Aristote (1970 et 1993), mais aussi Weber (1971), Braudel (1980 et 1985), Polanyi (1983) et Polanyi et Asenberg (1960).
4. Rappelons la fameuse lettre de Jean Calvin, dite « Lettre de 1545 » (une réponse de Calvin faite à un gentilhomme bressan), qui traitait de la légitimité du prêt à intérêt, présenté comme « non interdit par les Saintes Écritures » s'il était utilisé « en cas de risques ou de manque à gagner » et qu'il n'était pas occasion à « opprimer les pauvres ». C'est dans cette lettre que Max Weber voit, en partie tout au moins, une des bases protestantes de « l'esprit du capitalisme » moderne... On comprend le soulagement que procureront plus tard, au même chrétien désireux de faire de l'argent « égoïste », des Smith avec la notion de « main invisible », des Darwin, des Spencer...
5. Paris, Plon, 1971, vol. I en particulier.
6. Cette fois, plus dans *Histoire économique*, Paris, Gallimard, 1991.
7. Pour préciser et nuancer :
    1. Je traite ici, un peu à la manière de Weber, essentiellement de la branche du calvinisme qui va générer le puritanisme et ses diverses ramifications qui s'épanouiront notamment aux États-Unis, à partir de l'Angleterre ;
    2. Je traite aussi (implicitement) d'une notion de « grâce » augustinienne (commune à Luther et à Calvin), d'une notion de prédestination, qui, bien sûr, renforce l'idée clairement exprimée par la Réforme que le salut de l'âme ne viendrait pas par des *actes* dont l'homme tirerait glorification, mais qui *laisse tout de même place, surtout dans la position calviniste à propos des « signes d'élection donnés par Dieu », à la possible interprétation des résultats monétaires de ses actes « dans sa vocation sur terre » comme « signes » d'une réussite voulue par la grâce divine...* On peut même, fort dévotement, attribuer le tout à « la Gloire de Dieu », dont on ne serait que « l'instrument ».

3. On verra plus loin, et c'est là le plus important pour moi ici, l'incroyable salmigondis idéologico-théologique que tout cela peut donner dans les prêches de pasteurs en terre américaine, où sont joyeusement mêlés Dieu, Grâce, Marché, Darwin, Spencer... (*Cf.* J. K. Galbraith, *L'Économie en perspective*, *op. cit.*, et aussi, bien sûr, M. Weber, *L'Éthique protestante et l'esprit du capitalisme*, *op. cit.*)

8. Le lecteur intéressé par un examen plus détaillé de la question peut se reporter à un travail que j'y ai consacré : Aktouf, 1994a.

9. Je dis cela du fait que l'anglicanisme, tout en conservant l'ancien rite (essentiellement catholique), a adopté le dogme calviniste sous la forme du fameux « Prayer Book ».

10. Les excès (ou les indigences) de cette mouvance ont fait écrire assez tôt à W. F. White et à H. Marcuse de belles indignations sous la forme de livres titrés *L'Homme de l'organisation* et *L'Homme unidimensionnel*, et plus récemment, à un B. Sievers, un texte incendiaire intitulé « Leadership as a Perpetuation of Immaturity » (dans *Work, Death and Life itself*, *op. cit.*). Voir aussi, pour une recension indicative, O. Aktouf, *Les sciences de la gestion et les ressources humaines*, Alger, OPU-ENAL, 1985.

11. Par comparaison, en Allemagne, un PDG sur trois ou quatre a commencé sa carrière au plus bas des échelons, souvent comme ouvrier ! *Cf.* l'enquête effectuée à ce sujet par M. Bauer et D. Bertin-Mourot : « Comment les entreprises françaises et allemandes sélectionnent-elles leurs dirigeants ? » *Problèmes économiques*, n° 2337, 11 août 1993, p. 14-19. Et au Japon (voir entre autres E. Vogel, *Japan Number One* ou D. Nora, *L'Étreinte du Samouraï*), il est procédé, le 1er avril de chaque année, à un recrutement généralisé, par exemple chez Toyota, où tout le monde commence au plus bas de l'échelle et où tous savent que leurs futurs chefs — jusqu'au plus haut niveau — seront des collègues entrés en même temps qu'eux : il n'y a jamais de nominations directes aux hauts postes ni de « parachutages » !

12. O. Aktouf, 1984.

13. Voir, pour un point sur la question et à titre indicatif : Olive, 1989, Etzioni, 1989, Etchegoyen, 1990.

14. Bien entendu, je ne prends pas en considération ici tout ce que la Grèce, en particulier celle des sophistes, a légué à ce chapitre à travers l'art, tout proche, de la rhétorique, et qui fonde le sens péjoratif « d'ergoteur spécieux » accompagnant l'adjectif « casuiste ».

15. Je ne m'attarderai pas trop sur ce problème ici, mais posons la question simplement et naïvement : comment le *business*, qui est affaire, avant tout, d'individualisme, d'égoïsme et de compétition avec l'autre, peut-il s'accommoder d'une notion qui implique le strict contraire ? (Du moins dans l'acception classique de l'éthique, aristotélicienne et philosophique, où celle-

ci est affaire de bien-être *de soi et des autres* et de recherche des moyens d'y parvenir.) Par essence, le *business* est anti-éthique ou n'est pas, car il postule l'exploitation de l'autre, la considération de celui-ci comme un « moyen », de la nature, comme un stock de ressources sans plus, il postule la légitimité du comportement individualiste, égocentrique, mégalomane, égoïste des « leaders », la loi de l'argent comme fin justifiant tous les moyens...

16. A. Guillermou, 1961, p. 29.

17. *Ibid.*

18. *Ibid.*, p. 28.

19. À titre d'illustration, voici une fort édifiante conclusion donnée à l'étude d'un cas (mettant en scène des pratiques passablement retorses de direction) dit « d'habiletés politiques du dirigeant » dans une grande école de management canadienne, telle qu'elle m'a été rapportée par un élève en novembre 1998 : « Il vaut mieux faire ce qu'il faut et réussir, que rester pur, avoir raison et échouer. » À la question de savoir ce que « réussir » ou « échouer » veulent dire, et pour qui, le professeur renvoya l'élève à ses cours d'éthique, prétextant qu'un cours d'habiletés du dirigeant n'avait pas à traiter de telles questions « hors sujet » !

20. Aktouf, 1984, 1989 et 1992.

21. Voir en particulier Mintzberg, 1989, et Argyris, 1980, sans parler de dossiers retentissants allant dans le même sens publiés par nombre de magazines à grand tirage (*Time*, 20 oct. 1981 ; *Business Week*, 15 juillet 1993).

22. Voir l'excellent livre de M. Albert : *Capitalisme contre capitalisme*, Paris, Éditions du Seuil, 1991.

23. À comparer avec ce que fait, par exemple, la ville de Boston aux États-Unis, qui est en train d'engloutir près de 15 milliards de dollars (pour un projet qui ne devait en coûter initialement « que » 2,5) dans la construction d'une démentielle autoroute souterraine pour désengorger la ville et faire rouler encore plus de voitures ! En termes d'économie orthodoxe, on range ce genre de choses parmi les bonnes performances.

24. Ce que deviennent les « chaînes socialisées » de la Suède ou les « cercles de qualité » du Japon que l'on a importés dans le management de type nord-américain, pensant que ces « super-outils » de management ne demandaient aux organisations que de simples aménagements techniques internes.

25. Voir Aktouf, Bédard et Chanlat, 1992, et Aktouf, 1999.

26. Henry Mintzberg, revue *Commerce*, oct. 1997 ; J. K. Galbraith, *Voyage à travers le temps économique*.

27. Voir le *Time* du 9 novembre 1998, « What Corporate Welfare Costs? », p. 30-50.

28. M. Chossudovsky, *Le Monde diplomatique*, octobre 1999.
29. Emmanuel Todd, *L'illusion économique*, *op. cit.*
30. Michel Albert, *op. cit.*
31. Ce qui a donné naissance, par exemple, en gestion par projets, à ce que l'on nomme aujourd'hui « ingénierie simultanée » ou « *concurrent engineering* ».
32. Signalons que c'est à Maurice Dufour que nous devons ce rapprochement entre la notion de « contrat-consentement » et les fondements constitutifs de la vie des groupes au sein des organisations : « Synthèse », dans A. Chanlat *et al.*, *La rupture entre l'entreprise et les hommes*, Paris et Montréal, Édition de l'organisation et Éditions Québec/Amérique, 1985.
33. Je parle ici de la « logique des propositions » et non de la « logique formelle ». Cette précision est importante pour éclairer l'apparente contradiction qu'il y a à rattacher à l'héritage aristotélicien — par Luther et saint Thomas d'Aquin — la plus grande « tolérance » au tiers exclu, à la « loi du juste milieu » que l'on trouve dans le modèle rhénan, et le fait qu'Aristote soit le père de la logique formelle.
34. Henri Atlan, *À tort et à raison*, Paris, Éditions du Seuil, 1986.
35. L'interprétation « extérieure » de ce qui se passe dans le management nippo-germanique se méprend généralement sur la signification de traits tels que la soumission, l'hyper-discipline, qui ne sont en fait que l'expression d'un comportement conforme à la participation à des activités dont les finalités, raisons, tenants et aboutissants sont le résultat d'un consensus (consentement) préalablement négocié, admis et établi par toutes les parties « contractantes ». Les modalités courantes étant toujours objet de concertation et consensus. N'oublions pas non plus que l'« autorité » est vue davantage comme représentative du consensus, du bien et de l'intérêt général, donc comme étant *a priori* bienveillante, que comme unilatérale et dominatrice (les fameux *wâ* — la préséance du maintien de l'harmonie et de la bonne entente — et *akomi* — le sens aigu de ce qui « se fait » et de « ce qui ne se fait pas » — du Japon). Je me permets de rappeler un dossier brûlant sur la pathologie directement issue de formes de despotisme de la part de « chefs » pleins de certitudes et qui *croient avoir systématiquement raison face aux subalternes* : « Le harcèlement moral », *Le Nouvel Observateur*, semaine du 6 mars 2000.
36. Par exemple, tout propriétaire de son lieu d'habitation aurait l'obligation de loger, s'il a des espaces inutilisés, des sans-abris (ce qui s'est largement produit avec par exemple les réfugiés de l'ex-RDA).
37. Dans *L'histoire économique*, *op. cit.*
38. Voir Weber, 1964, Albert, 1991, Cazal, 1991 et 1992, Aktouf, 1992 et 1994.

39. Je me garde bien, naturellement, de confondre « *productivité* », « *guerre aux gaspillages* » (ce qui nécessite la collaboration et la vigilance de tous), et « *guerre aux coûts* » (le salariat étant un des principaux, en management traditionnel), sachant que c'est là une des différences majeures entre les esprits et pratiques des deux systèmes de management dont je parle ici. Il n'en reste pas moins que ces pertes d'énergies se traduisent en effet en coûts (souvent énormes) de non-qualité, de contrôles harassants, d'absentéisme, de maladie, d'épuisement, bref, de toutes sortes de conséquences des formes de « harcèlement moral » auxquelles se livrent des cohortes de chefs conditionnés à croire qu'ils détiennent vérité et raison.
40. M. Sprouse (*Sabotage in the American Workplace*, San Francisco, Pressure Drop Press, 1992) dresse un tableau inquiétant de toutes sortes de sabotages délibérés auxquels se livrent des employés de tous secteurs, par frustration de n'être pas traités en humains devant « consentir et agréer », mais en « ressources » passives et silencieuses.
41. *Cf.* H. Atlan, « Du bruit comme principe d'auto-organisation », *Communications*, n° 18, 1972, p. 21-36.
42. *Cf.* à ce sujet à peu près toute l'œuvre d'Albert Jacquard, et en particulier *L'éloge de la différence*, Paris, Éditions du Seuil, 1980.
43. Il convient de se garder d'« objections paralysantes » du genre : « tour de Babel », « anarchie », « pagaille », « espaces browniens ingérables »... D'abord ces espaces browniens sont circonscrits aux problèmes traités, ensuite les « solutions » exprimées n'ont pas à être « convergentes », la divergence étant nécessaire à la créativité, et enfin, il ne faut plus confondre « ingérable » et « incontrôlable ».
44. Les dictionnaires utilisent systématiquement, pour définir le terme « ressource », celui de « moyen », avec différentes nuances. Or l'être humain n'est pas un moyen mais une fin. Sinon on le déshumanise et on ne peut alors, cela va de soi, en appeler à ses facultés « humaines ». C'est une forme de négation de l'autre qui relève de l'aliénation et d'un processus névrotique lié à ce que Freud appelait « narcissisme mineur » : la négation de l'autre pour l'affirmation de soi. Nous nous expliquerons plus loin sur cela, mais ce sont là des mécanismes qui mènent à des justifications-renforcements, eux aussi névrotiques, du fait de traiter son semblable en ressource. Au bout du compte, cela peut amener à justifier la cruauté et les traitements inhumains dans les organisations (Dejours a parlé, utilisant les concepts de H. Arendt, d'un *processus de banalisation de la souffrance et du mal*)... c'est ce à quoi nous assistons avec les licenciements massifs, les exclusions, le phénomène étendu du surmenage, le harcèlement, les dépressions, les chantages à l'emploi...
45. Voir à ce sujet, extrêmement épineux et peu traité, les travaux de Burkard Sievers, et en particulier, *Work, Life and Death Itself*, Berlin et New York,

De Gruyter, 1996. Voir aussi O. Aktouf, « Le management de l'excellence, de la déification du dirigeant à la réification de l'employé », dans T. Pauchant (dir.), *La quête du sens*, Paris et Montréal, Éditions de l'organisation et Presses HEC, 1996.

46. Je signale au lecteur, à ce sujet, l'exemple de la multinationale canadienne Cascades, fameuse sur trois continents (y compris en Europe) pour son management qui intègre systématiquement l'ouvrier et l'employé de base comme maillons à part entière dans la réflexion, les projets, les décisions à propos de tout ce qui touche à la marche de chaque unité, de chaque usine, jusqu'à celle du groupe dans son ensemble (P. Gucci, *Cascades ou le triomphe du respect*, Montréal, Éditions Québec/Amérique, 1990); ou encore l'exemple de la multinationale américaine Kimberley Clark, où le point de vue du machiniste peut passer avant celui de l'ingénieur pour ce qui touche au réglage, à la modification, à l'adaptation des machines de production.

Chapitre VI

Où les lois économiques exposées par Marx rejoignent les sciences physiques et la thermodynamique

Le danger qui nous menace, c'est que notre espèce s'extermine et que, en le faisant, elle fasse périr d'autres espèces aussi — ce qui est immoral.

Konrad Lorenz

L'apport de la physique aux systèmes des connaissances est essentiel. S'étendant jusqu'à recouvrir la chimie d'une part et la cosmologie de l'autre, la physique est bien aujourd'hui la science de l'ensemble des phénomènes de la nature, vie et conscience mises à part. Encore l'exception concernant la vie n'est peut-être que temporaire.

Bernard d'Espagnat

Nous l'avons vu, le paradigme néoclassique et son dérivé direct, le management anglo-américain, ont toujours véhiculé des idées et des comportements supposant la possibilité d'une production de richesses et d'une accumulation sans limite de croissance.

L'argument principal qui sera développé ici est que, comme l'ont très bien vu les physiocrates et les classiques après l'illustre prédécesseur que fut Aristote (en particulier, et chacun à sa manière, Malthus et Marx[1]), *il existe des limites au progrès matériel souhaité par l'homme*, et que ces limites sont en premier lieu d'ordre matériel-physique. La croissance ne saurait être infinie du simple fait que les ressources, elles, ne le sont pas. Notre capacité d'extraire les ressources nécessaires à cette croissance est d'ailleurs déjà en train d'atteindre ses limites. Il n'est qu'à voir les atteintes de plus en plus irréversibles portées à l'environnement, l'état de délabrement de continents ou de sous-continents comme l'Afrique, l'Amérique latine, l'Inde, le nord-est de l'Europe, la Russie, l'augmentation incessante de la misère dans les pays riches...

Dans cette perspective, le modèle de l'entreprise poursuivant le profit maximal, dans un marché autorégulé et toujours en concurrence illimitée, est à revoir totalement. Et ce, notamment, à la lumière d'un paradigme actuellement en plein développement dans une certaine pensée économique émergente : le paradigme thermodynamique [2], lequel nous permet d'appréhender les limites à la croissance en termes non seulement empiriques mais aussi mathématiques, au niveau des lois physiques universelles.

Dans l'ensemble du règne vivant, l'homme est la seule créature à extraire de son milieu bien plus que ce qui lui est nécessaire pour simplement se maintenir en tant que structure vivante, et à le faire de façon sans cesse croissante.

C'est ce qu'on appelle transformation de l'environnement, domestication ou contrôle de la nature, civilisation, progrès, croissance, ou amélioration des conditions de vie et du confort.

La question qui se pose alors est celle de savoir à quelles conditions et dans quelles limites une telle extraction peut avoir lieu sans devenir une menace pour le renouvellement des ressources (en fait, on verra pourquoi, de l'énergie utilisable) disponibles dans l'environnement, et donc pour la continuation de la vie ellemême.

Avant d'entrer dans le vif du sujet, je ferai quelques remarques d'ordre épistémologique, touchant au pont construit ici entre des domaines traditionnellement tenus, du moins en ce qui concerne la question du traitement du travail et de l'énergie, pour étrangers l'un à l'autre [3].

La phrase de Bernard d'Espagnat que je cite en exergue pour souligner la vaste portée qu'a acquise la science physique comme instrument de connaissance du réel ne doit en aucun cas être comprise comme une prise de position positiviste et physicaliste de ma part, qui affirmerait la compréhension possible de tous les phénomènes, y compris de la vie et de la société, par le recours à une seule clé, encore moins à une clé empruntée à l'étude de l'inerte ou du non-conscient. Je n'accepte aucun impérialisme physicaliste (non plus que biologiste, d'ailleurs) à l'égard du monde du social, du vivant, du conscient.

Mais j'attire l'attention avec force sur le fait que nous avons à apprendre beaucoup de la physique aujourd'hui *pour relativiser ou même dénoncer certaines positions devenues intolérablement positivistes dans les « sciences » mêmes de la vie et de la société.*

À cet égard, Georges Devereux remarque avec une grande justesse: « Les sciences de l'homme font comme si la physique n'avait jamais opéré sa révolution quantique[4]. » Elles se contentent en général, dans leurs prétentions scientistes, en particulier l'économie, d'une séculaire — et fort mauvaise — imitation de la physique newtonienne (qui précisément, se démarque par rapport à la physique du quantum et la thermodynamique par sa vision strictement mécaniste de l'univers)[5].

J'ajouterai que le présent chapitre se veut une *contribution totalement inachevée à un débat entièrement ouvert.* Je ne prétends en aucune façon épuiser l'un des aspects de l'argumentation qu'il propose, et c'est tout à fait conscient des inévitables réductionnismes, généralisations et sauts épistémologiques propres à tout essai de ce type que j'entreprends cette réflexion. J'entends cependant revendiquer le droit à l'interdisciplinarité et, pour reprendre Georges Devereux[6] — pour ne pas convoquer Niels Bohr[7] lui-même et le principe de complémentarité en physique —, le droit à l'usage de la complémentarité épistémologique entre les sciences. La réflexion proposée ici ne doit donc pas être vue comme un vain exercice d'encyclopédisme ou d'éclectisme théorique. Il s'agit d'une interrogation douloureuse et profonde qui a nécessité des années de lectures ardues, de confrontations avec des spécialistes[8], et même, d'angoissantes remises en question.

Je me suis efforcé de conduire ma réflexion de façon à éviter d'inutiles et spécieuses arguties touchant aux aspects les plus pointus, les plus microcosmiques ou les plus controversés des disciplines auxquelles je fais appel. Ce qui m'intéresse, ce sont leurs aspects les plus généraux, les mieux assis et les moins contestables dans l'état actuel des connaissances. Seuls le raisonnement global et sa portée macrocosmique sont donc ici, pour l'instant, considérés.

En premier lieu, arrêtons-nous sur quelques prémisses indispensables à la compréhension du raisonnement qui sera suivi ici. Ces prémisses seront empruntées autant à la théorie générale des systèmes qu'à la thermodynamique et à l'économique.

Posons tout d'abord que, selon des notions élémentaires de la théorie générale des systèmes, l'entreprise à caractère économique ou industriel, et toute organisation en général, peut être considérée comme un système évolutif et ouvert, à l'instar de tout ce qui est vivant. Ce qu'il est important d'établir ici, c'est le fait que de tels systèmes ont besoin, pour survivre, *d'échanger matière et énergie avec leur environnement.*

Posons ensuite que cela se fait sous la contrainte de lois incontournables, bien connues de la physique, qui sont les lois de la thermodynamique, en particulier celle de la *constance de la quantité d'énergie*, d'une part, et celle de l'*entropie*, d'autre part. En termes simples, ces lois expriment le fait que : 1. l'énergie utilisable est en quantité constante dans l'univers (non renouvelable à l'échelle humaine), et 2. l'évolution (et *a fortiori* l'usage) de cette énergie donne lieu à un processus irréversible et à sens unique de transformation d'énergie utile en énergie inutile (autrement dit, l'homme peut à peu près tout faire, sauf « fabriquer » de l'énergie !)[9].

Ce second principe implique que tout système doit, pour maintenir sa structure, lutter contre l'entropie, c'est-à-dire puiser dans l'environnement suffisamment d'énergie pour compenser l'irréversible déperdition de la sienne propre[10] (c'est ce que E. Schrödinger, Prix Nobel de physique[11], appelle « extraire de l'ordre de l'environnement[12] », ce qui signifie, en termes de physique thermodynamique, que le vivant a cette capacité, que n'a pas l'inerte, de *prélever* du milieu dans lequel il se trouve — sous diverses formes — l'énergie dont il a besoin pour maintenir sa structure et sa différenciation ou « ordre » par rapport à la tendance inéluctable vers le « désordre » — principe d'entropie — qui survient dès lors qu'un système n'est plus en mesure de disposer d'énergie encore utilisable).

Compte tenu du premier principe, toute utilisation locale d'énergie se traduit donc par une dégradation de l'énergie utilisable à l'échelle globale, et compte tenu du second principe, cette énergie dégradée l'est de façon irréversible.

Posons enfin qu'il existe un lien incontournable entre théories des systèmes, thermodynamique et économie, par le biais d'une équivalence énergie-travail-transformation[13].

Toute activité de transformation devant aboutir à une production de richesses passe forcément par une forme ou une autre de travail. Or, on connaît, sous l'appellation d'*effet Joule*, le phénomène qui consiste en la transformation en une certaine quantité de chaleur de tout travail fourni par quelque système que ce soit. Cela implique une équivalence entre travail (transformation) et dépense d'énergie, tout travail pouvant être exprimé en termes d'une certaine quantité d'énergie rendue définitivement inutilisable.

Ensuite, comme toute activité économique est un travail (puisqu'il y a transformation), *cette activité ne peut échapper aux lois régissant la dynamique des systèmes et de l'énergie*. En conséquence de quoi, *l'entreprise est forcément un système thermodynamique*. On remarquera que si théories des systèmes et thermodynamique sont conceptuellement outillées pour traiter des questions d'usage, de flux, d'échange, de transformation de l'énergie, la science économique, elle, ne l'est absolument pas ! Cela peut-il être sans conséquences ?

En tant qu'entité évolutive et ouverte, lieu de processus de transformation et d'échanges (de matière et d'énergie), ainsi que nous l'avons vu plus haut, l'organisation (en particulier à but lucratif) partage certaines caractéristiques avec le vivant. Il est donc légitime de faire des parallèles entre ces deux types d'entités, en prenant garde toutefois de réifier l'organisation, ou d'en faire un être ou un organisme, par une quelque homomorphie avec le reste du vivant.

Si nous débutons le raisonnement par la dynamique (et la thermodynamique) des systèmes vivants naturels, nous pouvons aisément comprendre ce que veut dire E. Schrödinger lorsqu'il parle d'extraire de l'ordre de l'environnement : c'est tout naturellement le fait de prélever régulièrement, jusqu'à la mort (*irréversible*), une certaine quantité d'énergie *utilisable* nécessaire pour ralentir sa propre entropie — et ce, toujours en augmentant l'entropie globale (c'est, en d'autres termes, transférer l'entropie interne du système vers le milieu externe englobant, *en vertu du premier principe* de la thermodynamique).

Plus explicitement, cela passe par l'intermédiaire d'une transformation (travail) qui fait des gaz, des rayonnements, des liquides, des matières des éléments assimilables par l'organisme vivant, pour qu'il puisse se maintenir en tant qu'organisme vivant. Il n'y a là, en dernière analyse, rien d'autre qu'un processus infini de flux et d'échanges d'énergie, dont on peut vérifier l'équilibre ou la durabilité en analysant les flux d'entrée (inputs) et en les comparant aux flux de sortie (outputs).

Il est essentiel de comprendre que la quantité d'énergie utilisable[14] exportée (rejetée sous forme de gaz, de sécrétions, d'excrétions, de chaleur) dans l'environnement par notre organisme sera *toujours inférieure* à celle qu'il en importe (les déchets rejetés, sous quelque forme que ce soit, seront toujours, en termes d'énergie, dégradés par rapport à la forme ingérée, du fait de l'usage qu'en fait l'organisme pour sa propre néguentropie, c'est-à-dire pour le ralentissement de son entropie). On peut donc écrire :

$$Q_{E1} > Q_{E2}$$

où :

Q_{E1} = quantité d'énergie utilisable importée ou entrées (inputs)
Q_{E2} = quantité d'énergie utilisable exportée ou sorties (outputs)

Si notre organisme faisait l'inverse (exporter plus d'énergie utilisable qu'il n'en importe), il *accélérerait sa propre entropie*, c'est-à-dire qu'il hâterait sa mort au lieu de la retarder. Il est donc vital, au sens propre, pour tout système vivant que, *en termes d'énergie utile*, les sorties soient toujours inférieures aux entrées.

Voyons à présent ce qu'il en est d'un système artificiel, mais évolutif et ouvert, tel qu'une entreprise économique.

À l'instar de l'organisme vivant, l'entreprise transforme ce qu'elle intègre de son environnement. Le travail est à l'entreprise ce que le métabolisme est à notre organisme vivant et naturel : il transforme de la matière d'une certaine qualité énergétique en matière d'une autre qualité énergétique, du point de vue de l'énergie utilisable, réutilisable ou non réutilisable que ces matières représentent. Dans ce processus, on peut considérer que les trois facteurs de production, matière, travail et capital, ne sont que des modalités différentes de l'énergie, étant donné l'équivalence travail et énergie ; travail et argent (et par extension : capital), puisqu'à toute « création » d'argent devrait correspondre en principe un travail, comme nous le verrons ; et enfin matière et énergie (l'utilisation de matière impliquant nécessairement transformation d'énergie utilisable en énergie inutilisable ou dégradée). Cela étant, on peut, comme pour l'organisme vivant, apprécier la qualité de l'énergie à l'entrée et à la sortie du système en prenant en considération l'équivalence-énergie de ces trois éléments.

Or, la vocation avouée de l'entreprise est, sous le principe de la maximisation des profits, de toujours maintenir, en fait, *des sorties supérieures aux entrées* (des outputs supérieurs aux inputs).

Le profit représente de ce point de vue, en ultime analyse, *une quantité d'énergie supplémentaire qui vient s'ajouter aux entrées*, que cet ajout soit exprimé en termes de « valeur ajoutée », de quantités monétaires...

Pour le système entreprise, l'inéquation définie plus haut pour le vivant naturel s'écrirait donc :

$$Q_{E1} < Q_{E2}$$

Nous sommes là devant une *impossibilité thermodynamique* qui implique que : 1. soit les lois thermodynamiques sont à revoir, 2. soit l'institution « entreprise économique » y échappe.

Se pose alors la question : *d'où provient cette quantité supplémentaire d'énergie qu'on dénomme profit*[15] ? (Il est tout à fait significatif que certaines institutions parlent aussi bien de *surplus* ou de *trop-perçus*.)

Ceci est *totalement en contradiction avec les principes de la thermodynamique*, surtout avec le second, le principe d'*entropie*. Car selon ces principes, il ne saurait y avoir, ce que semble suggérer cette inéquation, *création* d'énergie !

D'un point de vue énergétique (énergie utilisée), *tout se passe* — ou plutôt on laisse croire que tout se passe — *comme si on « créait » la quantité d'argent dénommée profit, comme une nouvelle quantité d'énergie* (puisqu'il y a une équivalence entre argent et énergie, comme on l'a vu) *s'ajoutant, pour ainsi dire quelque part, par rapport à la quantité d'énergie des entrées, au lieu d'en être, en toute logique thermodynamique, soustraite, puisque suite aux transformations impliquées par le travail il y a forcément dégradation d'énergie*. Car en fait, et de quelque bout qu'on le prenne, on en revient inévitablement, pour tout ce qui est quantité d'argent en circulation, à une question de travail ou, ce qui revient au même, à une question d'énergie : *aucune unité monétaire ne saurait être en circulation sans être l'équivalent d'une quantité de travail fourni* par quelqu'un, quelque part, *donc d'une quantité d'énergie dégradée*. Même l'argent issu d'un travail théorique, intellectuel, ou de la spéculation, ou encore généré par l'intérêt, nécessite, ne serait-ce que pour sa production et sa gestion, une dépense d'énergie sous forme d'usage d'infrastructures, d'ordinateurs, etc. (sans parler de l'usage de cet argent, qui servira forcément à acheter du travail d'autrui sous forme de produits et de services)[16].

Il en est strictement de même pour toute quantité d'argent dépensée à des fins de consommation et générant, par les mécanismes économiques que l'on connaît, du profit. Cet argent, qu'il soit considéré sous l'angle de la théorie de la valeur travail (le travail socialement accumulé formant la valeur de tout bien mis sur le marché) ou sous celui de la valeur marché (la valeur du bien est déterminée par le jeu entre l'offre et la demande), demeurera toujours l'expression d'une dégradation d'énergie par un travail fourni (socialement accumulé, ou contrepartie de l'offre présentée par un « offreur » qui a dû, immanquablement, user une quantité d'énergie donnée pour se procurer le montant qu'il est prêt à offrir, ne serait-ce, bien sûr, que parce qu'il a travaillé pour l'obtenir)[17].

Il est impossible, on le voit, d'échapper à la question de la dégradation de l'énergie dans ce problème de la relation entre activité de production de biens et de services, et valeur économique et monétaire de ces mêmes biens et services. Autrement dit, lorsque l'économiste parle de « création » de richesses, le physicien (ou plutôt le thermodynamicien) rétorquerait : non seulement *il n'y a création de rien du tout, mais il y a dégradation irréversible d'énergie utile* en énergie inutile par le simple fait que produire n'a jamais été « créer », mais « transformer ».

Il est, je crois, indispensable de sortir du raisonnement économique habituel pour commencer à comprendre pourquoi, comme le clamait un récent rapport de la Banque mondiale, « nos instruments d'analyse de l'économie sont déréglés ». Il faut, effectivement, sortir de ces instruments et de leur logique, si l'on veut comprendre : 1. pourquoi les instruments de prévisions de l'économie — néolibérale — ne fonctionnent effectivement plus du tout ; et 2. d'où peut bien provenir ce que nous avons défini comme un étrange « surplus d'énergie », le profit. Pour ce qui est de sortir du cadre de raisonnement de la science économique, c'est précisément ce que nous proposons ici en invoquant une analyse de type thermodynamique. Quant à l'origine de ce surplus dénommé profit (*a fortiori* lorsqu'on le veut maximal), il convient de savoir qu'il est, *en soi*[18], *déjà une redoutable impossibilité théorique, dans le cadre même de la théorie néoclassique*, du simple fait que, *d'après la théorie fondatrice et fondamentale du capitalisme et de son fonctionnement (celle héritée d'Adam Smith), toutes les marchandises devraient finir — grâce à la concurrence pure et parfaite — par se vendre à leur coût* (ce qui implique, non seulement *zéro profit*, mais aussi le fait que tous les facteurs sont rémunérés — y compris le capital bien entendu — mais, comme dirait Smith, rémunérés *à leur juste prix*). Or nous voilà aux prises avec une série de problèmes les plus redoutés de tous les économistes, à savoir : quelle relation y a-t-il entre valeur et prix ? Entre rémunération des facteurs et valeur/prix ? Entre prix et utilité ? Comment, sous hypothèse de concurrence parfaite, admettre l'existence du profit ? Bien sûr, on a invoqué l'« imperfection » du marché : les hypothèses smithiennes et walrasiennes ne tiennent que partiellement, les producteurs ne sont pas infiniment atomisés, les consommateurs non plus, l'information n'est nullement parfaite et également disponible, les produits sont loin d'être tous parfaitement substituables. Voilà comment on en arrive, au sein des bastions de l'économisme dominant, à justifier l'injustifiable, à fonder l'existence de ce qui ne devrait pas exister : par la combinaison de l'imperfection du marché, de l'asymétrie de l'information et de la *juste* volonté de rémunérer le risque (pris par le capital), on admet, presque comme une fatalité divine, la possibilité de faire des profits, quand bien même toute la théorie de base du capitalisme pur tend à nier une telle possibilité.

Mais toutes les contorsions théoriques tentées jusqu'ici, des marginalistes jusqu'aux partisans de l'information asymétrique et de la transformation de la micro-économie en mathématiques des jeux, n'y changent absolument rien : à défaut d'intégrer le « bilan énergétique » de nos activités économiques, ce sera toujours « jouer » comme si les lois de la thermodynamique (en particulier la seconde) n'existaient pas ! Or, ce sont précisément celles-ci qui nous expliquent le plus clairement à quel prix est possible, momentanément, ce surplus qui leur est tout à fait contraire et qui prétend pouvoir rémunérer au moins deux fois, sans conséquences et indéfiniment, ce facteur privilégié qu'est le capital — car après l'intérêt, le profit est, forcément, une deuxième rémunération [19].

Étudiée en termes de flux et d'usage de l'énergie, la provenance de ce surplus s'explique en fait très aisément par un phénomène de *double extraction continue et exponentielle*. Une première extraction se fait aux dépens d'un élément particulier de *l'environnement interne* de l'entreprise, *le travail* (on se souviendra, par exemple, de Bell Canada annonçant, en avril 1995 — avec quel cynisme ! — 10 000 mises à pied « afin de doubler les profits » ; ou de ce qu'ont fait, dans le même esprit, Michelin en fin 2000, Danone, Marks & Spencer, Motorolla, Ericsson, GM, Daewoo en 2001, pour admettre qu'une partie substantielle du profit est issue de la plus-value réalisée sur le salariat, collectivement ou individuellement)[20]. La seconde extraction, elle, se fait aux dépens de plusieurs éléments de *l'environnement externe*. Mentionnons ici :

1. La gigantesque facture d'une *pollution* à l'échelle de la planète qui, à elle seule, aurait depuis longtemps annulé tous les profits industriels si elle avait dû être « payée » ;
2. L'amoncellement catastrophique de *déchets hautement dangereux* (pensons aux coûts combinés de déplacement, nettoyage, stockage, contamination directe et indirecte que cela implique — ceux, par exemple, du déménagement d'obus datant de la première guerre mondiale dans le nord-est de la France ; du transport de résidus nucléaires entre l'Allemagne et la France, et de leur stockage ; des dépôts hautement pollués laissés par les décrues dans le nord de la France, de l'Allemagne, tout cela seulement au début de l'année 2001) ;
3. Les dégâts, et leurs conséquences, causés à *l'atmosphère* (couche d'ozone, dioxydes de carbone, anhydride sulfureux, chlorofluorocarbures, furannes, dioxine, BPC, etc.) ;
4. *L'inflation* (expression directe de l'élévation continue du coût (global) de l'extraction et de l'usage de l'énergie[21]) ;
5. Le *chômage* sans cesse démultiplié par les acquisitions et méga-fusions d'entreprises, de plus en plus gigantesques, qui n'ont de cesse d'opérer restructurations et plans sociaux ;
6. La *disparition d'espèces animales et végétales* entières[22] (on comprend pourquoi les États-unis ont refusé de signer les accords sur le respect de la diversité de la biosphère aux Sommets de Rio, de Kyoto, de la Haye, etc.) ;
7. La *paupérisation continue* des populations des pays du Sud, et maintenant également du Nord.

La question se pose sans détour : qui devra payer cette colossale dette multiple et combinée ?

Il faut bien en déduire l'inévitable, à savoir que le recours à un raisonnement faisant appel à un autre paradigme et à d'autres fondements que ceux de l'économie néolibérale est désormais urgent !

L'alarme est sonnée depuis longtemps, par des Georgescu-Rœgen, Guitton, Passet, Dumont, Serres, Rifkin, Reeves, Jacquard, Morin, pour ne citer que ceux-là, mais, hélas, ils ont longtemps été ignorés. Commencerait-on enfin à les entendre, ou est-ce le seul effet du désarroi grandissant ? Toujours est-il que les propos de certains économistes du courant dominant, à la recherche d'une voie de sortie, leur empruntent parfois, marginalement, certaines perspectives.

Je livre ainsi à la réflexion du lecteur quelques extraits tirés d'un ouvrage paru en 1994, *Piloter dans la tempête, comment faire face aux défis de la nouvelle économie*, écrit par un économiste nord-américain, Léon Courville[23] :

> Aujourd'hui, nous sommes tous enfermés dans un gigantesque huis clos, un marché unique *sans croissance*, où le défi n'est plus d'aller plus haut, mais de prendre au voisin un morceau de sa place au soleil [...] (p. xii)
>
> Tous les concurrents luttent sur un *marché qui ne grandit presque plus*, ils ne réussissent qu'à s'échanger ou à s'arracher des clients. (p. 6)
>
> Nous sommes entrés dans un jeu à somme nulle [...] pour chaque gagnant, il y a maintenant un perdant. *Notre ancien entendement de l'économie est complètement bouleversé.* (p. 8)
>
> [...] Georgescu-Rœgen reprend cette idée lorsqu'il explique que *la terre est en entropie* : elle se referme sur elle-même et se contracte, répondant à une tendance vers la dégénérescence. (p. 16)
>
> La découverte du pétrole a été une de ces étincelles qui a *ralenti l'entropie* [...] (p. 18)
>
> *L'abondance d'énergie était la clé de la croissance* [...] De nombreux gouvernements ont lancé des projets très ambitieux [pour maîtriser de nouvelles énergies moins chères et plus abondantes]. Mais en vain : le coût n'a pas baissé. On peut même se demander [...] *si les coûts de cette quête n'ont pas été supérieurs aux bénéfices.* (p. 24-25)

> L'entropie reprend le dessus et *notre vision d'une économie mondiale en croissance continue ne correspond plus à la réalité.* Nous ne savons plus comment interpréter ce qui se passe. (p. 29)
>
> Dans un monde où *la croissance est terminée*, trouver de nouveaux marchés tient presque de l'utopie. (p. 97)
>
> La théorie de la relativité nous a appris que la position de l'observateur influence sa perception de l'univers. *L'enseignement traditionnel de la gestion, les repères de l'ancienne économie nous ont fait croire qu'une telle relativité n'existait pas* [...] Non seulement y a-t-il illusion d'optique, mais en plus, la façon de regarder l'univers change l'univers. (p. 141)

Léon Courville admet ici explicitement — bien sûr, sans aller au bout de ce qu'implique son évocation de notions de la thermodynamique — la nécessité désormais incontournable de recourir, en économie, aux leçons de la physique. De tels propos se passent de commentaires, sinon pour constater combien ils tranchent par rapport à ce à quoi nous ont habitués jusqu'ici les économistes de la seconde moitié du XXe siècle, et combien le désarroi de la pensée économique contemporaine est grand pour qu'un économiste et manager formé dans l'un des hauts lieux de l'actuel conservatisme n'hésite pas à faire appel, pour ainsi dire en désespoir de cause, à des concepts issus de la physique, comme l'entropie ou la relativité, pour tenter de comprendre les problèmes contemporains.

La stagnation, puis le déclin de la croissance et des marchés dont parle L. Courville ne sont, en effet, qu'une façon différente de constater l'impossibilité d'imaginer un univers, comme celui des économistes, qui nierait impunément le caractère constant de l'énergie disponible (en termes quantitatifs, premier principe), et le sens, unique et irréversible, de la transformation — dégradation de cette énergie d'un état utile vers un état inutile (en termes qualitatifs, entropie, second principe).

Mais c'est à un autre économiste nord-américain que l'on doit les premiers pas sérieux dans cette quête d'une autre façon de penser l'économie. Comme le montre J. Rifkin[24], c'est en effet Nicolas Georgescu-Rœgen, ancien professeur d'économie mathématique à la célèbre Vanderbilt University, qui a été un des tout premiers économistes à s'intéresser en profondeur au problème des liens entre l'activité économique et le mode d'usage de l'énergie. L'essentiel de ce que nous lui emprunterons ici pour notre propos est la différence, sur laquelle il attire fortement l'attention, entre *énergie de basse entropie* et *énergie de haute entropie* dans la production des biens et des services. Cette différence montre combien peuvent être illusoires des expressions comme « rentabilité », « création de richesses », « productivité » lorsqu'elles ne sont pas considérées dans ce qu'elles impliquent en termes d'usage de l'énergie.

Nicolas Georgescu-Rœgen donne l'exemple suivant. À peu près tout économiste, et c'est aussi l'idée commune, considère comme *plus rentable* d'utiliser un tracteur pour labourer un champ que de se servir d'une charrue et d'un bœuf. Or, il est très facile de montrer que sur le plan du *bilan énergétique* (et non monétaire), le bœuf et la charrue sont infiniment plus « rentables » que le tracteur. En effet, autant la charrue que l'animal sont des sources d'énergie « renouvelables » à bien moindre coût de travail, de dégradation de la nature et de pollution que le tracteur — ces coûts devant être considérés avant, pendant et après l'utilisation. Sans parler de la pollution et de l'accélération de l'usure des sols que la simple utilisation du tracteur provoque, tandis que la charrue et le bœuf ont au contraire une action bénéfique de ce point de vue, en ce qu'ils aident les sols à mieux s'oxygéner et les fertilisent en prime.

Quels que soient les « rendements à l'hectare » que procurera à court terme le tracteur, ils seront inexorablement annulés, puis *rendus négatifs*, à long terme, par la dégradation irréversible d'une grande quantité d'énergies utilisables que comportent les procédés de fabrication (extraction, traitement et usinage des minéraux nécessaires), les modalités d'utilisation (pétrole), la détérioration de l'environnement (pollution atmosphérique), et la gestion des déchets (non-biodégradabilité du tracteur).

On l'aura compris, la charrue et le bœuf (auxquels on peut ajouter le fumier, les engrais naturels, etc.), malgré leur moindre rentabilité apparente à court terme, sont, à long terme, bien plus productifs du fait que ce sont des *énergies utilisables à basse entropie* (contrairement au tracteur, leur renouvellement : reproduction des bovins et des arbres, ne nécessite quasiment que de laisser faire la photosynthèse) alors que tracteur, engrais chimiques, et autres produits industriels, eux, sont des *énergies utilisables à haute entropie « initiale », « d'usage » et « d'après usage »*.

Il est aisé d'étendre ce raisonnement à toutes les technologies dites « de pointe ». Songeons à ce qu'elles coûtent en énergies consacrées à la recherche, à la production, au transport, à l'installation, à la mise en opération ; en recyclage incessant des opérateurs ; en pollutions diverses et à tous les stades ; en production de chômeurs, d'exclus — puisqu'on produit de plus en plus avec moins de travailleurs [25]... Comme le souligne N. Georgescu-Rœgen, le bilan énergétique des activités de production matérielle de l'homme est devenu (en termes globaux nets) toujours plus négatif, au fur et à mesure que l'usage d'outils exosomatiques (machineries de toutes sortes, totalement extérieures au corps humain) se substituait à l'usage d'outils endosomatiques (prolongement du corps, de la main).

Plus que jamais, il convient de comptabiliser le résultat net de nos activités économiques, *non pas en termes monétaires, mais en termes énergétiques*, car le seul et véritable « coût » est celui représenté par l'irrémédiable et désormais exponentielle (par effets synergiques) déperdition d'énergie utilisable.

Un physicien célèbre tel que Ludwig Boltzman [26] a, en son temps, comparé la découverte et le traitement du deuxième principe de la thermodynamique par la physique à la « découverte » et au traitement de l'idée de la mort par la métaphysique : une sorte de profonde et indicible *angoisse* en accompagne toutes les investigations et pousse à une quête, parfois aussi irrationnelle que désespérée, de possibilités d'inversion de ce qui apparaît comme un implacable destin de finitude générale.

Au tournant du XXIe siècle, il existe toujours des démarches visant à conjurer ce centenaire mauvais sort qu'ont jeté à l'humanité Carnot et Clausius (XIXe siècle) en identifiant le second principe de la thermodynamique. Et cela prend souvent l'allure de véritables incantations ! Ainsi des objections qui en appellent à une technologie salvatrice, laquelle, tel un Prométhée post-moderne, viendrait immanquablement, même *in extremis*, sauver l'humanité, s'il le faut, malgré elle ! Je les regroupe sous le terme de « technophilie ». Nous y reviendrons.

Voyons d'abord les deux objections épistémologiques principales que l'on oppose habituellement aux raisonnements que l'on vient de conduire.

La première objection est, tout à fait classiquement, celle qui touche à la légitimité d'un raisonnement qui embrasse à la fois des éléments qui relèvent d'un univers « inerte », tel que celui de la physique, et des éléments qui relèvent de l'économique, système prétendu « à auto-structuration induite ». Selon cet argument, l'entropie, à elle seule, ne suffirait pas à expliquer l'entièreté des phénomènes présidant à la dynamique de tels systèmes, puisque ceux-ci seraient capables (un peu comme le « marché ») de générer de « l'information », de « l'auto-structuration », et auraient par là la propriété d'être « néguentropiques », c'est-à-dire la capacité, non pas, bien sûr, d'inverser leur entropie, mais du moins de la ralentir. Cela serait d'autant plus vrai dans notre univers de production, un univers *où l'intrant principal serait de plus en plus l'information...*

Se joint bien sûr automatiquement à cette objection celle de la « hardiesse » de la transposition — sinon du saut épistémologique abusif que constitue l'application de raisonnements propres aux « systèmes fermés ou isolés », qui seuls sont sujets à entropie, à des « systèmes ouverts ».

Tout d'abord, rappelons que le « lien », indiscutable sur les plans pratique et épistémologique, entre la physique et l'économie, *c'est le travail*, qui est l'activité de transformation d'énergie sans laquelle il ne saurait y avoir de « production » de quoi que ce soit. Rien de plus légitime, donc, que d'appliquer un raisonnement tendant à recouper des phénomènes certes différents, mais ayant une base commune fondamentale : le travail, l'énergie et sa transformation.

Ensuite, pour ce qui est du caractère fermé ou ouvert du système dont on parle, il semble évident que la formulation même du premier principe de la thermodynamique interdise, pour ainsi dire, *de raisonner à un niveau macrocosmique autrement qu'en termes de « système fermé »*. À quoi bon, alors, s'échiner à raisonner en termes de systèmes ouverts lorsque ceux-ci, à la dimension de l'univers qui les contient, ne sont qu'« exceptions provisoires[27] », comme la vie et toutes formes de systèmes dits « stables[28] » ? À l'échelle de la planète et de l'univers, et donc de tout ce qui s'y passe, la physique nous montre que tout raisonnement ultime, compte tenu de la constance de la quantité d'énergie, est forcément en termes de système fermé.

Ainsi, plus prosaïquement, le milieu « environnant » de notre planète (le cosmos, l'énergie solaire) ne saurait compenser indéfiniment l'entropie accélérée que connaît l'écosystème terrestre. À une échelle plus réduite, le rythme auquel nous exploitons les forêts, les mers, etc., est tel que le bilan est déjà négatif en ce qui concerne un cycle essentiel de l'écosystème planétaire, celui par lequel la photosynthèse des plantes absorbe les gaz carboniques, et transforme une substance nocive pour la vie en vie.

Autrement dit, si la Terre est un système ouvert par rapport au cosmos, nous la forçons pour ainsi dire, de par notre comportement économique maximaliste, à subir le sort d'un système fermé, car l'accroissement de l'entropie interne se traduit sans cesse par un accroissement encore plus grand de l'entropie externe ou globale (effets démultiplicateurs de la synergie des polluants toxiques, par exemple).

Dans cette perspective, il ne s'agit pas, et il ne s'est jamais agi, dans mes raisonnements sur l'impossibilité du profit infini, de l'entropie de l'entreprise, mais bien de l'entropie du système global. Ainsi, le comportement hyper-entropique de l'entreprise se paie (et c'est ainsi qu'il peut encore durer) par un accroissement de l'entropie du milieu englobant sous diverses formes : depuis l'inflation — galopante dans les pays du Sud — jusqu'à la mort d'écosystèmes entiers, l'appauvrissement croissant des masses...

En outre, les analyses ne manquent pas[29] pour montrer comment les « gains » des uns (pays du Nord, par exemple) se traduisent immanquablement, soit par des pertes chez les autres (paupérisation continue des pays du Sud), soit par des dégâts, souvent irréversibles, infligés à la nature, à l'atmosphère. C'est littéralement la « loi des vases communicants » : aucune énergie ne peut être « utilisée » sans diminuer d'une « quantité équivalente » le réservoir d'énergie utilisable global. Aucun « gain », *a fortiori* en contexte maximaliste, ne peut se faire autrement qu'au détriment de quelque élément du système global. C'est bel et bien cette incontournable « fermeture » qu'exprime notre économiste, Léon Courville, lorsqu'il répète à l'envi — peut-être sans en mesurer toute la portée théorique — que « la croissance est arrêtée », que les seuls « marchés à conquérir » sont ceux déjà « possédés » par les concurrents.

Enfin, pour ce qui est de la question du lien entre information et entropie/néguentropie, il suffit pour mon propos (bien que le caractère extrêmement complexe d'une telle question ne m'échappe nullement, surtout si on y intègre l'effet des variables temps et échelles cosmiques) de noter que, même s'il est indéniable que l'information est effectivement en soi, théoriquement, un facteur néguentropique du fait qu'il est possible d'établir une proportionnalité entre capacité d'un système à produire de l'information et capacité à s'auto-organiser[30], il importe de considérer deux dimensions entropiques qu'elle comporte par ailleurs.

En premier lieu, dans les affaires économiques, l'information *per se* importe peu. Elle est une sorte de « fait économique zéro », tant qu'elle n'est pas *transformée* en application. Soyons redondant, car l'enjeu est fondamental : *l'information pour l'information n'a aucun sens économique* (à ne pas confondre avec financier), en dehors de *l'usage matériel* qui en est fait[31]. Or celui-ci peut être, lui, hautement entropique.

Sans nier que puissent exister localement des économies d'énergie grâce à un supplément d'information, cet effet n'est que secondaire. Le travail humain étant de façon générale de la transformation de matière (et d'énergie) à partir d'information préalable, il est assez clair, je pense, que plus il y aura d'information (à ne pas confondre avec « connaissances », « sens » ou, encore moins, « sagesse »), plus grande sera *globalement* la possibilité pour l'homme de dégrader de l'énergie.

D'autre part, il est nécessaire de verser au passif énergétique de l'information le travail qu'il a fallu pour la produire, dans un premier temps, pour se la procurer dans un deuxième temps, et enfin le support matériel de haute technologie nécessaire à sa transmission et à son accès aujourd'hui. Le degré de sophistication atteint par les modalités de circulation de l'information en fait un « produit » à extrême entropie, autant en amont (il suffit de voir le taux d'augmentation du coût fixe par poste de travail sur les 20 dernières années, en particulier dans les entreprises productrices de systèmes informatiques, de logiciels) qu'en aval (pensons aux machines et spécialistes de pointe qui l'accompagnent, aux frais d'installation et de maintenance des systèmes de contrôle, etc.)[32].

Si on se met, par ailleurs (en sortant quelque peu du cadre de la seule sphère de l'informatique et de la dite « économie de l'information ») à ajouter au tout la dégradation des termes de l'échange, d'une part entre le travail et les produits et services (par les effets combinés de la baisse tendancielle des salaires, en termes réels, et des protections sociales, des mises au chômage massives), et d'autre part entre les produits de base et les produits manufacturés (par les effets, déjà examinés, des plans d'ajustement imposés aux pays non industrialisés aboutissant à la surproduction et à la chute des prix), on commence à entrevoir l'ampleur réelle de l'accélération de l'entropie globale ainsi engendrée — toujours au détriment des plus démunis, de la nature et du tiers-monde, pour l'instant.

Venons-en maintenant aux objections qui relèvent de la « technophilie ». Celle-ci consiste en la croyance quasi mystique que, comme la cavalerie américaine dans les épopées du Far West, des « technologies nouvelles » et des « énergies infiniment renouvelables », dues à l'inépuisable *génie de l'homme*, surgiront toujours à temps pour sauver l'humanité, « qui en a vu bien d'autres au cours des siècles ».

Rappelons que l'énergie que nous utilisons, dite énergie « libre » ou stockée (à peu près toujours fossile), n'est renouvelable qu'à l'échelle géologique — alors que nous l'« usons » à l'échelle humaine. Il est une autre forme d'énergie, dite énergie « liée », qui est celle que produisent mers, marées, vents, soleil, hydrogène contenu dans les océans, en lesquels beaucoup fondent de grands espoirs. Cette énergie liée est sans doute, effectivement, quasi infinie, mais elle ne nous est à peu près pas accessible en tant qu'énergie directement utilisable (et « rentable ») dans l'état actuel de nos connaissances et de nos technologies, ni dans un horizon raisonnablement envisageable[33]. C'est tout le problème de la transformation de l'énergie *primaire* (non utilisable telle quelle) en énergie *finale*, utilisable telle que recueillie. En somme, une *double extraction* est nécessaire : une première étape consiste, par exemple, à « extraire » de l'océan son hydrogène, puis une deuxième consiste à le « stocker » sous une forme utilisable (alors que dans le cas des énergies fossiles, elles sont déjà « stockées » par les soins de la nature, et il suffit de les extraire pour en disposer sous la même forme).

On voit aisément ce qu'impliquerait une telle façon de se procurer de l'énergie et de s'en servir : investissements colossaux, coûts démultipliés, immenses sites naturels défigurés, équilibres écologiques agressés sans qu'il soit possible d'en mesurer les conséquences à moyen et long termes, déchets de moins en moins éliminables et dont la toxicité et les effets synergiques dans le temps seront incontrôlables, sinon à des « coûts » inimaginables — plusieurs en sont déjà à se demander si les coûts engendrés par la seule recherche engagée dans la quête des énergies (infiniment) renouvelables et la domestication des énergies liées, ne dépassent pas largement les bénéfices réalisés ou escomptés, au point que le jeu semble d'ores et déjà ne pas en valoir la chandelle.

Que l'on songe seulement aux immenses difficultés rencontrées (accidents, fuites, problèmes posés par la disposition de déchets à toxicité et durée de vie de plus en plus longue, effets sur l'environnement, coûts exorbitants des technologies) par la filière nucléaire, pour ne prendre que cet exemple, à Three-Mile Island, Tchernobyl, Superphénix. Quant au solaire, à l'éolien, à l'hydraulique, au marin ou à la biomasse, il est évident que leur captage et leur usage, pour avoir lieu dans des conditions « rentables », dépendront directement de l'état dans lequel nos activités économiques et industrielles permettront à la Terre et à l'atmosphère de se maintenir !

Quoi qu'il en soit, et l'on ne saurait jamais assez insister là-dessus, le vrai problème n'est pas tant de pouvoir disposer de sources d'énergie infiniment renouvelables, mais, ultimement, *la façon dont nous usons des sources d'énergie*, quelles qu'elles soient. Il faut se poser la question de savoir si l'institution productrice de surplus monétaires (l'entreprise visant le profit maximal, comme pivot de l'activité économique) *est réellement viable, à long terme*, du fait même que sa raison d'être principale, le profit, repose incontestablement sur une impossibilité : l'impossibilité, d'un point de vue thermodynamique, d'une « création » *ex nihilo* (si l'on occulte tous les coûts tels que pollution, surtravail, surmenage, chômage, paupérisation accélérée des pays du Sud et du Nord) d'une quantité d'énergie s'ajoutant aux *entrées* et dénommée « bénéfices ». C'est ce que je crois pouvoir appeler, en toute logique, *l'impossibilité thermodynamique de la généralisation du modèle de l'entreprise à vocation de profits systématiques et,* a fortiori, *maximaux*.

En résumé, le modèle de développement basé sur l'extension de la « libre entreprise » et du « libre marché autorégulé » à l'ensemble de la planète ne rencontre pas seulement des difficultés d'application (l'aggravation des inégalités, etc.) que l'on pourrait surmonter par des ajustements techniques, il est purement illusoire et idéologique car il repose sur des postulats impossibles. Prétendant s'imposer envers et contre tous les signes concrets de son aberration, il conduit à l'aggravation exponentielle des problèmes en question.

Car si la « foi technologique » et les dogmes de l'économisme dominant relèvent du mythe et de l'idéologie, les lois de l'entropie et de la constance de l'énergie relèvent, elles, *dura lex sed lex*, de la pensée scientifique la mieux établie de nos jours.

Il est bien d'autres objections que celles « d'épistémologues » sceptiques et de technophiles optimistes pour tenter de juguler ce nouveau « spectre », qui hante non plus la seule Europe, comme la révolution du prolétariat au temps de Marx et Engels, mais toute notre planète. C'est ainsi qu'il se trouve toujours quelque économiste, comptable ou financier, pour avancer presque triomphalement que lorsqu'on soustrait les pertes des profits à l'échelle de l'économie mondiale, on obtient un résultat nul qui serait l'expression d'un état d'équilibre global. Il n'est pas besoin de développements très savants pour répondre à cette objection. Celle-ci ignore la différence fondamentale qu'il y a — en termes de résultats et non de processus — entre un raisonnement faisant appel à des considérations relevant de l'ordre de la physique, et un raisonnement faisant appel à des éléments qui ressortissent à la logique financière (sans précaution épistémologique indiquant le lien entre les unes et les autres, comme je le fais en utilisant les concepts de travail et de transformation). Si, en effet, pour l'économiste ou le financier, il y a une différence de nature entre « pertes » et « profits », pour le physicien ou le thermodynamicien, il n'y en a aucune *puisqu'il s'agit dans les deux cas d'une certaine quantité de travail fourni. Que ce travail soit rémunéré (profits) ou non rémunéré (pertes), cela ne modifie en rien la quantité d'énergie globalement et irréversiblement dégradée.* Si l'on cherche à exprimer un « bilan énergétique » donnant une « idée monétisée » de l'énergie rendue inutilisable à l'échelle globale, c'est alors bien au contraire une *addition* des pertes et des profits à l'échelle mondiale qu'il convient d'effectuer (« pertes + profits »), et non une soustraction des uns aux autres !

Une autre objection tenace consiste à faire une sorte de parallèle entre les systèmes producteurs d'information, dont nous avons vu qu'on leur prêtait des capacités néguentropiques, et d'autres cas particuliers de prétendues formes de « création de richesses sans dépense d'énergie », comme la spéculation ou l'accumulation d'intérêt, ou encore le « travail intellectuel ».

Évidemment, ce qui a été dit au sujet de l'information s'applique aussi à ceux-ci. Ainsi, pour prendre l'exemple des institutions de crédits, de la spéculation ou du prêt usuraire, il y a forcément dépense d'énergie dans ces activités, ne serait-ce que du fait qu'il y a toujours bâtiments et coffres à construire et à entretenir, salariés à rémunérer, ordinateurs à fabriquer, à faire fonctionner, transferts à effectuer. En outre, et c'est là le plus important, tout comme pour le cas de l'information, ce n'est pas tant le mode de production de l'argent par la spéculation ou l'intérêt qui est en cause, *que l'usage qui en est fait.*

À cet égard, notons que si l'argent fruit de la spéculation ou de l'intérêt ne débouche le plus souvent, aujourd'hui, sur aucune activité productive (à la différence de l'information), et n'a donc pas en aval d'effet entropique par la mise en branle d'activités de transformation, il ne correspond non plus à aucune forme de « conservation d'énergie », contrairement à l'argent fruit d'un travail « matériel » et productif, « informant » la nature ou la matière brute, comme un édifice, un outil, une machine, une route, biens concrètement utiles, qui « conservent » une certaine quantité de l'énergie « investie » en eux qui va se manifester sous la forme d'un ralentissement d'entropie relative que permet leur utilisation, parfois sur plusieurs générations[34].

Expliquons-nous à l'aide d'un exemple concret. Prenons d'un côté un artisan fabriquant des chaises, qui se procure une somme d'argent X en vendant ses chaises. Quoi qu'il achète avec cette somme (voiture, moto, services de médecin ou d'avocat), elle « représentera » toujours une quantité d'argent qui « laisse derrière elle » une certaine quantité d'énergie « conservée » dans les chaises produites (permettant à quelques générations de « ralentir une certaine quantité d'entropie » en les utilisant pour se reposer).

Et prenons, à l'opposé, un spéculateur qui s'est procuré la même somme X par pure spéculation. Comme notre artisan, il pourra acheter le même bien ou service, *mais sans laisser nulle part une quelconque quantité d'énergie conservée, puisqu'il n'y a aucun travail productif à la base de l'argent ainsi « gagné »*. Ne reposant sur aucune production concrète et utile, cet argent, en définitive, ne fait qu'accroître artificiellement le pouvoir d'achat et la puissance de ceux qui possèdent et contrôlent la monnaie, *sans plus*.

Il convient encore d'ajouter, à la quantité d'entropie achetée dans ce cas, celle induite par le fonctionnement de tout ce qu'implique le processus de production de l'argent spéculatif : courtiers, comptables, agents de change, car tout cela non plus (en dehors du travail, « primitif » — dans le sens d'« antérieur » et indépendant par rapport à l'acte de spéculation —, déjà inclus dans les édifices, banques, ordinateurs, infrastructures de communications, etc.) ne laisse aucune conservation d'énergie.

Il est donc — au moins *intuitivement*[35] — permis de constater que la même quantité d'argent X sera *toujours plus entropique* (encore une fois dans son usage) dans le cas de la spéculation[36]. L'artisan *« achètera » toujours moins d'entropie que le spéculateur* (ceci en termes d'énergie totale utilisée, *toujours* pondérée, dans le premier cas, grâce au travail productif; et *jamais* pondérée, à cause de l'absence de ce type de travail, dans le second cas)[37].

On peut objecter à ce niveau de mon raisonnement, avec quelque raison, que le travail mis en œuvre par les « services » (médecine, communications, travail intellectuel, conseils, etc.) ne mène pas non plus à une conservation d'énergie dans des formes concrètes « pérennes ». Il est vrai que les secteurs tertiaires (marchand et non marchand) sont certainement, de ce point de vue de la conservation de l'énergie par le travail, *globalement* plus entropiques que les secteurs primaires et secondaires (travail d'extraction, de transformation)[38]. Soit, mais la différence entre les services d'utilité publique et la production d'argent par la spéculation est énorme, ne serait-ce que par le fait que médecins, avocats, conseillers[39] contribuent, de par leur fonction sociale, à produire un certain ralentissement de l'entropie globale — au lieu de l'accélérer — en soignant des malades, en aidant à résoudre des situations conflictuelles. Car, il convient de bien le comprendre, toute activité spéculative — souvent traitée comme s'il s'agissant d'une parmi les activités du secteur des « services » — est, en soi, une plus grande accélération d'entropie que toute autre activité économique (concrète, passant par le travail productif concret — exemple de notre producteur de chaises évoqué plus haut —, ou plus « abstraite » de type « services à la collectivité »). La raison en est que la spéculation revient, pour ainsi dire, à « brûler la chandelle par les deux bouts » : il n'y a aucune conservation d'énergie par le travail, son propre fonctionnement est constamment entropique, et *en plus* la quantité d'argent spéculée permet d'aggraver l'entropie globale en procurant des débouchés artificiels (comme recourir à la planche à billets) à son équivalent en biens issus d'un autre secteur. C'est là le propre du capitalisme financier qui domine aujourd'hui la scène et qui agit comme un casino : la production d'utilités y est *nulle*, les coûts de ses propres entretien et fonctionnement toujours plus élevés, et la multiplication de l'argent, *en spirale infinie et en soi*, tient lieu d'occupation et de finalité. Les paris, les paris sur les paris (l'acte de spéculer, à la hausse ou à la baisse, qui n'est en fait qu'une sorte de série de « paris » que l'on prend à partir de méthodes et de raisonnements que l'on considère scientifiques[40]), et le jeu compulsif — tous comportements totalement irrationnels — en sont les moteurs. Personne ne peut avancer que les casinos servent en quoi que ce soit la communauté ou l'économie réelle, mais chacun peut comprendre les dommages dans les familles, dans la société, dans la vie des personnes, dont les casinos sont la source. S'avérer toujours et en toutes circonstances, en fin de compte, plus destructeur que bienfaiteur, voilà le point commun entre spéculation financière et casinos. C'est, en termes très simples, ce que je désigne ici par l'expression « être globalement plus entropiques ».

C'est ainsi, je crois, que l'on peut trouver une explication « thermodynamique » à des crises comme celle de 1930, et comme celle, planétaire, que nous vivons en ce tournant de siècle. La colossale frénésie spéculative qui s'est emparée des États-Unis entre 1925 et 1930 a fait s'écrouler, comme un château de cartes, l'immense quantité d'argent accumulée sur une sorte de néant financier purement fictif[41]. Dans le langage de la physique, ceci peut fort bien être l'expression de la façon dont les processus économiques réagissent, à partir d'un certain seuil, à *l'absence de conservation d'énergie par le travail.* Le même raisonnement peut être fait au sujet de la gigantesque quantité de capitaux qui s'est ruée dans les années 1970-1980 sur l'Asie du Sud-Est, le Brésil, attirée par la perspective de gains rapides et substantiels que laissait miroiter le taux de croissance soutenu de la région du Japon, la parité artificielle et les taux d'intérêt élevés autour du réal. On le sait, selon les dires des économistes orthodoxes eux-mêmes, la « capacité physique » d'absorption d'une telle quantité de capitaux n'a tout simplement pas suivi, d'où leur « retrait » aussi soudain que massif et la crise qu'ont alors connue les économies de ces régions. Lorsqu'on sait[42] que 90 % de l'activité « économique » de la planète n'est pratiquement plus, aujourd'hui, que transactions financières ; que ces transactions, à l'échelle internationale, représentaient quotidiennement 150 milliards de dollars en 1980, pour passer à 1500 milliards de dollars en 1998 ; que les activités spéculatives représentent plus de 50 % des transactions que l'on effectue chaque jour à Wall Street ; que la somme mondiale des transactions strictement financières équivaut actuellement, par jour, à l'équivalent d'une année d'activités de l'économie réelle, et qu'on se représente la quantité d'entropie « pure » que cet argent peut « acheter », on ne peut que craindre incessamment un fatal (et peut-être létal) nouveau *crash* mondial du type de celui de 1930.

Plus généralement, cette approche « thermodynamique » de l'activité spéculative peut éclairer la spirale bien connue, mais si mal comprise (en termes des processus énergétiques qu'elle représente) : inflation, chômage, récession, stagflation[43] ou surchauffe[44]. En effet, l'argent spéculatif est, en bout de ligne, et vu sous l'angle que nous venons d'exposer, le facteur privilégié de l'inflation (et pour ainsi dire, par voies de conséquences, pour les autres « fléaux » économiques ici évoqués, du fait que le rôle de l'inflation y est prépondérant : on sait que, par exemple, le recours indirect à la baisse de l'emploi est un des « remèdes » privilégiés pour lutter contre l'inflation) — si on admet la signification courante de l'inflation : un déséquilibre entre offre de produits et services réels d'une part et quantité d'argent en circulation d'autre part — car, alors, l'utilisation de cet argent ne constitue pas un échange entre un travail et un autre travail, un produit et un autre produit. Aucune contrepartie n'est intégrée dans le circuit global en échange des biens que cet argent achète, et la demande ne peut donc que dépasser l'offre.

Certains remettront peut-être en question ce lien entre la spéculation et l'inflation en invoquant quelques indices officiels d'inflation — par exemple, le taux quasi nul d'inflation maintenu ces dernières années dans les pays nantis, notamment aux États-Unis et au Canada. Mais alors, que fait-on des inflations affolantes qui dévastent le tiers-monde ? Ne serait-ce pas de l'inflation « exportée » du Nord vers le Sud ? Ou alors, elles ne comptent pas ?

Ensuite, comment peut-on raisonnablement, de nos jours, calculer un taux d'inflation, et imposer des mesures économiques dites de « lutte contre l'inflation » (cures d'amaigrissement des États, hausse des taux d'intérêts, réductions draconiennes des budgets publics, des déficits des gouvernements) dans des pays comme l'Algérie, la Russie, le Congo, l'Argentine, etc., quand on sait l'état de chaos dans lequel on les a déjà précipités ? Comment d'ailleurs peut-on songer même y calculer raisonnablement quelque taux d'inflation que ce soit ? Enfin et surtout, je précise que je parle d'inflation non pas uniquement sous la forme indiciaire d'un calcul économique indifférencié et abstrait, basé sur les seuls prix, mais aussi sous la forme, concrète, du rapport entre une certaine quantité de travail et une certaine capacité de se procurer biens et services. Ainsi, un Béninois, fonctionnaire moyen, doit travailler beaucoup plus longtemps qu'un ouvrier français pour se procurer exactement la même chose... Ceci, vu du côté du Béninois, relève aussi d'un phénomène inflationniste. Pensons encore aux effets dramatiques des dévaluations des monnaies de nombre de pays, comme la dévaluation du CFA qui, du jour au lendemain, a réduit de 200 % le pouvoir d'achat de la population. Dans les pays industrialisés, cette inflation est également tout à fait tangible sous la forme de la baisse du pouvoir d'achat d'une partie de plus en plus grande de la population.

À la lumière de notre rapide incursion dans l'application des principes thermodynamiques à l'analyse économique, penchons-nous à présent plus spécifiquement sur des conceptions clés de l'économie dominante que certains de leurs tenants croient pouvoir appuyer à tort sur des concepts issus de la thermodynamique.

Un soudain espoir a envahi depuis quelques années bien des milieux intellectuels et politiques, un espoir assez bizarrement généré par des travaux portant sur les phénomènes liés à la complexité, au processus de désordre, aux mathématiques du chaos[45]. Il s'agit d'un courant plutôt diffus, dont on retrouve des traces çà et là, amalgamant l'ordre par le désordre (ou par le bruit), l'ordre induit par les structures dissipatives, et les lois du marché déréglementé et autorégulé.

Bien entendu, la chose est trop complexe pour être directement et explicitement exposée par ses partisans, mais elle n'en consiste pas moins à lourdement assimiler le « marché » à une sorte de « structure complexe », qui, laissée à sa propre dynamique « apparemment désordonnée », finira, un peu comme les « structures dissipatives » de Ilya Prigogine[46], par générer des « ordres » et des « systèmes d'équilibre » aussi nouveaux que salutaires.

Cela est en fait presque trop beau pour les tenants du libéralisme débridé : plus le marché sera libéré et livré à lui-même, prétendent-ils, plus les chances de voir naître un nouvel ordre « a-idéologique », ne récompensant que les plus industrieux et les plus méritants, seront grandes. C'est là l'essentiel du discours et de l'idéologie dont des organismes tels que le Fonds monétaire international (FMI) et la Banque mondiale se servent pour dicter à l'ensemble des pays (surtout du Sud) leurs politiques économiques.

Voyons de plus près le fameux principe des structures dissipatives de Prigogine observables dans le comportement des cellules dites de Ménard[47]. Les spécialistes le savent, Prigogine travaille sur les phénomènes dits « éloignés de l'état d'équilibre », c'est-à-dire éloignés d'un état de « repos » où toutes les molécules seraient à la même vitesse, comme dans un liquide maintenu dans un récipient à la température ambiante. Pour notre propos, disons que pour que les phénomènes dont parle Prigogine atteignent cet état éloigné de l'état d'équilibre, il faut *nécessairement un apport d'énergie externe au système étudié*, qui provoque une accélération des molécules (dans le fluide de Ménard, par exemple). Et cet état éloigné de l'équilibre, une fois atteint un certain seuil d'élévation de la température, finit par faire apparaître, après des mouvements de plein désordre, certaines structures ordonnées qui impriment un comportement, de proche en proche, à l'ensemble des molécules, montrant interdépendances de mouvements entre molécules et directions déterminées, empêchant désormais les molécules de « faire n'importe quoi » indépendamment de ce que font les autres.

De là à voir dans ces phénomènes une métaphore applicable au comportement du marché autorégulé tel que le rêvent toutes les franges néolibérales et néo-conservatrices, et autres adeptes de la combinaison monétarisme-déréglementation, il n'y a qu'un pas que certains économistes franchissent vite[48], identifiant les phénomènes socioéconomiques à des sortes de structures dissipatives dont ils auraient la « capacité néguentropique ».

Mais il y a là un grave problème théorique et épistémologique : « l'ordre par le désordre » et les structures dissipatives génératrices d'ordre à partir d'apparents chaos sont des phénomènes qui surviennent dans des conditions qui n'ont strictement rien à voir avec celles dans lesquelles évoluent les structures socioéconomiques (dites structures à autostructuration induite).

Dans cette perspective, je soulèverai trois contre-arguments qui me paraissent des plus élémentaires. Le premier consiste à poser la question de savoir d'où proviendra l'énergie « externe au système » pour le conduire vers cet état éloigné de l'équilibre, *nécessaire* à l'apparition de ces nouveaux ordres salvateurs, quand ce système est notre planète (puisque le marché doit désormais être planétaire).

Le second concerne le fait que l'on a affaire, dans le cas des cellules de Ménard par exemple, à *des phénomènes et des éléments qui n'ont aucun rapport, ni d'échelle ni de nature, avec les sociétés humaines et le comportement des humains* : où a-t-on déjà vu des molécules divisées en classes départagées selon leurs fortunes et leurs pouvoirs ? Des molécules possédant l'arme atomique et d'autres pas ? Les unes disposant de multinationales et les autres pas ? Des molécules patrons et des molécules ouvriers, chômeurs, exclus ? Des groupes de molécules (pays) ayant toutes les capacités pour imposer leur idéologie à d'autres ? Comment peut-on alors prétendre transposer quoi que ce soit des raisonnements concernant le comportement de molécules soumises aux « lois » du chaos, du désordre, régissant des phénomènes éloignés de l'état d'équilibre, au comportement d'humains et de sociétés humaines « s'agitant » dans un marché qui n'est, justement, ni neutre ni un fluide en ébullition ?

Le troisième contre-argument est tout simplement que, quel que soit le nouvel ordre atteint, absolument rien ne peut garantir que ce sera un « ordre » qui maintiendra la présence humaine sur la Terre !

On le voit bien, l'analyse économique dominante aurait tout intérêt à méditer la formule du physicien anglais Stephen Hawking, qui pose[49], à côté du principe entropique le « principe anthropique » : principe qui veut que toute forme de réflexion de l'humain sur les conditions de sa propre continuité, ne peut, évidemment, porter que sur des contextes où l'humanité est incluse.

En conclusion, nous espérons avoir montré que l'argumentation qui fait de la libération des marchés, de la globalisation, de la compétition généralisée, tous ces slogans de l'idéologie néolibérale, le chemin d'un nouvel ordre bénéfique à tous, est radicalement contredite par les principes de la thermodynamique, qui montrent l'impossibilité empirique de la logique qui la fonde — postulat d'infinitude des ressources et des profits potentiels, maximalisme. Il n'est simplement pas envisageable que toute la planète puisse mener le train de vie des États-Unis — cette carotte que l'on brandit pour entraîner l'ensemble des pays à adhérer au dogme néolibéral. Où irait-on chercher l'énergie nécessaire à un taux de croissance généralisé de 4 %, par exemple, sachant que cela ferait doubler tous les 20 ans l'ensemble des biens et services produits sur toute la Terre ? Ce n'est simplement pas concevable d'un point de vue physique. Le biologiste et démographe bien connu Albert Jacquard établit plutôt que notre planète ne pourra supporter 10 milliards d'habitants (prévus pour la fin du siècle prochain) que si tous vivent sur le même pied économique que l'actuel paysan misérable du Bangladesh.

Qui dit ressources limitées dit nécessité de partager ces ressources. Après le Club de Rome, le Groupe de Lisbonne aujourd'hui a tout à fait raison : *c'est bien plutôt de halte à la compétition généralisée* qu'il faut de plus en plus parler, et de coopération pour une croissance répartie et différenciée selon les besoins vitaux de l'ensemble de la planète. Il est fini, le temps où l'on pouvait croire la Terre capable de fournir en énergie la boulimie de croissance infinie pour tous ; comme doit finir la croyance que les « puissants » peuvent se passer des « faibles ». Car les faibles d'aujourd'hui, à défaut de constituer *les marchés solvables* qui fourniront les débouchés et les échanges de demain (ce que les Japonais ont bien compris, qui ont travaillé à développer des marchés solvables dans leur périphérie), seront les *fossoyeurs des pays aujourd'hui nantis*, par l'inéluctable paupérisation généralisée que leur insolvabilité chronique et exponentielle entraînera, jusqu'au cœur des économies dites développées.

La coopération, la condamnation de la spéculation et le respect du rythme des flux d'énergie dans la nature — ne couper un arbre que lorsque la nature peut faire repousser le même arbre, dans les mêmes conditions, au même endroit, ne pêcher un poisson que lorsque... ne pomper un litre de pétrole que lorsque... —, voilà l'inévitable porte de sortie. C'est la *troisième solution indésirable* pour l'ordre de la maximisation infinie de la valeur d'échange. Indésirable car elle impliquerait, dans l'organisation de la production économique, trop de sacrifices inacceptables aux yeux de ceux qui en profitent. Et elle est — à ce titre — totalement contraire à l'idéologie de l'économie dominante et du management qui la sert.

Notes

1. Notons au passage que Karl Marx aurait sans nul doute entériné les réflexions qui vont suivre, particulièrement lorsqu'elles portent sur l'impossible hypothèse d'un marché autorégulé et à croissance infinie dans un monde fini, et que tout cela devrait objectivement nous inciter à enfin admettre le bien-fondé de la loi de la baisse tendancielle des taux de profit.
2. Voir notamment N. Georgescu-Rœgen, 1971; J. Rifkin, 1980 et 1989; R. Passet, 1980; B. Dessus, *Systèmes énergétiques pour un développement durable*, thèse de doctorat en économie appliquée, Université Pierre Mendès France, Grenoble, février 1995 et « Énergie-développement-environnement, un enjeu planétaire au xxe siècle », *Revue de l'énergie*, n° 415, nov. 1989. Howard T. Odum, *Environmental Accounting: Energy and Environmental Decision Making*, New York, John Wiley & Sons, 1996; Gonzague Pillet et Howard T. Odum, *Énergie, écologie, économie*, Genève, Georg éditeur, 1987; Gonzague Pillet, *Économie écologique: introduction à l'économie de l'environnement et des ressources naturelles*, Genève, Georg éditeur, 1993.
3. Bien qu'il y ait là apparence de paradoxe, lorsque l'on sait que l'économie a largement cédé à la tentation scientiste, notamment par ses emprunts à la physique et à la mathématique, je souligne ici avec force ce que je considère comme ayant été tenu « séparé » (au sein du courant dominant bien entendu): les leçons à tirer de l'évolution la plus profonde et la plus récente en physique, les domaines de la thermodynamique et de la mécanique quantique.
4. G. Devereux, *De l'angoisse à la méthode*, Paris, Flammarion, 1980.
5. Et lorsque, comme en économétrie ou en économie dite « mathématique », on utilise pour les besoins des analyses multivariées des équations empruntées à l'électromagnétique (dites de Maxwell) et à la cinétique des gaz, c'est sans jamais se poser les questions que se posent les physiciens sur la légitimité épistémologique de leurs instruments d'analyse. *Cf.* Maurice Dufour, « Introduction » et « Synthèse », *in* A. Chanlat et M. Dufour (dir.), *Les sciences de la vie et la gestion*, Montréal, Éditions Québec/Amérique, 1985.
6. G. Devereux, 1970.
7. Physicien danois (1883-1962), un des pères de la physique quantique.
8. On trouvera en annexe l'avis de l'un d'eux, et non des moindres, puisqu'il s'agit d'un des plus brillants « élèves » du professeur Bernard d'Espagnat,

lui-même professeur distingué et expert mondialement reconnu en thermodynamique et en physique théorique : le professeur Jaïro Roldan de l'Université Univalle de Colombie.

9. Voir, entre autres, I. Prigogine et I. Stengers, 1979 et 1988, N. Georgescu-Rœgen. 1971 et 1989, M. Planck, 1980.

10. J'aimerais mettre en garde contre la tentation d'invoquer ici le principe de « conservation des masses » dans les réactions chimiques, connu sous le nom de principe de Lavoisier, qui affirme que « rien ne se crée, rien ne se perd, tout se transforme » — car l'important en ce qui nous concerne est la qualité de l'énergie, et non seulement sa quantité. Sous les lois de la thermodynamique, dans toute activité impliquant travail et chaleur, il y a quelque chose qui se perd de façon irréversible : une certaine « quantité » d'énergie *utilisable* est devenue *inutilisable*.

11. En 1933 pour ses travaux sur la mécanique ondulatoire et la mécanique quantique. Schrödinger était un physicien autrichien (Vienne, 1887-1961).

12. E. Schrödinger, 1978.

13. La science physique elle-même est peu claire quant à la possibilité de distinguer nettement « travail » et « énergie » sur le plan conceptuel. Bien des définitions (par exemple, M. Planck, *Initiation à la Physique*, ou plus simplement l'*Encyclopédie universelle*) vont ainsi : « *Le travail, c'est* l'énergie échangée par un système avec l'extérieur sous forme ordonnée. »

14. Il est de première importance de bien noter qu'il s'agit d'énergie « utilisable », et non d'énergie « totale », car analyser en termes d'énergie totale impliquerait qu'il faille tenir compte de la quantité d'énergie « retenue » dans le système (vivant) pour son propre maintien en « état d'ordre ». Une telle analyse aboutirait au constat d'une illusoire égalité entre les flux (ou ce qui revient au même) de différence nulle entre les flux d'entrée et de sortie. En effet si à l'entrée du système nous avons une quantité Q_{E1} d'énergie importée et à la sortie une quantité Q_{E2} exportée, il reste que le système a « retenu » pour son propre usage une quantité $Q_{E(u)}$, qui si elle était prise en compte (analyse en termes d'énergie totale) ferait aboutir non pas à l'inéquation $Q_{E1} > Q_{E2}$, mais $Q_{E1} = Q_{E(u)} + Q_{E2}$.

15. On se rappellera, en écho, la question que posait Karl Marx en introduction du *Capital* : d'où provient le profit si tous les facteurs sont *rémunérés* à leur juste valeur ?

16. Le raisonnement ici conduit se situe donc au-delà du débat classique — lequel est par ailleurs, dans son propre contexte, toujours ouvert — concernant la valeur et son origine ou sa nature (absolue, relative, combinée, socialement accumulée, fixée par le rapport entre l'offre et la demande, la valeur comme « prix du travail » ou comme « quantité de travail » nécessaire pour se procurer un bien), depuis Smith, Ricardo et Marx jusqu'aux

néoclassiques et aux néo-marxistes. De quelque façon qu'on prenne ce problème, la « transformation », donc le travail fourni (en amont ou en aval, ce qui distingue, par exemple, l'usage de machinerie de celui de l'« information »), reste au cœur de toute « valeur » attribuée à un produit ou un service.

17. Nous discuterons plus loin de l'objection qui consiste à remarquer que « tout le monde ne fait pas des profits » et que, à la limite, pertes et profits « s'annuleraient » pour donner une sorte « d'équilibre global ».

18. Souvenons-nous que c'est là la question de départ de l'ensemble de l'œuvre du « vieux » Marx: si la concurrence et la poussée des prix vers les coûts sont les fondements du capitalisme, d'où provient donc le profit ?

19. On peut, en fait, recenser jusqu'à six formes de rémunération du capital : le salaire que s'octroie le capitaliste, l'intérêt généré par l'argent prêté à l'entreprise, les dividendes retirés — via les profits — des parts et actions détenues dans le capital investi, l'amortissement des actifs issus de ces mêmes investissements, les gains en capitalisation de l'entreprise... et enfin, le profit.

20. Un des records en ce sens, sans doute, est détenu par GM qui, durant les années 1990, rappelons-le, a jeté à la rue environ 260 000 employés, tout en engrangeant des profits avoisinant les 25 milliards de dollars !

21. On affirme, çà et là, que le « prix » des matières premières et de l'énergie brute ne cesse de baisser, et que « l'efficacité » (ou le rendement) des technologies modernes abaisse de plus en plus la quantité relative d'énergie dégradée pour un usage équivalent (par exemple, l'automobile de plus en plus légère et de moins en moins « gourmande », les réfrigérateurs, les téléviseurs, les ordinateurs de moins en moins exigeants en électricité). On n'a certainement pas tort en faisant de tels constats, mais cela doit être considérablement pondéré par la démultiplication parallèle de ces produits — donc par la plus grande quantité d'énergie dégradée en termes absolus, ce qui ne peut que se traduire en bout de ligne par de l'inflation quelque part. Soulignons dès maintenant, en anticipant sur la suite de notre propos, que d'une part, il est différentes manières de mesurer l'inflation, et qu'une partie n'est pas comptabilisée; et que d'autre part, ces matières et énergies qui semblent bon marché ne sont « moins chères » que dans les pays du Nord, « grâce » aux termes très inégaux des échanges et à la dévaluation des monnaies des pays du Sud.

22. D'après les spécialistes, il en disparaîtrait 14 par jour... alors que le rythme de la nature est... d'une trentaine par an !

23. Détenteur d'un Ph.D. de la prestigieuse Carnegie-Mellon University, ex-président de la Banque Nationale du Canada et récipiendaire, le 18 avril 1995, du prix Coopers Lybrand Canada, récompensant le meilleur livre d'affaires. Tous les soulignés sont de nous.

24. J. Rifkin, 1980.
25. J'aimerais inviter le lecteur à songer à ce fait bien cocasse: Bill Gates, dans un bel élan philanthropique, a décidé en 1999-2000 de faire don d'ordinateurs à diverses écoles du Québec, mais, même dans les écoles des quartiers riches, on a dû se résoudre à refuser son offre, car les coûts d'installation et d'usage de ces ordinateurs étaient prohibitifs au regard des budgets des écoles!
26. Physicien autrichien (1844-1906).
27. Surtout, ils ne sont ouverts que par un effet de cadrage: cadrant plus large, on voit qu'ils puisent à l'extérieur dans un système qui, lui, est relativement fermé: la Terre. Pour le dire autrement, un système est ouvert tant qu'il n'a pas touché aux limites de l'environnement extérieur dans lequel il puise. La fermeture apparaît en proportion de l'épuisement des possibilités de ressourcement du système. Ce qui paraît être le cas de l'économie terrestre, dont les limites, en termes de ressources, sont devenues tangibles dans les dernières décennies et le sont de façon croissante.
28. Voir Schrödinger, 1978; Hawking, 1989.
29. Club de Rome, Groupe de Lisbonne, René Dumont, 1988, etc.
30. Voir Atlan, 1972; Shannon, 1975.
31. Pour reprendre un raisonnement déjà conduit plus haut, jamais un logiciel contenant toute l'information imaginable sur la façon de construire un barrage n'arrêtera la moindre goutte d'eau, pas plus que le plus sophistiqué des *softwares* sur l'industrie du poulet ne nourrira la moindre personne. On comprend alors le piège insensé que représente le rêve de sauver l'humanité avec l'Internet: de quoi les Africains qui meurent de faim ont-ils besoin, de protéines à manger ou d'information sur les protéines?
32. C'est là, d'ailleurs, l'autre problème principal de l'association « technologies de l'information » et « prospérité économique pour les pays du tiers-monde ». A-t-on songé à l'énormité des coûts qu'implique une mise à niveau des capacités d'accès à cette information informatisée des pays du tiers-monde, depuis la formation jusqu'aux infrastructures de télécommunications, etc.? Je rappelle que jusqu'à présent, à peine 5 % — et je crois le chiffre optimiste — du tiers-monde est en état d'accéder aux « autoroutes de l'information ». Il est clair qu'une fois ceux-ci dotés de cette capacité d'accès, la part de l'inégalité Nord-Sud directement attribuable à l'extension tous azimuts des technologies de l'information et au fait qu'elles soient devenues passage obligé de toute efficience dans de nombreux domaines, cette part donc se trouverait résorbée. Mais ce ne serait qu'annulation des nouveaux facteurs d'inégalité introduits par les nouvelles technologies, ce ne serait que réparation. On ne pourrait donc mettre au bénéfice de l'information informatisée une diminution des inégalités qu'elle aurait elle-même créées.

33. Pour donner l'exemple de la fusion thermonucléaire, certains espèrent que nous serons un jour capables d'entretenir une réaction infinie — par exemple, ainsi que le dit la théorie, en « milieu plasmique », entre deutérium et tritium — un peu comme le soleil le fait avec le cycle hydrogène-hélium. La question de l'énergie serait à jamais résolue ! Or, selon les spécialistes, les températures impliquées sont de l'ordre de cent millions de degrés... Autant dire que cette voie ne semble pas envisageable avant longtemps, et qu'il est difficile d'imaginer qu'elle puisse être rentable.

34. Malgré, bien sûr, l'inévitable augmentation globale d'entropie par l'acte de transformation impliqué dans tout travail concret... insistons : il s'agit ici de comparer « entropie globale » engendrée par le travail et relative « conservation d'énergie » — disons, l'économie d'efforts, de matières... pour refaire cet outil, édifice, et l'efficacité (énergétique) supplémentaire pour de nouveaux travaux — que permet l'usage du fruit de ce travail.

35. Je laisse à des personnes plus compétentes que moi en ces domaines le soin de trouver les moyens d'exprimer de manière plus formelle cette « intuition » qui demande, on s'en doute, des expressions mathématiques de haute complexité.

36. Si le génie d'un Aristote ou d'un Marx avait disposé de la formulation des principes de la thermodynamique, sans doute que les condamnations de l'usure et de la chrématistique de l'un et les analyses de l'économie de rente de l'autre auraient pris une dimension bien plus profonde et auraient intégré le traitement de cette différence « thermodynamique » entre argent fruit du travail et argent de rente ou de spéculation...

37. Une comparaison sur le plan d'un bilan énergétique global entre les pays représentatifs du capitalisme « spéculateur-financier à court terme » (États-Unis, Royaume-Uni, France ou Suisse) et ceux représentatifs du capitalisme qualifié de « productif-industriel à long terme » (Japon, Asie du Sud-Est, RFA, Autriche et l'ensemble des pays scandinaves) serait des plus instructives quant au degré variable « d'accélération entropique » atteint selon les types de conduite économique.

38. Bien sûr, le bilan entre énergie dégradée et énergie conservée dans ces processus est à faire, afin de voir dans quelle mesure chacun tend vers un équilibre homéostatique entre flux d'entrée (ou de renouvellement) et flux de sortie — jamais atteint mais plus ou moins approché — ou s'en éloigne.

39. Lorsqu'il ne s'agit pas, bien sûr, de « conseillers » ou de firmes de conseil du type d'Enron ou d'Arthur–Andersen, qui, comme l'ont révélé les scandales successifs, qui ont éclaté début 2002, sont au contraire à l'origine de nombreuses activités hautement spéculatives et frauduleuses. Ce qui nous fait assister à la mise à jour d'une autre façon de multiplier l'argent « hyper-entropique » : la fraude comptable à très large échelle. Sur ce même registre, une étude de la London School of Economics — mystérieusement disparue

depuis — a révélé en janvier 2002 que Wall Street recourait aux mêmes procédés : les chiffres des déclarations fiscales étaient, pour l'année étudiée, inférieurs de plus de 120 milliards de dollars par rapport aux bénéfices annoncés publiquement (pour maintenir ou gonfler la valeur des actions).

40. C'est là le rôle dévolu en microéconomie et en finance à un certain usage de la théorie mathématique des jeux, des théories des expectations (ou attentes), de la prise de risque « calculé », etc.

41. Un exemple parmi d'autres, rapporté par J. K. Galbraith (dans *La crise économique de 1929*, Paris, Payot, 1961), montre comment le puissant banquier Morgan et quelques acolytes ont réalisé en quelques jours, sur une opération de spéculation boursière qui relève de l'escroquerie « légale », 36 millions de dollars de bénéfices (fin des années 1925 !) sans investir ni risquer le moindre sou, tout en ruinant Dieu sait combien d'honnêtes petits porteurs ayant eu la naïveté de croire au système d'investissement en bourse. Mais nul n'est besoin de remonter jusque-là, lorsque l'on a sous les yeux, en 2002, l'exemple d'Enron dont les dirigeants ont, entre autres incroyables basses manœuvres, organisé, pour attirer et appâter les investisseurs, une mise en scène digne des fictions hollywoodiennes les plus folles : ils ont réuni, pour une fausse journée de travail, une centaine de faux employés, dans de faux bureaux, dotés de faux fichiers, équipés de faux ordinateurs, de faux téléphones...

42. Chiffres de l'OCDE et de la Banque mondiale, 1999-2001 et G. Verna *et al.*, *Éthique et capitalisme*, Paris, Économica, 2002.

43. Stagnation de l'activité productive accompagnée d'inflation.

44. Déséquilibre entre la croissance de la demande et la saturation des facteurs de production.

45. Il s'agit de travaux d'auteurs tels que E. Morin, H. Atlan, I. Prigogine, R. Thom, J.-P. Dupuis.

46. Chimiste belge dont les recherches concernent les processus irréversibles.

47. Je n'entrerai pas ici dans les détails de ce « comportement », mais j'invite le lecteur intéressé à consulter I. Prigogine et I. Stengers : *La nouvelle alliance*, et *Entre le temps et l'éternité*.

48. Il s'agit ici plus d'objections qui m'ont été faites lors d'exposés en congrès... et de rapprochements indirects (sans mention spécifique des travaux de Prigogine) entre phénomènes de type « chaos » et lois du marché, que d'écrits mettant spécifiquement en cause, en économie, les éléments liés aux structures dissipatives.

49. Dans *Une brève histoire du temps*, Paris, Seuil, 1998.

Chapitre VII

L'économie-management face à l'humanisme : entre l'employé ressource et l'employé partenaire

D'instrument qu'elle n'aurait jamais dû cesser d'être, la mathématique est devenue emblème, signe de science, destiné à impressionner au-dehors et rassurer au-dedans : l'économiste, par la mathématique, conjure son inquiétude d'usurper.

Frédéric Lordon

L'avènement de la société communiste, c'est l'échange, entre les hommes, d'objets humanisés.

Karl Marx

Les théoriciens de l'ère dite post-moderne nous annoncent, avec l'avènement d'une société post-postindustrielle, la fin de *l'Homo aeconomicus*, voire la fin de *l'Homo consumens*, sous la figure d'un triple dépassement : dépassement de l'individualisme comme fondement de l'organisation sociale, dépassement du consumérisme fétichisé, et enfin, dépassement de l'illusion que le marché dit libre, considéré *ipso facto* comme synonyme de démocratie, assure en lui-même épanouissement et liberté de l'individu [1].

Mais, paradoxalement, nous voyons un regain sans précédent, dans la pensée économique et managériale, des idées du capitalisme sauvage du XIXe siècle, et un néo-taylorisme ravageur sévir derrière les masques de la réingénierie et de l'organisation dite autonome, flexible, virtuelle du travail.

En d'autres termes, jamais la conception selon laquelle le comportement rationnel — et naturel — de l'homme (d'abord producteur, consommateur, entrepreneur) serait de s'acharner à maximiser ses fonctions de satisfaction n'a été aussi présente dans la vie réelle de l'économie et des organisations.

Ne dit-on pas, en effet, qu'une entreprise « rationalise » ses effectifs lorsqu'elle licencie pour mieux exploiter ceux qui resteront, à l'aide d'une autre rationalisation, dénommée « stratégie de synergie », ou « recentrage sur le *core business* » ? Le tout toujours accompagné de réaménagements des structures et des tâches invariablement destinés à en faire faire plus pour moins ? Quant à l'individu, nous avons déjà vu comment les théories économiques les plus en vogue dans les départements de *business* (avec la troisième vague de la microéconomie, celle du marché imparfait, imbibée de théories des jeux) en font une sorte de *joueur dit rationnel*, tout occupé à optimiser ses gains à travers de subtils calculs de « coûts de transaction », de « coopération contre défection », de façons de tirer profit de « biens publics [2] », etc.

Parallèlement, s'il est un point vers lequel semblent converger l'ensemble des courants managériaux depuis deux décennies, c'est celui de la « reconnaissance » du caractère central de la personne humaine, de ses attitudes et de ses comportements au travail.

Il faut donc se poser la question, ce que nous allons faire dans ce chapitre, de la place que l'on accorde à l'être humain dans ces théories managériales, récentes et moins récentes.

Nous verrons que de bien grandes et toujours plus irréductibles contradictions planent au-dessus de nos organisations contemporaines, qui tentent d'accommoder des idées et des impératifs contraires.

On sent que l'ère des certitudes managériales est passée. Beaucoup constatent avec étonnement et anxiété que la bonne gestion, le succès, la productivité et l'efficacité économiques ont changé de camp (par exemple vers le Sud-Est asiatique, malgré toutes les secousses subies ces dernières années), que l'industrie nord-américaine stagne comparée à celle, bien plus dynamique, des pays nordiques, du Japon et des pays asiatiques émergents, tandis que la dégradation de la nature et de la qualité de vie ne font que gagner en ampleur. Cela se traduit par un foisonnement d'écrits qui prétendent, dans ce contexte, « révolutionner[3] » le management et les théories de l'organisation, et dans lesquels se lisent contradictions et désarroi.

Rappelons que c'est l'arrivée en trombe du Japon dans la conquête des marchés mondiaux qui a inauguré, dans les années 1970, l'ère de la remise en question du management à l'américaine et de ses soubassements socioéconomiques[4]. Un rapide coup d'œil sur les écrits managériaux les plus en vue depuis lors montre cependant que les théories tournent en rond à l'intérieur du cadre traditionnel du fonctionnalisme utilitariste nord-américain et de la pensée économique néoclassique la plus conservatrice[5].

L'un des premiers chevaux de bataille enfourchés dans cette remise en question du management traditionnel a été celui de la *culture d'entreprise*. Parti des toutes premières tentatives pour comprendre le modèle japonais, ce concept a connu une fortune dont l'élan et le ton ont été donnés, notamment, avec le *In Search of Excellence* de Peters et Waterman. C'est là une mode managériale par laquelle on invite le manager à se muer en héros créateur de mythes et de valeurs, en catalyseur de l'éclosion de symboles autour desquels, enthousiastes et galvanisées, les foules laborieuses se mobiliseraient pour la productivité et la performance soutenues[6].

Le second cheval enfourché, souvent considéré comme complémentaire au premier, et toujours inspiré du modèle japonais, a été celui de la *qualité totale* (à laquelle se rattachent des mesures telles que les cercles de qualité, les systèmes de zéro stock, de zéro défaut, de production juste-à-temps, etc.)[7].

Il est assez aisé de constater que la plupart des vogues récentes en management, que l'on peut regrouper sous la bannière des « suites de l'excellence », sont, pour l'essentiel, une façon ou une autre de combiner des éléments de culture d'entreprise et des éléments de gestion par la qualité totale.

Autour de ces thèmes se greffent, accessoirement, des considérations d'écologie, d'éthique, ou de spiritualité, mais surtout, des propositions de modes de gestion visant la cohésion, la complicité, l'esprit d'initiative et la créativité à tous les niveaux. Et ceci se ferait, proclame-t-on, par la revalorisation du capital humain, que l'on dit « capital le plus précieux » de l'organisation.

Quelles sont les implications profondes de l'apparente convergence, depuis le début des années 1980, des divers nouveaux souffles managérialo-économicistes vers un *credo* central : le *rôle déterminant des personnes*, de leur valorisation, de leur reconnaissance, de leur engagement, de leur mobilisation, etc. ? Le fait est que, devant la concurrence d'autres systèmes comme celui du Japon et des pays du capitalisme industriel, il devient de plus en plus difficile de réaliser de la plus-value seulement en organisant le travail, en le disciplinant, en coupant les coûts, et en rentabilisant au maximum le temps qu'il utilise[8]. Le machinisme, la robotisation et même la révolution dite de l'information ont atteint leurs limites. L'obsolescence de tout est toujours plus rapide et l'inventivité et la souplesse du cerveau humain sont, plus que jamais, indispensables, même si on ne vise qu'une cynique meilleure rentabilité[9]. Mais serait-ce la seule motivation ? Ne chercherait-on pas aussi, somme toute, l'avènement d'une pratique économique — et donc d'une entreprise — à visage plus humain ?

Que veut dire précisément ce « plus humain » ? Quelle sorte d'humanisme a-t-on là ? Peut-on concilier humanisme et idéologie de la rentabilité maximale ?

Quel est cet homme que l'on veut valoriser, libérer, acculturer à la performance aussi volontaire que soutenue ? À qui l'on veut (re)donner du sens dans son lieu de travail ? Que l'on veut reconnaître ? Avec qui l'on veut partager les objectifs, que l'on veut traiter avec éthique ? Et qu'on prétend ne plus vouloir voir agir en instrument passif ? Surtout, en quoi cela diffère-t-il des notions que l'on trouve déjà dans les travaux les plus classiques du management traditionnel ? Taylor parlait explicitement de la supériorité du travail d'équipe, autant que d'équité et d'honnêteté (autour de l'accord sur ce qu'est une journée loyale de travail, par exemple), d'initiative et de qualité par la formation « d'ouvriers de première catégorie », de constante concertation entre cadres et employés... Fayol parlait non moins explicitement

de bonté, de gestion avec cœur, de justice bienveillante, de la supériorité des rapports directs et verbaux, du bon chef qui sait stimuler l'initiative et la concertation, qui agit selon des principes de haute morale.

Elton Mayo, quant à lui, rappelait l'importance primordiale du « facteur humain », du système symbolique, des valeurs de groupe, et du caractère central de ce qu'il appelait le système irrationnel et affectif.

Cela n'a pas empêché le management et ses théories de s'atteler intensément à la tâche d'élaborer des techniques et des instruments qui aideraient à faire faire toujours plus et plus vite à l'usine ou au bureau. Dans cette perspective, la créativité, l'initiative et la conception étaient du ressort des spécialistes des départements nobles de la recherche et du développement, des analyses, de la planification, et tout le reste de l'entreprise était là pour exécuter, avec diligence et soumission, les plans de travail et les objectifs stratégiquement arrêtés au plus haut de la hiérarchie. L'employé idéal y restait « l'homme qu'il faut à la place qu'il faut », obéissant et zélé instrument d'application des consignes.

Le problème principal qui se pose au management et à ses théoriciens dans un tel contexte est de trouver les moyens *de motiver et d'intéresser* les personnes à effectuer un travail qu'on s'est évertué (par la spécialisation, la division du travail et le souci du moindre coût) à rendre de plus en plus inintéressant et vide de sens [10].

Par ailleurs, avec les réussites économiques japonaises et — même si les bases et les modalités diffèrent — allemandes et scandinaves des années 1970-80, d'autres conceptions et d'autres facteurs de succès se sont fait jour : ce n'est plus faire faire plus et plus vite au moindre coût, mais faire mieux, plus créatif, plus intelligent et plus fiable, même et surtout aux plus bas échelons. L'ère de la qualité et de la créativité étend ses exigences et montre que *tous les employés doivent être partie prenante*, actifs et « pensants » dans tout ce qui touche à leur contribution à l'organisation. Voilà ce à quoi semblent parfois vouloir faire écho les modes du renouveau managérial.

Mais le management traditionnel n'est pas préparé à cela. Plus grave, il n'est pas armé, en termes conceptuels et théoriques, pour comprendre à sa juste mesure l'ampleur du bouleversement qui semble se déclencher. Engoncés dans une gangue théorique cimentée par le fonctionnalisme et l'idéologie du consensus et du consentement fabriqués, comme dirait Noam Chomsky, les théoriciens du management dominant ne peuvent voir qu'à des facteurs de succès profondément différents doivent correspondre une philosophie de gestion et une conception du travail et du travailleur tout aussi différentes. C'est là le cœur des contradictions qui traversent les théories et méthodes managériales aujourd'hui. L'employé du « faire plus, plus vite » et de l'obéissance passive n'est pas celui de l'adhésion active, de la vigilance personnelle, de l'initiative et de la créativité de tous les instants et de tous les niveaux.

Toujours est-il qu'on assiste plutôt, en guise d'ajustement au nouveau contexte, à une prolifération de nouveaux *how to* : comment construire une bonne culture d'entreprise, comment gérer les symboles, comment générer et diffuser les bonnes valeurs, comment créer des champions et autres *skunks* [11], comment identifier et mobiliser les ressources humaines dites stratégiques, comment continuer à motiver les employés après les réingénieries, les fusions-acquisitions, les plans sociaux, l'organisation du « travail flexible » et rotatif, etc. Tout cela comme si le changement était un simple changement de degré, de méthodes.

Cela fait bientôt plus de vingt ans que *In Search of Excellence* de Peters et Waterman et ses dérivés ont cours, directement ou non, dans les milieux académiques et professionnels du management orthodoxe, et on attend toujours de voir tous les membres de l'entreprise travailler ensemble, debout comme une seule personne, dans une organisation pétrie de concertation, d'enthousiasme, de complicité et d'entraide.

Qu'il s'agisse du courant de la culture d'entreprise (Ouchi, 1981 ; Deal et Kennedy, 1982 ; Peters et Waterman, 1982) ou de celui de la mobilisation des intelligences et de la valorisation des ressources humaines (Peters et Austin, 1985 ; Waterman, 1987 ; Crozier, 1989 ; Archier et Sérieyx, 1984) ; que ce soit par le biais

de la qualité totale et de la réintroduction du sens du travail (Burr, 1979; Juran et Gryna, 1980; Michel, 1989; Serieyx, 1989; Peters et Austin, 1985; Mintzberg, 1989) ou de la réalisation du lieu de travail comme un lieu de concertation et de partages (Peters et Austin, 1985; Weitzman, 1984; Peters, 1987; DePree, 1989); que ce soit dans la critique des méfaits que constituent les agissements de la majorité des managers occidentaux pétris d'économisme, de court terme, d'utilitarisme, de non-reconnaissance de l'employé (Etzioni, 1989; Minc, 1990; Mintzberg, 1989; Bourcier et Palobard, 1998; Harrington, 1998; Dejours, 1998, Burnstein *et al.*, 1999), ou encore dans les balbutiements de ce qui sera sans doute la prochaine grande mode managériale: le *business* dit « éthique » et « éthique-spirituel » (Ouimet, 1999; Pauchamp, 2000), de toutes parts se fait entendre un appel insistant à la mise au premier plan de l'humain.

Mais de quel humain est-il question ? L'humain dont on parle est, si j'ose dire, tronqué. Car nulle part dans ces écrits il n'est fait mention du souci *d'une théorie de l'homme.*

Cet homme est constamment évoqué, sous-entendu, considéré comme allant de soi [12]. On fait appel à lui « en tant qu'humain », on dit qu'on a à cœur de le voir « traité en humain », on veut lui faire épouser la « bonne » culture, le faire adhérer aux « bons » symboles, le voir se mobiliser autour d'un projet commun, se métamorphoser en champion... Mais tout se passe comme si l'on n'avait aucunement besoin d'une idée plus claire des raisons, des faits et des circonstances qui provoqueraient une telle métamorphose de l'employé.

Tenter de comprendre ces raisons, faits et circonstances, c'est se résoudre bien sûr à passer par le point de vue de l'employé, lequel est, après tout, l'« humain » que ces théories visent à promouvoir.

On constate dès lors trois nécessités corollaires:

1. Le dépassement du management orthodoxe basé sur les privilèges unilatéraux, l'exclusivité des « droits », l'autorité (même dissimulée derrière les manipulations de la perception, de la subjectivité, des symboles);

2. Le dépassement de « l'organisation » et de la « stratégie » imposées par les « états-majors », et par essence « hétéronomiantes » ;
3. Le dépassement des divers scientismes qui ont successivement envahi le champ managérial (organisation scientifique du travail [OST], sciences du comportement, sciences de la prise de décision, sciences de l'information de gestion, ou *management information sciences* [MIS], bureautique, robotique, informatique, modèles économétriques, recherche opérationnelle, etc.).

Il devient inévitable de chercher comment ouvrir la voie à une conception et à une pratique managériales qui *permettent chez l'employé l'éclosion du désir d'adhérer* aux objectifs de l'entreprise, de mobiliser son intelligence pour son travail.

Comment concevoir une telle pratique si on ne remet pas en cause, radicalement, ce qui semble en avoir été jusque-là l'obstacle majeur : la conception (et le traitement) de l'être humain au travail comme un instrument de production, comme — à travers un psychologisme béhavioriste étroit — une sorte de « mécanique à besoins », comme un être de maximisation égoïste et soi-disant rationnelle de ses gains, comme une ressource qu'il faut rentabiliser et surveiller, comme un coût qu'il faut contrôler et minimiser ?

Les théories du renouveau en management ne semblent pas mesurer les implications profondes des changements qu'elles appellent, qui touchent, à travers la conception de la personne, la théorie de l'organisation tout entière. Or, en l'absence d'un changement de perspective plus fondamental, la tentative d'aller chercher chez l'employé coopération et appropriation des buts de l'entreprise pourrait représenter, plutôt qu'une libération, le comble de l'aliénation et de l'exploitation. C'est en cela que ces théories me paraissent s'arrêter en chemin, même si elles partent souvent, comme on le verra, de questions et de constats judicieux.

La reconnaissance de la nécessité, même strictement managérialo-économique, de passer d'une manière de gérer et d'une conception de l'employé qui le font se conduire en rouage passif et obéissant (en partie muette et aveugle du système, comme diraient les physiciens) à une manière et une conception qui en font un collaborateur engagé et actif, jouissant d'autonomie et de possibilités d'autodétermination, me semble déjà un progrès considérable.

Les pionniers que furent en ce sens Peters et Waterman parlaient de la nécessité de faire en sorte que chaque employé se vive et se comporte comme un *ambassadeur* de son entreprise. C'est là un but louable, à condition cependant de ne pas négliger le fait qu'un ambassadeur est nécessairement doté d'une certaine latitude, de certains pouvoirs, d'une certaine autonomie et que, souvent, il est autorisé à se comporter en ministre plénipotentiaire.

De plus, ce supplément d'autonomie et d'autodétermination que l'on voudrait accorder aux employés ne peut se concevoir sans cession à ceux-ci d'une parcelle toujours plus substantielle du pouvoir au sein de l'entreprise, du « droit » de gérer et de décider, de disposer des moyens, des profits, etc.

Or c'est là le tour de passe-passe qu'ont cru pouvoir réaliser les courants dits de l'excellence, du symbolisme, de la culture d'entreprise, de la qualité totale, etc., après l'échec évident des précédents courants de la motivation et des relations humaines: on a pensé pouvoir réaliser une sorte de relation d'appropriation abstraite (symbolique) entre travailleur et entreprise, sans coup férir sur les plans matériel-concret et symbolique de l'asymétrie du pouvoir (partage des profits, de l'autorité, du pouvoir décisionnel, de la propriété, de la capacité d'influer sur la destination et les usages des gains réalisés) [13].

Par l'implicite conservation du *statu quo* pour tout ce qui touche au pouvoir, au contrôle des profits, à la division du travail, et pire, aux incessantes opérations de réingénierie, de fusions-acquisitions, il ne peut s'agir là que d'un humanisme de façade, d'un humanisme trompeur, portant les germes de sa trahison et de sa destruction. Comment, en effet, prétendre inviter l'employé à se libérer, s'exprimer, participer, se réaliser, adhérer à des valeurs partagées, si on s'acharne à toujours désigner les dirigeants comme les acteurs et réalisateurs de cette libération (ce que dit explicitement toute théorie exposant les rôles « stratégiques » des chefs) ? C'est une libération qui est le plus couramment conçue comme le résultat *d'une nouvelle culture d'entreprise* octroyée, diffusée, organisée, téléguidée par des leaders et hauts dirigeants [14]. Il n'est pas question de nier le rôle, évidemment déterminant, des dirigeants, mais d'insister sur le fait que ce rôle doit essentiellement consister à promouvoir un changement radical dans les conditions concrètes du vécu quotidien de chacun à son travail : une « culture » de synergie et de complicité doit être enracinée dans des pratiques réelles exprimant convergence, rapprochement, partage.

Tout cela ne doit cependant pas faire oublier le fait qu'il existe aujourd'hui plusieurs auteurs, notamment européens, qui proposent des voies de recherche et d'action différentes et plus proches d'un humanisme « authentique [15] ».

C'est peut-être là un pont possible entre les souhaits de gourous à la Peters et Waterman et de nouveaux rapports de travail pensés en termes plus radicaux et plus humanistes.

En quoi ces mouvements paraissent-ils pouvoir jouer ce rôle de pont entre l'économique, l'industriel et l'humain ?

En référence aux formules utilisées dans l'ouvrage classique de Burrel et Morgan (1979), je dirais que le type d'humanisme que je propose n'est certainement pas idéaliste, ni subjectiviste, ni idéal-objectiviste, ni pur. Il ne prétend au fond qu'à une chose : retenir de chacune des grandes écoles en jeu, dans une perspective complémentariste, ce qui paraît convergent, complémentaire, mutuellement éclairant, et peut être mis à profit dans cette quête difficile et complexe de ce qu'est une *conception humaine de l'homme, et de l'homme au travail.*

C'est là une quête inéluctablement vouée au radicalisme, dans le sens d'une réinterrogation en profondeur, d'un retour aux sources et aux racines des choses (historicisme, diachronie, structures sociales et économiques en jeu, répartitions du pouvoir). Il s'agit certainement d'une quête aussi vieille que l'humanité pensante. Il faut donc assumer les dilemmes et les risques de tris et de choix à la limite de l'arbitraire, du conventionnel ou du penchant subjectif. Mais il est, en la matière, des auteurs princeps incontournables comme Aristote, Marx, Fromm, Sartre, Freud, Evans-Pritchard, dont nous retiendrons les points essentiels suivants :

1. L'être humain est un être voué, du fait de sa capacité unique d'autoréflexivité, à la recherche de ce qui le libère, l'émancipe de toutes formes d'entraves qui en feraient un être objectivé (ce qu'on analysera un peu plus loin) ; à la recherche de ce qui le *rend à lui-même*, et le conduit vers un accomplissement de ce qu'il est par vocation : un être doté de conscience, de jugement propre et de libre arbitre, aspirant à sa propre élévation, dans ce qui le spécifie par rapport au reste du vivant. De ce fait, l'homme est à considérer comme un « être générique », créateur de ce qui constitue son milieu, de sa société, et donc de lui-même. L'humanisme dont je parle ici exprime le fait d'être tout entier centré sur l'homme, sur la signification pour l'homme de ce qui est entrepris. Je fais ainsi mienne cette définition d'Erich Fromm :

   > [L'humanisme est] un système centré sur l'homme, son intégrité, son développement, sa dignité, sa liberté. Sur le principe que l'homme n'est pas un moyen pour parvenir à tel ou tel but mais qu'il porte en soi sa propre fin. Sur sa faculté d'activité non seulement individuelle, mais sur son activité de participation à l'histoire, et sur le fait que chacun porte en lui l'humanité tout entière[16].

2. Une longue tradition, depuis Aristote (avec le fameux *l'homme est un animal politique*) jusqu'à Weber (avec la figure centrale du passage de la société organique à la société mécanique, de l'*oïkos* à la bureaucratie), en passant par Marx (avec le caractère central des rapports sociaux, des phénomènes de classes), fait de l'homme un être fondamentalement de communauté, de société, de rapports avec ses semblables. Rapports dans et par lesquels il fonde son sens de lui-même (ce qui en fait son lieu et ses conditions de réalisation privilégiés). Ce ne sont ici ni les divergences ni les convergences entre Aristote, Marx et Weber comme théoriciens qui m'intéressent, mais leur commun constat de l'inamovible *nature socio-communautaire* de l'homme.
3. Compte tenu de l'objet principal de la présente réflexion, l'homme au travail, il apparaît que le système, la pensée et l'auteur qui s'imposent dans ce domaine sont le marxisme et

Karl Marx, avec en particulier leur apport du concept d'aliénation, touchant de près l'idée de déshumanisation. Il n'est cependant pas aisé de se situer parmi ce que les innombrables écoles et obédiences marxiennes ont établi ou retenu à propos de l'humanisme. C'est pourquoi je dois m'attarder à quelques précautions théoriques préalables.

Me fiant à plusieurs spécialistes faisant autorité en la matière[17], et sans nier les nuances et les différences parfois importantes qui existent entre eux, je retiens au moins qu'on peut faire le choix de *considérer l'œuvre de Marx comme un tout, plutôt que de s'évertuer à séparer en deux blocs épistémologiquement distincts les travaux d'avant et d'après* Le Capital. Les travaux dits *de maturité* (en particulier *Le Capital*) trouvent, à mon sens, cadres et racines dans ceux dits *de jeunesse* (en particulier les *Manuscrits* de 1844). Avec un expert reconnu tel que Kolakowski, je pense que l'on peut accepter l'idée que:

> Toutes les critiques menées par Marx — celles des *Manuscrits* de 1844, de *Misère de la philosophie* de 1847, de *Travail salarié et capital* de 1849, des *Grundrisse* de 1857-1858, de la *Contribution à la critique de l'économie politique* de 1859, et finalement celles du *Capital* lui-même, sont autant de versions toujours plus achevées d'une seule et unique pensée directrice[18].

Même si, comme l'ajoute Kolakowski, « il est exact que la terminologie et le mode d'expression marxiens ont changé entre les années 1844 et 1867 », cette unité directrice de la pensée de Marx se lit dans la constante enquête sur les conditions de déshumanisation de l'homme d'une part et, d'autre part, dans la non moins constante recherche des voies possibles de reconquête de conditions plus humanisées.

Je suis aussi enclin à penser — notamment par l'apport des *Grundrisse* — que *Le Capital* peut être vu comme un aboutissement, à des niveaux d'analyse différents (plus structurels), de la quête déjà entamée avec les *Manuscrits*, quête initialement plus normative et plus anthropologique:

> [...] il ne faut voir là qu'un changement de terminologie et non pas un changement touchant au contenu, parce que la totalité du processus dans lequel le travail humain comme les produits de ce travail sont aliénés par rapport aux sujets travailleurs se trouve décrite dans *Le Capital* [...]: la description ultérieure du *Capital* nous met en présence du même phénomène que nous avions primitivement découvert avec les *Manuscrits*[19].

Ce que je pense donc devoir considérer, en toute logique, comme un élément central à traiter dans le cadre d'un radical-humanisme néo-marxiste, c'est la question de *l'aliénation* et du *travail aliéné* (somme toute l'une des plus vieilles, explorée dès les travaux du jeune Marx).

Pour l'instant, retenons que le lieu par excellence où l'homme risque sa *perte en tant qu'humain*, où il risque d'aller vers son *étrangeté à lui-même* (de s'aliéner), c'est l'acte par lequel il peut, précisément, exprimer son essence générique: l'acte de travail. *Le cœur moderne du processus de déshumanisation de l'homme, c'est l'aliénation par le travail.* D'où l'intérêt primordial de ce qui se passe, concrètement, lors du processus de travail et dans les rapports de production dans lesquels il s'inscrit. Dans ce processus, le travailleur s'aliène en vendant sa force de travail (et non son travail qui serait, lui, l'expression d'un acte créatif), tout en contribuant au développement et à la consolidation de puissances (marchandises, profits, capital) qui lui sont extérieures, étrangères et, en définitive, hostiles puisque abreuvant leur propre puissance à son maintien en état de subordination.

La finalité poursuivie n'est plus l'homme et ce qu'il y a d'humain en lui (la satisfaction de ses besoins, par exemple, par le biais de la valeur d'usage, et son émancipation comme être générique) mais « la croissance illimitée de la valeur d'échange » (Kolakowski[20]).

En résumé, ce que j'entends par radical-humanisme néo-marxiste, c'est cette analyse du glissement de l'homme vers un *rapport d'étrangeté à lui-même*, par le biais de ce qu'il est conduit à faire et à vivre en tant qu'être social et économique, donc en tant qu'objet de la théorie de l'économie, de l'organisation et du management. Ce qui implique que je retiens comme *complémentaires, plutôt que mutuellement exclusives*, les analyses empruntant les concepts du jeune Marx (conscience, aliénation, critique) et celles dites du vieux Marx (structures, contradictions, crises). En fait, en la matière, je considère qu'il suffit d'être averti du niveau d'analyse auquel on se place.

Fondamentalement, la personne aliénée n'est ni différente, ni distincte, ni coupée du prolétaire pris dans des rapports de production structurellement, matériellement, historiquement déterminés et dialectiquement inscrits dans une spirale de contradictions.

En d'autres termes, à la suite de Kolakowski, et en quelque sorte contre Althusser, on peut s'autoriser à considérer le Marx scientifique et positiviste du *Capital* comme le continuateur (en élargissement et en profondeur, à l'aide d'outils plus structurels) du jeune Marx, plutôt anthropologue et philosophe, des *Manuscrits*. On peut fort bien ne voir là ni reniement, ni *rupture épistémologique*, ni changement d'objet mais, plus simplement, modification de l'angle d'attaque de la même problématique : le constat de la déshumanisation de l'homme, la recherche des processus et mécanismes de cette déshumanisation et l'investigation des voies concrètes, matérielles, de son dépassement.

4. Enfin, j'affirme une position humaniste qui tend (nécessairement) vers une *théorie du sujet*. Le jeune Marx peut, ici, être complété par Sartre[21] et par Marcuse[22], chez qui la notion de *mauvaise foi* rejoint celles de *fausse conscience* et d'*aliénation*[23] et chez qui l'être humain est, par définition et par nécessité, un *être de signification*, un être d'intention, de finalité, de projet — donc, par nature, partie prenante dans *son être* et dans son *être en devenir* (l'aliénation y est un obstacle). Tout en étant un sujet, il est *un être de sens, qui a besoin de sens*.

À cet égard, nous pouvons également nous référer à une certaine anthropologie sociale, représentée entre autres par Evans-Pritchard[24], qui s'est spécifiquement attelée à jeter les bases d'une théorie du sujet. Evans-Pritchard précise en particulier que les êtres humains ne sont surtout pas semblables à des mécanismes ou à des organismes : *c'est à des raisons, des sentiments et des choix qu'ils obéissent et non à des « causes »* (à moins, encore une fois, d'y être contraints, d'être hétéronomiés ou aliénés, auquel cas ce n'est plus de sujets dont il est question, mais d'êtres objectivés, chosifiés, réifiés, étrangers à eux-mêmes). D'une certaine façon, il me paraît possible alors de considérer les apports d'Evans-Pritchard comme pouvant compléter les bases d'une théorie de la désaliénation.

C'est là l'essentiel de la position humaniste que je prétends mettre à contribution. Nous verrons plus loin l'usage qui peut en être fait pour mieux comprendre ce qu'il en est des théories contemporaines du management et des organisations.

Certains travaux en management semblent ajouter au champ quelques tendances plus humanistes, peu ou prou dans l'un des sens que nous avons évoqués, en s'attaquant de façon plus frontale à des problèmes conçus comme des manquements flagrants à l'« humanitude » de l'entreprise. Un recensement — évidemment non exhaustif — des thèmes abordés dans ces travaux indique ainsi :

1. Une remise en question de l'ordre établi, du pouvoir unilatéral, de l'accaparement patronal du profit, de la conception instrumentale de l'employé comme autant d'obstacles à la créativité collective, à l'adaptation, à l'innovation, à la « déviance créative » (Atlan, 1972 et 1985 ; Clegg, 1975 ; Varela, 1980 ; Weitzman, 1984 ; Morgan, 1986 ; Villette, 1988 ; Orgogozo et Serieyx, 1989 ; De Pree, 1989).
2. Un appel pressant à la lutte contre la fragmentation du travail, contre la destruction de son sens, contre la surspécialisation et la subdivision des tâches, contre l'oubli du fait que l'homme est un être de sens et de symboles, toutes choses qui font que le travail devient de plus en plus aliénant, démotivant, inintéressant, source de souffrances et de tensions (Terkel, 1972 ; Beynon, 1973 ; Braverman, 1974 ; Pfeffer, 1979 ; Dejours, 1980, 1990 et 1998 ; Chanlat et Dufour, 1985 ; Sievers, 1986a et 1986b ; Turner, 1990 ; Burnstein, 1999).

3. Une réflexion sur la question des rapports entre langage et travail, sur l'homme comme être de parole, sur le rôle du dialogue, sur la possibilité de s'exprimer ou non en milieu de travail, sur les pathologies de la communication dues à la violence faite à l'*Homo loquens* dans l'univers industriel — dans la foulée, notamment, des travaux de l'école de Palo-Alto (Chanlat, A. 1984; Chanlat A. et Bédard, 1990; Crozier, 1989; Girin, 1982 et 1990; Clegg, 1990).
4. Un appel à reconnaître que les conceptions et les pratiques managériales font obstacle à toute possibilité réelle de donner à l'homme un statut de sujet, d'acteur interpellant, personnellement et ontologiquement justifié de se reconnaître dans l'entreprise, à se réapproprier les actes qu'on veut le voir accomplir, à les vivre comme des actes qui sont l'expression de ses propres désirs (Dejours, 1980 et 1990; Chanlat et Dufour, 1985; Sievers, 1986a; Sainsaulieu, 1983 et 1987; Pagès *et al.*, 1984; Crozier, 1989).
5. Une interrogation du rapport au temps dans le travail industriel, la dénonciation des souffrances et des violences (physiques et symboliques) infligées aux travailleurs par l'imposition d'un rythme et d'un découpage du temps déshumanisés (Hassard, 1988 et 1990; Kamdem, 1990; Gasparini, 1990).
6. La dénonciation d'une certaine absence d'éthique et d'honnêteté vis-à-vis des employés, des dégâts de l'accaparement excessif et unilatéral des fruits du travail sur l'engagement et la productivité des travailleurs, du comportement égoïste et de court terme des dirigeants qui empêchent, de fait, que l'employé puisse être traité et se vivre comme une personne humaine, dans son lieu de travail (Etzioni, 1989; Olive, 1987; Packard, 1989; Solomon et Hansen, 1985).
7. La remise en cause de l'économisme et de l'utilitarisme étroits dans lesquels baignent les théories et les pratiques managériales dominantes et qui font que les dirigeants et les corporations se transforment en cyniques prédateurs, n'ayant presque plus de considération ni pour la nature, ni pour l'intégrité et la dignité des personnes, que ce soit comme employés, comme consommateurs, ou comme citoyens ayant droit à une cer-

taine qualité de vie (Caillé, 1989; Galbraith, 1989; Etzioni, 1989; Monthoux, 1989; Pfeffer, 1979; Rifkin, 1980; Mitroff et Pauchant, 1990; Chossudovsky, 1998).

8. Enfin, un appel de plus en plus insistant à une sorte de radicalisme épistémologique et méthodologique qui consiste à mettre en avant la nature complexe, systémique et multidimensionnelle de tout ce qui touche à l'humain et aux groupes humains, y compris et surtout, à l'homme au travail et à la vie des organisations. Sont mises à contribution : la multidisciplinarité et l'interdisciplinarité, la dialectique, la causalité circulaire, l'auto-organisation, la théorie générale des systèmes (Varela, 1980; Morgan, 1986; Chanlat et Dufour, 1985; Chanlat J.F. *et al.*, 1990; Vincent, 1990; Atlan, 1985; Morin, 1993; Maturana, 1990).

Voilà des thèmes qui peuvent être considérés comme significatifs de tendances plus radicales et humanistes. On y traite enfin de l'être humain, non plus à travers une conception uniquement instrumentale et « rentabiliste », mais à travers les discours de disciplines et de sciences humaines plus fondamentales (anthropologie, linguistique, psychanalyse, sociologie, biologie, etc.) qui ont pour objet non pas l'homme en production, désincarné et isolé dans le monde des organisations, mais l'homme tout court, tout entier — l'homme considéré comme être de parole, de symboles, de sens, de société, d'affectivité, de libre arbitre (même relatif), et non seulement comme une ressource au service de l'entreprise, de la maximalisation de la valeur d'échange. Cependant, il manque encore à ces percées, et de loin, d'être admises plus au « centre » du courant économie-management (actuellement presque totalement occupé, contexte de crise et de mondialisation oblige, par les gourous de la réingénierie, de la qualité totale, de la stratégie corporative, des plans sociaux).

Tentons maintenant de voir, à la lumière de la position radicale-humaniste que nous avons exposée et des percées théoriques que nous venons de recenser, en quoi une entreprise plus humanisée est souhaitable, et quelles sont ses conditions de possibilité, c'est-à-dire quelles conditions devront être promues pour y atteindre.

En premier lieu une question importante doit être tranchée : *ce mouvement vers plus d'humanitude dans l'entreprise n'est ni un idéal romantique, ni un acte gratuit de philanthropie, ni une utopie, mais une nécessité — soyons cyniques — même pour ceux qui ne penseraient qu'en termes de productivité.* À voir la persistance des modes de gestion autoritaires et unilatéraux, beaucoup de praticiens ne semblent pas avoir compris que c'est pour eux une obligation s'ils veulent sortir de l'ornière du tayloro-fordisme, persistante sous bien des formes.

En second lieu, il reste à savoir de quel humain on parle, lorsqu'il est question du management. Car un homme pour qui l'on tente une « humanisation » uniquement, ou en grande partie, dans un souci de plus grande rentabilité pour les entreprises et l'économie est-il plus humanisé ?

En troisième et dernier lieu, je tiens, à ce stade de l'exposé, à être bien clair au sujet de ce que je veux dire : il n'est absolument pas question pour moi de prôner une quelconque recherche de plus grand productivisme pour le productivisme. Mais, aussi, dois-je avouer, je tente de prendre les partisans du productivisme maximaliste « à leur propre piège » : il est, à tout considérer, de leur propre intérêt, aussi égoïste soit-il, d'être plus « humanistes ».

Le nouveau et insistant *credo* de « revalorisation du capital humain » en est un bon indice : l'ère de *l'homme qu'il faut à la place qu'il faut* est révolue et doit céder la place à celle de *l'homme supérieur à la place qu'il faut*, c'est-à-dire à l'ère de l'employé capable de (et admis à) penser le cours de son travail et capable de faire — qualitativement surtout — toujours *plus que ce que requiert le poste.*

C'est à cette condition que l'entreprise intelligente et créatrice, aujourd'hui aussi recherchée qu'indispensable, verra le jour. Elle ne peut être que le résultat de la combinaison des différentes intelligences individuelles (par la liberté de parole, la plus grande autonomie, l'équité et la convivialité). Mais ces intelligences doivent être animées du désir de collaborer pour l'atteinte d'objectifs vécus comme « humains », communs et partagés.

Elle n'aura jamais trop de la synergie et du consensus (non de l'unanimité) de la majorité, sinon de la totalité, des cerveaux qui la composent, d'un bout à l'autre de la hiérarchie, pour se donner une plus grande capacité d'invention de solutions originales.

C'est là (à l'instar des systèmes biologiques et physiques qui doivent, pour ralentir leur entropie, augmenter sans cesse leur niveau de variabilité et les interactions entre les éléments qui les composent) la seule façon de faire face à l'augmentation de complexité, unanimement reconnue comme un des défis majeurs de la gestion d'aujourd'hui.

Venons-en maintenant aux conditions de possibilité de l'humanisation de l'entreprise. Comment répondre à ce souci pour le sens du travail, la créativité, le partenariat, l'intérêt et la responsabilisation, le dialogue, l'initiative, l'engagement personnel, etc., si on ne détermine pas d'abord ce qui fait obstacle à tout cela depuis près de trois siècles ?

Il nous faut reconnaître que *nous donnons peu de raisons aux travailleurs d'être coopératifs et créatifs,* autant en termes de politiques économiques globales (qui se résument au marché) qu'en termes de politiques managériales des entreprises (qui se résument à la maximisation des valeurs d'échange).

Pour procurer aux employés les conditions et moyens qui leur fourniront les *raisons* de mieux se mobiliser dans ce qu'ils font, il faut opérer plusieurs changements radicaux. Il nous apparaît avant tout nécessaire de se munir d'un cadre théorique adéquat, qui permette de poser les bonnes questions. Comment la pensée managériale peut-elle prétendre à un changement radical si elle ne remet pas en question ses présupposés et ses prémisses séculaires ? On comprend parfaitement, lorsqu'on s'ouvre aux réflexions sur l'homme menées dans d'autres disciplines centrées sur la connaissance de l'homme (par exemple, celles d'Evans-Pritchard en anthropologie), pourquoi nos théories de la motivation échouent à promouvoir la mobilisation des personnes : elles considèrent un peu trop les humains comme des organismes (des « termites », renchérit même un Herzberg en 1980 !) obéissant à des « causes », des besoins quasi pulsionnels ou instinctifs, des stimuli externes.

Il nous faut d'évidence remplacer nos sciences du comportement des organismes par *une théorie du sujet humain*, qui admettrait qu'il lui faut, à ce sujet humain, *trouver par lui-même et pour lui-même des raisons de faire sien ce qu'on voudrait qu'il fasse, tout en étant partie prenante à part entière dans ce qui est projeté, planifié, désiré.*

La théorie du travail aliéné (Marx et les théories marxiennes), pour peu qu'on veuille s'y intéresser, est sans doute le cadre le plus solide à partir duquel réfléchir sur l'impasse persistante de la synergie réelle donnant lieu à la productivité réelle dans l'industrie traditionnelle. Donner un sens au travail et permettre l'appropriation et l'engagement souhaités, c'est ni plus ni moins atténuer les *quatre coupures du travail aliéné* recensées dans la tradition marxiste — sinon y mettre fin :

1. La coupure avec *le produit* (l'employé n'ayant aucun droit de regard sur ce qui est fait, pourquoi, pour qui, ni aucun contrôle sur sa destination, le fruit de sa vente, etc.) ;
2. La coupure avec *l'acte de travail* — coupure achevée par le taylorisme — où l'employé, comme le cadre d'ailleurs, ne sont plus que réserve d'énergie musculaire ou motrice d'un côté, et mentale ou intellectuelle de l'autre. Les deux réalisent des actes qui ne sont en aucun cas les leurs, mais sont dictés et imposés par la hiérarchie, la cadence, le rythme, la machine, la stratégie et les objectifs d'entreprise ;
3. La coupure avec *la nature* — le temps est devenu artificiel, transformé en une marchandise vendable par le truchement de la calculabilité du temps de travail ; le temps dans le système de production s'oppose au temps naturel des saisons, des cycles du jour et de la nuit, de l'horloge biologique ; la satisfaction de besoins dictés par l'ordre de l'argent et du capital s'est substituée à celle de besoins plus naturels, et au détriment de la nature elle-même ;
4. La coupure, enfin, avec *l'humain* — le travailleur devient étranger à son essence générique, créateur de son milieu et de lui-même, doté de libre arbitre, en plus d'être de plus en plus en opposition avec son semblable qui l'utilise et l'exploite. Lequel « exploiteur » est lui-même tout aussi aliéné par son assujettissement aux lois de la fructification maximale du capital.

Ainsi, il ne s'agit pas seulement de reconnaître que la signification ou le sens du travail sont la base de la motivation et de l'intérêt de la part des travailleurs, il faut étendre la réflexion à tout ce par quoi le travail devenu industriel, virtuel, à distance, flexible a perdu son sens. Vouloir le lui redonner, c'est accepter de reconnaître, après un siècle de management visant sa négation ou sa sublimation, que *l'aliénation au travail est le cœur du problème de l'engagement et de la motivation*[25].

Dans cette perspective, il n'est guère qu'une voie possible pour surmonter les problèmes que rencontre l'entreprise capitaliste de type traditionnel aujourd'hui : que le travailleur puisse vivre son rapport à son travail sur un mode d'appropriation toujours plus réel que formel, c'est-à-dire qu'il puisse, concrètement, vivre ce qu'il fait dans l'entreprise comme une authentique extension de lui-même, de ses désirs, de ses aspirations, *autant personnels que communautaires* ; comme une occasion d'expression de lui-même, autant que de poursuite et de satisfaction de ses propres intérêts, en convergence avec ceux de la communauté et de l'entreprise (devenue, dès lors, lieu de partenariat et de concertation, lieu de travail défini et décidé en commun, et non plus lieu d'usage intensif et unilatéral de la force de travail).

Sur le plan concret, la pensée managériale devrait s'intéresser, au-delà des comportements observables de l'employé japonais, suédois ou allemand, aux raisons qui poussent celui-ci à s'impliquer comme il le fait (raisons liées à la teneur de son travail, aux relations avec ses dirigeants, aux politiques sociales de son pays, au mode de répartition des richesses nationales, à la signification immédiate et globale, pour lui, de sa tâche), et cesser de s'acharner à déceler dans ces systèmes quelques super-recettes de management plus magico-ésotériques les unes que les autres. Derrière les cercles de qualité japonais, par exemple, il y a la façon japonaise de vivre en société et, derrière celle-ci, une forme de solidarité et de collectivisme séculaires, impliquant et façonnant le comportement de l'État et du patronat eux-mêmes[26].

La question ne doit plus être *comment* motiver l'employé, mais plutôt *pourquoi* il est si peu motivé en contexte de capitalisme financier. S'interroger en ce sens, comme l'a fait Sievers[27], c'est soulever la question de la signification du travail, qui appelle à sa suite celles de la conception et de l'organisation du travail, lesquelles soulèvent ultimement la question du statut de la personne humaine et des rapports qui la lient aux autres.

Il n'est pas difficile, je pense, d'admettre que le cadre conceptuel fonctionnaliste-pragmatiste traditionnel du management est plutôt démuni devant de telles questions [28], qu'il a d'ailleurs toujours rejetées comme hors de son champ de préoccupations et relevant, au mieux, de la philosophie, sinon d'une sociologie plus ou moins subversive ou gauchiste.

Arrêtons-nous maintenant brièvement sur la relation entre une entreprise réellement centrée sur l'humain et l'idéal humaniste en général. Il n'est pas question pour nous, bien sûr, de voir dans l'entreprise le lieu possible d'une réalisation totale de l'idéal du sujet libre; ceci reste un idéal et comme tout idéal, on ne peut prétendre l'atteindre, mais seulement tendre à s'en rapprocher. En effet, le sujet libre tel qu'elle l'entend ne peut exister sauf hors de toute contingence, hors du social. Il reste qu'on peut penser une entreprise permettant plus largement la réalisation de cette liberté du sujet, même limitée.

On sait évidemment que tout choix est fonction de « rationalité limitée »... Cependant, cette rationalité, même limitée, ne trouverait-elle pas, contrairement à ce que pensent Herbert Simon et ses émules, une sorte de champ de signification plus large, plus satisfaisant, plus « évident », dans le cadre d'un travail humain ayant recouvré son humanitude et dans une démarche plus consciente de participation à un projet de société humaine autre que le seul horizon du « marché » ? Rappelons ici l'exemple du Japon, dont une des forces distinctives serait que l'horizon de signification et de rationalité du travailleur (à l'instar de tout citoyen) dépasse son milieu de travail et fait se rejoindre, en les englobant, les divers niveaux de sa vie sociale: la famille, le groupe de travail, l'entreprise, le quartier, la ville, la région et le Japon [29].

Toutes proportions gardées, donc, dans ce cheminement vers l'humanisation de l'entreprise, un homme plus autonome, moins « géré », détenteur d'un peu plus de pouvoir constituerait peut-être un pas vers le sujet, l'être de sens, l'être générique, de projets, de désirs, dont parlent Marx (les *Manuscrits* surtout), Sartre (1948 et 1966), Dejours (1980 et 1990), Evans-Pritchard (1950).

La réponse à la question du manque de motivation, d'intérêt et d'implication de l'employé du management traditionnel passe également par la réintégration de la *diachronie* que l'anti-historicisme du fonctionnalisme managérial a évacuée. Il faut se rappeler que l'entreprise moderne, industrielle et post-moderne a été constituée — et continue de se constituer — le plus souvent par la violence et par la souffrance (au sens physique et symbolique). Il a fallu de longues luttes, des lois arrachées une à une et de terribles affrontements pour en arriver à des conditions de travail un peu moins injustes et un peu plus humaines. On peut alors, par ce retour sur l'histoire, se rendre compte de la pertinence de l'élément que le marxisme a toujours mis au cœur de son analyse des rapports de travail : la contradiction, encore partout vivace, entre les intérêts des propriétaires, patrons et dirigeants d'un côté, et ceux des travailleurs et de la nature de l'autre. Pour les premiers, il s'est agi, et il s'agit toujours, de faire les plus gros profits possible — ce qui est synonyme, entre autres, des plus bas salaires possible et d'une pollution continue non compensée —, alors que pour les seconds, il s'est sans cesse agi de se battre en réaction pour une meilleure qualité de vie, de meilleures conditions de travail et des salaires décents (régulièrement grugés peu après avoir été acquis)[30].

Lorsqu'on sait cela, comment peut-on prétendre, comme on le fait en management, que les intérêts et les objectifs sont convergents dans l'entreprise, et qu'il y règne, sauf « dissonance cognitive aiguë » ou « syndicalisme pathologique », un romantique et permanent consensus[31] ? Comment peut-on prétendre changer le management sans regarder en face cette contradiction ?

Disons-le, quitte à surprendre : l'entreprise lieu de consensus, de partenariat, de concertation passe ultimement par l'adoption d'un des principes les plus chers à Karl Marx : *l'abolition du salariat*[32]. Des économies performantes comme celles du Japon, de la RFA et de la Suède pratiquent déjà plusieurs formes de partage et de redistribution plus équitables des richesses produites[33]. Beaucoup comme Peters et Austin (1985), Weitzman

(1984), Archier et Serieyx (1984), Orgogozo et Serieyx (1989), De Pree (1989), Crozier (1989), etc. parlent en effet de partage — en particulier du profit —, d'écoute, de dialogue et de communauté. Ils en appellent — certainement sans le savoir — à cette abolition relative du salariat, notamment lorsqu'ils proposent de s'inspirer des formes de rémunération de ces pays. Il en est ainsi d'un économiste du MIT, Martin Weitzman (1984), et de l'auteur-gourou et consultant Thomas Peters (1987), qui préconisent qu'une partie de la rémunération consiste en une part des bénéfices; de Charles Perrow (1979) qui demande que l'on reconnaisse que le contrôle et la coercition sont les seuls moyens (plus coûteux que bénéfiques) d'obtenir un minimum de productivité tant que le salariat reste la règle; d'Alain Etchegoyen (1990) pour qui le salariat fait des employés « des mercenaires » œuvrant dans des « entreprises sans âme[34] »...

Si le partage des profits n'est ni suffisant en soi, ni synonyme de changement de nature du pouvoir, de désaliénation, ou, encore moins, de fin de l'exploitation, il est certainement un gage de plus d'équité.

Bien que j'aie largement fait appel dans ce chapitre à un cadre d'analyse néo-marxiste, en termes de radical-humanisme, il est, en réalité, peu question de chercher à concrétiser au niveau de l'entreprise certaines des solutions qu'il implique. En effet, la suppression des contradictions, de l'aliénation, des rapports de pouvoir et d'exploitation ne me semble pas, pour le moment, dans le champ du possible sur le plan pratique, ni même envisageable sur le plan théorique. Nous sommes encore certainement pour longtemps prisonniers d'un ordre de production caractérisé par des contradictions nombreuses et évolutives (la suppression de l'une en appelant toujours d'autres).

Il reste que c'est, paradoxalement, par un recours à des grilles théoriques d'inspiration marxiste (théorie de l'aliénation, de la plus-value, du travail vivant) que l'entreprise industrielle trouvera des voies de réponse à bon nombre de ses impasses (en particulier internes, mais aussi externes) majeures actuelles. Car seules les approches marxistes et néo-marxistes ont su intégrer philosophie, histoire, structures, société, politique et économique.

Une participation réelle et concrète à la gestion, aux profits, aux orientations, une plus grande autonomie et une polyvalence du travailleur (*polytechnicité*, écrivait Marx) ainsi qu'une sécurité et qualité de vie minimales, sont désormais des nécessités pour sortir de la stagnation de la productivité (productivité, bien sûr, dans le sens originel, c'est-à-dire de *produire selon des besoins « raisonnables », en utilisant et en dégradant moins la nature et les humains*).

Le salarié ne doit plus être traité comme un coût à combattre, mais comme un allié à convaincre, sinon à séduire ; les dirigeants ne doivent plus se considérer comme étant les seuls éléments de l'organisation admis à concevoir, décider et gérer ; la poursuite du profit ne doit plus être ni maximaliste, ni de court terme, ni égoïstement administrée par le seul patronat à son seul avantage, mais considérée comme le fruit d'un labeur commun, dont le taux, la destination et l'usage doivent être pensés et décidés en commun, entre dirigeants et dirigés, entre milieux d'affaires, État et mouvements sociaux.

Le prix en est le renoncement à des privilèges patronaux nombreux et séculaires (souvent plus qu'abusifs) pour pouvoir aller vers une forme d'organisation où la flexibilité, la créativité et la qualité puissent réellement advenir et s'épanouir, à partir du seul facteur qui en soit la source : la personne humaine. C'est là le passage obligé pour augmenter la capacité de gestion des organisations, dans le contexte d'une complexité grandissante, tout en transformant des personnes individualistes, poursuivant des carrières personnelles égoïstes, en communautés, groupes et équipes solidaires et animées d'un esprit de performance collective, avec une finalité autre que le seul marché.

Le problème profond du système capitaliste doit être attaqué dans ses contradictions séculaires : l'opposition d'intérêts entre capital et salariés d'un côté, et l'opposition de plus en plus flagrante entre capital et nature, de l'autre côté. Reconnaître ces contradictions, c'est jeter les bases d'une promotion du travail et des mouvements sociaux tels que le mouvement écologiste, comme parties prenantes, co-gestionnaires et co-responsables, aux côtés du capital. C'est ce que cherchaient déjà, à leur façon,

Taylor et Fayol eux-mêmes lorsqu'ils parlaient de « mettre fin à la guerre » ou de « rétablir l'harmonie et la paix » entre le capital et le travail, même si la nature et les questions de pollution ne pouvaient encore être à leur ordre du jour.

Mais combien d'actionnaires, de patrons, en particulier nord-américains, sont prêts à admettre qu'il est non seulement nécessaire, mais souhaitable, plus juste et légitime de partager avec les employés les gains de l'entreprise ? Et plus rentable, à terme, de mieux respecter la nature ?

Pour terminer, je n'ai évidemment pas la naïveté de croire que les changements en profondeur proposés dans ce chapitre viendront de la bonne volonté des possédants et des dirigeants. Ils constituent plutôt *une quatrième solution indésirable* pour les dominants actuels du rapport au travail. Mais ils seront de plus en plus imposés par les contre-performances, les faillites et les crises... hélas !

Notes

1. *Cf.*, entre autres, Charles Taylor, *Grandeur et misère de la modernité*, Montréal, Bellarmin, 1992.
2. Quoiqu'on assiste depuis peu à la naissance d'un mouvement dit de « l'économie comportementale », qui tente d'intégrer des éléments affectifs et « irrationnels » dans l'explication des comportements économiques... *Cf.* la synthèse effectuée sur ce sujet par Pierre Cahuc, *La nouvelle microéconomie*, Paris, La Découverte, 1998.
3. Le terme « révolution » est utilisé, par exemple, par Peters, 1987, et Crozier, 1989 pour parler de ce qui doit se passer en management aujourd'hui.
4. Lee, 1980, Pascale et Athos, 1981, Ouchi, 1981, Peters et Waterman, 1982.
5. Burrel et Morgan, 1979, Perrow, 1986, Chanlat et Séguin, 1987, Etzioni, 1989, Caillé, 1989, Maris, 1999, Cahuc, 1998.
6. Peters et Waterman, 1982, Kilman *et al.*, 1985, Peters et Austin, 1985, Waterman, 1987. Voir également des travaux plus critiques en la matière, comme Barley *et al.*, 1988, Rosen et Inzerilli, 1983, Smircich, 1983, Smircich et Calas, 1987.
7. Burr, 1979, Crosby, 1979, Duncan, 1974, Juran et Gryna, 1980.
8. *Cf.* Braverman, 1974, Hassard, 1988, Clegg et Dunkerley, 1977, Thompson, 1967.
9. Ainsi, on rapporte que les entreprises japonaises, par exemple, ont recommencé d'accroître la place donnée aux humains par rapport aux robots et aux ordinateurs (Maury, 1990).
10. Les dizaines ou centaines de postes pouvant être occupés par des handicapés moteurs et mentaux qu'avaient définis Henry Ford 1er et ses ingénieurs en organisation, lors de la mise en place de la chaîne pour la Ford T, sont des témoins éloquents de ce que j'avance ici, surtout sachant qu'une des logiques principales en jeu était : « une portion d'homme se paye une portion de salaire » (Toffler, 1980, p. 71). Voir aussi Sievers, 1986a.
11. Terme utilisé par Peters, 1987, pour désigner les sortes de héros-champions suffisamment audacieux et non conformistes pour être les porte-étendards de la « passion de l'excellence ».
12. Comme le rappelle très justement Nord, 1974, à peu près seuls Maslow, 1954 et 1969, et Argyris, 1957, ont réellement manifesté le souci d'une définition non instrumentale de l'homme dans la littérature managériale dominante. Mais on n'y fait plus guère référence.
13. Voir, pour une analyse théorique et pratique de ce « tour de passe-passe », Aktouf, 1990.

14. Ainsi chez Schein, 1985; Peters et Waterman, 1982; Mintzberg, 1973; Waterman, 1987; Hafsi, Séguin et Toulouse, 2000.
15. Nous y reviendrons, mais citons pour l'instant des auteurs tels que Sievers, Seiryex, Dejours, Albert.
16. E. Fromm, 1961, p. 147. Traduction libre.
17. Kolakowski, 1968 et 1978; Mandel, 1974; Calvez, 1970; Lukács, 1971; Gramsci, 1971; Fromm, 1961; Heilbroner, 1970 et 1980...
18. Kolakowski, 1987, p. 376.
19. Kolakowski, 1987, p. 381.
20. Kolakowski, 1987, p. 280 et suivantes.
21. Sartre, 1948, 1966 et 1976.
22. Marcuse, 1968.
23. Voir aussi à ce sujet: Burrel et Morgan, 1979, chap. 8.
24. Evans-Pritchard, 1950.
25. Marcuse, 1968; Sievers, 1986a, 1986b et 1996; Braverman, 1974; Pfeffer, 1979; Pagès *et al.*, 1979; Dejours, 1980 et 1998.
26. *Cf.* Maury, 1990; Orgogozo et Serieyx, 1989; Van Wolferen, 1989.
27. Sievers, 1996, 1986a et 1986b.
28. Pour une discussion plus approfondie du paradigme managérial traditionnel par rapport à un paradigme plus radical ou plus critique, voir, entre autres, Séguin et Chanlat (1983).
29. Voir entre autres Ouchi, Vogel, Sautet, Weitzman.
30. Ainsi qu'on en voit une nouvelle illustration avec le retour au capitalisme sauvage que nous vivons en ces temps de compétitivité tous azimuts et de fusions-acquisitions mondialisées.
31. *A contrario*, le magazine *Fortune*, dans un dossier consacré à ce qu'il appelle « The Trust Gap » (4 déc. 1989), montrait que le lien de confiance entre travailleurs et dirigeants d'entreprise américains était à la mesure de la plus ou moins grande différence entre leurs gains/revenus respectifs — devenue colossale dans les dix années précédant l'étude, avec affaiblissement corrélatif de ce lien.
32. Dans la conception occidentale classique de ce qu'est le salariat: comme rémunération d'actes humains isolables et quantifiables... en dehors de tout intérêt — ou presque —, par rapport à ce qui est fait pour gagner ce salaire...
33. Voir Vogel, 1979; Van Wolferen, 1989; Weitzman, 1984; Bellemare et Poulin-Simon, 1986.
34. Le « mercenariat » étant vu ici comme un frein à un engagement plus profond de l'individu.

Conclusion

Vers une autre analyse de la crise mondiale et de la post-mondialisation : De la citoyenneté des entreprises et des écoles de gestion

Tout dirigeant d'entreprise qui se soucie d'autre chose que de maximiser les dividendes de ses actionnaires est à considérer comme un subversif.

Milton Friedman

Si ce sont les circonstances qui font les hommes, alors faisons les circonstances humainement.

Robert Owen

Le prolétariat ne bougera réellement, comme classe, que lorsque le capital aura étendu son système de marché à l'échelle de toute la planète.

Karl Marx

Voilà bien une bonne quinzaine d'années que l'on nous rabat les oreilles avec la mondialisation et ce que l'analyse dominante nous présente comme son géniteur naturel, la crise mondiale, « crise » conçue comme une sorte de soudaine maladie de l'économie mondiale qui a frappé de paresse et de diminution de compétitivité une partie substantielle de notre planète. Soudain, bien des États sont devenus trop « providence », bien des pays se sont montrés trop « sociaux », bien des régimes se sont révélés vivant au-dessus de leurs moyens, tandis que bien des entreprises — surtout publiques —, sont apparues se comportant plus comme des vaches à lait que comme des entités économiques jouant pleinement leur rôle de « bonnes faiseuses d'argent maximum pour les rois actionnaires ». Ces deux termes, mondialisation et crise mondiale, à eux seuls ou combinés aux transcendantes lois du marché, justifient à peu près tout, désormais, depuis la démission des États (dénommée tantôt libéralisation, tantôt démocratisation, tantôt déréglementation) jusqu'aux comportements les plus barbares de la part de chefs d'entreprise ayant perdu tout sens de la mesure et de la décence, pour en arriver à traiter les humains en purs et simples appendices secondaires du maintien du profit, des dividendes et de la survie du capital.

De *réingénieries* en *downsizings*, de fusions en acquisitions, de privatisations en sous-traitances, chaque jour de véritables crimes contre l'humanité sont commis pour la sauvegarde du capital et d'un profit de plus en plus difficile à assurer sans jeter, un peu partout, des cohortes de travailleurs à la rue. On en est à accepter l'inacceptable, à tolérer l'intolérable.

Désormais, « la solution » ne semble résider que dans deux directions : d'un côté la mise au pas du facteur travail, trop exigeant, trop pointilleux sur ses « droits acquis », pas assez flexible, pas assez compétitif, pas assez bon marché, avec des syndiqués pas assez ouverts au partage avec les chômeurs [1], et d'un autre côté, le rappel à l'ordre de l'État, trop gourmand, pléthorique, trop débonnaire vis-à-vis de la population en général, trop porté sur la réglementation, pas assez compréhensif envers les impératifs du *business*, trop contrariant pour le libre marché, trop gaspilleur, pas assez efficace...

De leur côté, le capital et son complément obligé, le profit, sont, bien entendu, non seulement hors de cause, éternellement bienfaiteurs, mais tout à fait intouchables, non partageables.

Jusqu'à quand va-t-on rester victimes muettes de la plus meurtrière crise de réajustement de l'ordre du capital et du profit infini ? Milton Friedman aurait donc totalement et définitivement enterré Karl Marx ? Est-ce vraiment, comme le souhaitent des Fukuyama, la fin de l'histoire, rendant inutiles et scabreux tout interventionnisme et toute surveillance de l'entreprise capitaliste privée, pivot central de cette histoire achevée ?

Posons ici une évidence : la fin des luttes sociales et du dynamisme qu'elles confèrent à la société ne peut se concevoir que dans un monde où les intérêts contradictoires en présence dans la société seraient harmonisés, subsumés. Quoique nous ne prétendions pas qu'un tel idéal puisse être atteint, s'en rapprocher nécessiterait sans aucun doute une entreprise citoyenne. Nous la définirions ainsi : citoyenneté « interne » d'abord, se jouant à l'intérieur même de la firme, et à l'intérieur, aussi, des frontières nationales des pays (on parlera plus loin, brièvement, du problème de la « citoyenneté externe », qui, elle, est mondiale et transfrontalière). Il s'agit là d'une citoyenneté qui, au minimum, responsabilise toute entreprise et toute organisation, non pas seulement envers ses actionnaires et ses commettants quels qu'ils soient (par exemples « membres » pour une coopérative, État pour une entreprise à caractère public) mais tout autant envers l'ensemble des facteurs qui lui permettent de fonctionner — avec en premier, le facteur travail — et qui constituent le milieu dans lequel elle vit et prospère : société, communautés locales, régionales, nationales, et nature. Il est ainsi, et en ce sens, hautement anti-citoyen que de continuer à considérer la société comme un ensemble de clients ou de consommateurs tout juste bons à être poussés à toujours acheter davantage, et la nature comme un ensemble de « stocks » de matières à disposition infinie ou quasi infinie. La responsabilité citoyenne de l'entreprise commence là : ni chômage pour mieux faire des profits et des dividendes, ni pollution, ni exploitation irréfléchie de la nature dans, en premier lieu, son espace national.

Quoique l'idéologie contemporaine dominante veuille nous le faire croire, il est en outre impossible que l'exemption pour l'entreprise de toute obligation imposée de l'extérieur vis-à-vis de la socio-économie dans laquelle et grâce à laquelle elle prospère puisse l'amener à se comporter de façon citoyenne et responsable. Les faits, la réalité même montrent de façon éloquente que rien de tel n'émerge spontanément du mouvement libre des forces du marché et des seuls intérêts des possédants.

Je me propose, dans ce chapitre, d'aborder la question de la responsabilité des acteurs économiques dominants sous divers aspects et à divers niveaux, et de faire apparaître la nécessité de l'adoption par ceux-ci d'un comportement citoyen, en explorant ses différentes dimensions. Dans cette perspective, nous nous pencherons en premier lieu sur une question trop généralement considérée comme close et entendue : les causes de la crise mondiale, ses conséquences et les solutions appropriées. Nous y verrons que deux lectures inverses s'affrontent à ce sujet, fortement marquées par les intérêts divergents qu'elles cristallisent. L'examen de cette question permettra de cerner concrètement les enjeux de la mondialisation en cours, et de déterminer sur ce point majeur la responsabilité des forces économiques dominantes. Nous évaluerons ensuite la valeur ou la signification des nouvelles professions de foi en vogue dans les milieux de la gestion qui en appellent à une « entreprise citoyenne » ou au « management par la reconnaissance », au regard des réalités existantes et en soulignant les conditions nécessaires à une concrétisation de ces idées. Se dessineront de la sorte des politiques économiques, managériales et syndicales plus adaptées à l'avènement d'une forme d'entreprise réellement citoyenne, et citoyenne dans son milieu d'implantation autant national qu'international, c'est-à-dire, aussi, citoyenne du monde, puisque mondialisation il y a !

Il convient de dire d'entrée de jeu que le seul fait d'admettre qu'il y a une crise économique (*crise du capital et, forcément, de ses propres structures et fonctionnement, puisque sa logique et son action dominent l'économie mondiale*) à l'échelle planétaire est un aveu de taille. Car jusqu'à plus ample informé, seuls Marx, les marxistes et les néo-marxistes avaient explicitement insisté sur l'inéluctabilité de crises cycliques, tendancielles, structurelles et de plus en plus graves dans l'évolution du capitalisme. En dehors de quelques économistes non marxistes comme Schumpeter, Hobson, Veblen ou Galbraith, tous nous ont plutôt habitués à analyser les cahots du système économique en termes d'ajustements des lois du marché et de corrections d'équilibres dans un mouvement toujours ascendant de croissance infinie.

Mais voyons de plus près l'analyse qui nous est proposée par les milieux officiels, par Washington et par des instances comme le Fonds monétaire international (FMI), la Banque mondiale et l'Organisation mondiale du commerce (OMC).

Il est évident qu'il s'agit d'une analyse qui part de la prémisse d'une *crise du côté de l'offre*. Je désigne par là les créanciers de la dette mondiale, d'une part, et les offreurs de produits et services à valeur ajoutée (les détenteurs de la maîtrise technologique, informationnelle), d'autre part — c'est-à-dire, en fait, les pays nantis et industrialisés, leurs entreprises (à leur tête les multinationales) et leurs institutions financières.

Cette analyse, en effet, part du principe que la crise est une crise de productivité et de compétitivité, qui ne peut être enrayée que par une « mise à niveau » planétaire des forces de production, et une course généralisée aux avantages compétitifs, dans un marché mondial voulu globalisé et libre de toutes entraves.

Le remède à la crise découle directement du diagnostic : il faut à tout prix faire faire au facteur travail, partout, plus, plus vite et moins cher. Et ce, autant sur le plan global ou collectif, par les gains réalisés grâce aux licenciements massifs, que sur le plan individuel en tirant des « survivants » (sont ainsi désignés en Amérique du Nord ceux qui conservent leur emploi après les opérations de *downsizing*) encore plus de travail par unité de temps, puisqu'ils doivent, pour le même salaire (au mieux) [2] donner toujours plus de résultats en effectuant, en plus de leur travail habituel, les tâches de ceux qui sont licenciés autour d'eux.

L'autre partie du remède proposé consiste tout simplement à pousser l'État vers la paralysie en matière de politique économique, puisqu'il lui est fait obligation de la part des institutions financières internationales, partout, de céder devant les desiderata du *business* [3].

Un tel diagnostic mène à prescrire réajustements et « dégraissages », tout en désignant *ipso facto* deux coupables, seuls responsables et imputables : le travail (donc les syndicats) d'un côté, et l'État (donc les services publics, les programmes sociaux) de l'autre.

On prétend que les pays endettés ne produisent pas de façon assez rationnelle, qu'ils ont des États particulièrement gaspilleurs et inefficaces, des entreprises publiques et des fonctions publiques hyper-pléthoriques en personnel, aussi gloutonnes qu'inefficaces. Tandis que par ailleurs, dans les pays de l'autre camp — les créanciers et les nantis — les déficits[4] sont imputés aux dernières scories de l'État-providence. Les mêmes remèdes, à peu près, sont préconisés et imposés, afin d'organiser le règne sans partage du marché autorégulé.

Haro donc sur les syndicats et sur l'État (souvent dit providence) qui sont désignés comme des fossiles vivants tenant à continuer à vivre au-dessus de leurs moyens, et voulant faire croire au citoyen qu'il peut également continuer à vivre au-dessus de ses moyens. Abattre les uns et museler l'autre, tel est le programme de sauvetage économique de la planète présenté par les néolibéraux. Le retour au capitalisme sauvage du XIXe siècle serait désormais la voie la plus prometteuse.

On l'aura compris, ce ne sont jamais ni le capital, ni ses représentants, les managers privés et les actionnaires majoritaires, qui sont présentés comme fautifs de quoi que ce soit. Bien au contraire, ils sont systématiquement présentés comme des sauveurs : si seulement on les laissait faire ce qu'ils veulent, comme ils l'entendent, partout où ils le désirent...

Mais le remède économique pour la planète serait-il le même si on changeait de coupables ?

Non, évidemment. Or c'est précisément ce à quoi nous mène une autre analyse de la crise mondiale, qui part de la prémisse inverse qu'il existe plutôt une *crise du côté de la demande*. Il s'agit d'un décryptage de la crise qui prend comme perspective non pas celle des créanciers, des banquiers planétaires, des multinationales, des détenteurs de l'avance technologique et des producteurs de produits et services à valeur ajoutée, mais celle des débiteurs, des prétendus destinataires du transfert de technologie et des simples citoyens, comme travailleurs et consommateurs. En effet, lorsqu'on regarde la crise mondiale autrement qu'en se demandant comment restructurer les économies des pays emprunteurs pour qu'ils remboursent plus rapidement et plus sûrement leurs créanciers, une tout autre réalité économique se dessine sous nos yeux.

Vue sous ce nouvel angle, la crise devient une « crise de solvabilité » et d'excès de concentration du capital, et non plus une crise de productivité et de compétitivité dans la production. Ce qui manque le plus à l'échelle de la planète, ce ne sont pas les quantités d'automobiles, de réfrigérateurs, de services, de sites Internet ou d'ordinateurs à vendre. *Ce qui manque réellement et dramatiquement, c'est la capacité d'acheter tout cela !* Ceci est d'une évidence criante.

Nous constatons une situation de surproduction généralisée, planétaire. Dans les pays du Sud, elle découle d'une course à la production maximale, donc à la surproduction des produits de base par les pays endettés *pour honorer le service de la dette*. Le corollaire en est, ainsi que le révèlent les chiffres de la Banque mondiale et l'évolution des prix et des échanges internationaux, une dégradation continue des termes de l'échange et des prix de toutes les matières premières et produits de base ou à faible transformation, y compris du pétrole et du gaz[5].

On peut faire le même constat d'une production excédentaire (donc d'un excédent de l'offre) pour l'ensemble des produits et services en Occident industrialisé. Partout, les entreprises se plaignent haut et fort de l'excès de l'offre et de la faiblesse de la demande — et en prennent, bien sûr, prétexte pour fermer encore et encore ateliers, usines et filiales entières.

Ainsi, nul besoin d'analyses savantes ni de calculs abscons pour constater et admettre la baisse de la capacité de consommation accompagnant d'une part, dans les pays du Sud, les politiques économiques imposées par les créanciers (privatisations, compressions draconiennes dans le secteur public, dévaluation de la monnaie, production de masse orientée vers l'exportation, etc.), et d'autre part, dans les pays du Nord, la multiplication accélérée du chômage, de la misère et de l'exclusion. Le cas de l'Argentine (que l'on peut aisément mettre aux côtés de celui de l'Éthiopie, analysé comme cas d'application de « raisonnements économiques absurdes » de la part du Fonds monétaire international et de l'Organisation mondiale du commerce, par le Prix Nobel Joseph Stiglitz[6]), est un cas tout à fait éloquent quant à ce qui vient d'être exposé.

En résumé, soulignons ce qu'il faut entendre ici par surproduction : il s'agit de surproduction non seulement absolue (ce qu'elle est par ailleurs — nous avons déjà discuté ce point au chapitre précédent), mais relative, d'un excédent de biens et de services par rapport à la capacité de consommer à l'échelle de la planète. On se trouve ainsi dans la situation paradoxale et honteuse où un surplus généralisé en tout côtoie un état de besoin qui se généralise dans la même mesure et à la même vitesse.

Ainsi, nous n'avons pas fini de payer (ou plutôt, de faire payer aux plus démunis) les conséquences des accords de Bretton Woods et du dollar américain comme monnaie de référence universelle. Cela ne fait que mettre les pays les plus faibles dans des situations de dépendance et d'insolvabilité grandissantes — ce qui, symétriquement, limite d'autant la capacité d'exportation des pays nantis vers les pays non développés.

La *loi d'airain « demande globale = revenu global »* (Marx, Hobson, Keynes) fait que ces pays ne peuvent acheter aux plus industrialisés qu'en proportion de ce qu'ils reçoivent pour leurs propres produits. De la même manière, nos employés-citoyens-consommateurs ne vont « faire tourner l'économie » qu'en fonction de l'emploi et des salaires qu'on leur distribue (ils ne peuvent, en effet, consommer que l'équivalent de ce qu'ils reçoivent, soit comme travailleurs, soit comme bénéficiaires de subventions, bourses, services de couverture sociale). Or, ô étonnement ! il est des économistes pour se féliciter des bas prix « sans précédent » des matières premières, et des bienfaits de la baisse des salaires et de la disparition des programmes sociaux qui créeraient de nouveaux créneaux d'activités dites « économiques », tels que celui d'une « industrie de la charité » !

Une autre loi d'airain, rappelons-le, s'ajoute à celle de l'équilibre entre revenu global et demande globale, c'est celle de *l'adéquation entre production de masse et consommation de masse* (Marx, Keynes). Comment veut-on continuer à produire toujours plus et plus vite tout en réduisant sans cesse le pouvoir d'achat global du travail (à travers les effets combinés des coupures de postes, de la baisse continue des salaires en termes réels, de l'augmentation du prélèvement fiscal qui s'abat de plus en plus sur le seul travail)[7] ?

Les causes « immédiates » de la crise ainsi identifiées, surproduction et insolvabilité, s'inscrivent plus largement dans la logique structurelle du capitalisme que nous rappellerons ici. Comme l'avait fort bien vu Karl Marx, et également John Hobson (et, bien avant eux, Aristote), aucune accumulation ni aucune croissance ne sauraient jamais être infinies, au sein d'un univers et d'un espace terrestre par définition *finis*. Il est donc inéluctable que l'on ait à affronter un jour les conséquences, forcément dramatiques, des limites physiques au maximalisme.

C'est ce qui a commencé à se produire au cours du dernier tiers du XXe siècle. Les chutes tragiques qu'ont connues les économies du tiers-monde, la chute des économies des pays de l'Est, les crises du Mexique, du Sud-Est Asiatique, du Brésil, de l'Argentine, le début de récession aux États-Unis en 2001, l'aggravation tout aussi tragique des inégalités sociales, du chômage, de la précarité, dans les pays dits riches et développés eux-mêmes, sont le résultat d'une concentration accélérée de la richesse, dans un contexte où il y a moins de nouvelles ressources à exploiter que de ressources à partager[8].

L'enrichissement illimité de la minorité *n'est qu'un transfert de richesses* (autre façon d'exprimer le fameux théorème de Pareto) depuis la nature et les poches des plus pauvres, vers les plus riches. Mais, comme l'avait bien vu Hobson, une minorité de super-riches ne pouvant jamais compenser la perte de la capacité de consommation réelle de l'écrasante majorité des plus pauvres, il ne peut que s'ensuivre récessions et crises à répétition.

Et, notons-le, l'appauvrissement généralisé ne peut qu'avoir pour corollaire la multiplication des guerres et des crises sociales.

Voilà donc, très succinctement, pour les causes de la crise en tant que crise de solvabilité : les capitaux et les richesses à l'échelle de la planète n'ont jamais été aussi grands, et en même temps, jamais aussi mal répartis, aussi concentrés entre si peu de mains[9].

Et voici que la crise change de coupables !

Les fautifs, dans une crise de solvabilité, de surproduction par abaissement tendanciel du pouvoir d'achat du plus grand nombre et d'hyper-concentration de la richesse, ne peuvent plus être les syndicats, les travailleurs et les États, mais les faiseurs et possesseurs de l'argent (en fait, des monnaies qui dominent les échanges internationaux : le dollar, le yen et le mark) — et, bien sûr, tout particulièrement les spéculateurs et les agents du capitalisme financier. Ce sont eux qui déterminent les taux et la destination des profits, et organisent la concentration (la thésaurisation, l'hyper-épargne), un des grands responsables de la récession mondiale.

Et voici que changent les solutions à la crise !

Si les coupables sont désormais les plus riches, la poignée de pays et de personnes qui accaparent une part immense de la richesse mondiale, alors la solution n'est plus de s'acharner sur la main-d'œuvre pour la rendre plus rentable et sur les États pour les rendre moins gaspilleurs [10], ni d'organiser partout l'économie spéculative ou économie casino, mais de déconcentrer le capital et de brider la spéculation et la libre circulation des capitaux, y compris et surtout ceux dits « volatiles », « à risques »...

Ce serait d'écouter Hobson et de redistribuer les capitaux de façon à permettre une *capacité de consommation réelle dans l'économie réelle* plus large à l'échelle mondiale ; et comme le dirait Keynes, de relancer et de soutenir une demande globale qui devra atteindre un niveau proportionnel à l'offre globale.

C'est là tout le contraire des politiques économiques préconisées par les néolibéraux et les monétaristes néo-conservateurs, comme l'admet d'ailleurs le président de la Banque mondiale lui-même lorsqu'il invite ses collègues du FMI, déjà depuis les débuts de 1999, à se soucier davantage des conséquences néfastes de leurs prescriptions d'ajustements économiques [11]. Les acteurs clés du nouvel ordre économique mondial, en effet, n'en sont pas à une contradiction près. Ainsi, de l'aveu même de « personnalités internationales » bien-pensantes comme Henry Kissinger, Georges Soros, Jeremy Sachs, le président de la Banque mondiale et le directeur général du FMI eux-mêmes, si on avait exercé un minimum de contrôle sur les mouvements de capitaux, on aurait évité ou atténué les crises du Mexique, du Brésil, (*cf.* les comptes rendus des différentes déclarations qui ont été faites lors du forum de Davos, en février 1999) — ce qui n'empêche nullement ces gens de refuser d'envisager la mise en œuvre de mesures telles que la fameuse « taxe Tobin[12] » par exemple, laquelle aurait été un pas très important en ce sens.

Par ailleurs, le regain de mode (attesté par la prolifération de livres, cours, symposiums portant sur l'éthique du *business* et les responsabilités de celui-ci) pour une formule telle que la « citoyenneté d'entreprise » remet en avant la faille profonde du système capitaliste — l'impossible fonctionnement d'un monde où l'entreprise n'a pas de responsabilité citoyenne. Je dis bien regain car, comme toujours en économie-management, plutôt qu'à du réellement nouveau, on a systématiquement affaire à du recyclage de vocables ou de recettes déjà utilisés en d'autres temps.

Dans ce cas-ci, rappelons que dans le premier quart de ce siècle aux États-Unis, certains milieux s'étaient émus de ce que les institutions-machines-à-profits se mettaient à se comporter en cyniques prédateurs (la formule est de Thorstein Veblen, économiste iconoclaste de Chicago du début du siècle). C'est dans cette mouvance qu'il convient de voir l'apparition de lois telles que celle dite antitrust destinée à limiter le gigantisme des firmes et à maintenir une situation de concurrence minimale. Les prédateurs de Veblen étaient très portés, en effet, à se phagocyter mutuellement ou à fusionner leurs forces pour s'ériger en gigantesques monopoles. Par exemple, à la fin des années 1940, General Motors, Firestone et Standard Oil se sont alliées pour racheter et démanteler les transports en commun de plusieurs grandes villes américaines (tramways électriques en général) pour les faire remplacer (avec les complicités et corruptions politiques que l'on devine) par des réseaux d'autoroutes (financés par des fonds publics, comme il se doit) afin d'y faire rouler encore plus d'automobiles de GM, équipées en pneus de Firestone et alimentées en carburant de Standard Oil[13].

Or, c'est exactement à ce type de comportement que l'on assiste aujourd'hui, avec la multiplication des oligopoles (du pétrole, des céréales, des oléagineux, de l'industrie mécanique, de l'agroalimentaire, etc.), lesquels tendent désormais à une domination mondiale dans un marché mondialisé. Le monopole du magnat du pétrole Rockefeller, qui avait précisément été démantelé par la loi antitrust au début du xxe siècle, vient d'être reconstitué par la fusion entre Exxon et Mobil...

Dans ce contexte, le management U.S. s'est mis, depuis quelques années, à parler avec force de *good corporate citizenship* : la bonne entreprise citoyenne. Mais parler soudain, avec tant d'insistance, d'entreprise « citoyenne », n'est-ce pas sous-entendre que jusque-là elle était dispensée de se sentir telle ?

Pire, ne serait-elle pas, même, anti-citoyenne ? Ce qui est bon pour GM a-t-il jamais été, en réalité, bon pour les États-Unis, ou pour qui que ce soit d'autre que la firme et ses grands actionnaires et dirigeants [14] ?

De quels mensonges et euphémismes a-t-on abreuvé jusque-là le citoyen qui, lui, croyait à la bonne citoyenneté de l'entreprise ? Il s'aperçoit, à y insister tant, que le bien-être de la cité, de la communauté, de la nation, non seulement n'est pas l'objectif de l'entreprise mais en est peut-être même l'ennemi !

C'est au moment où il n'est plus possible de ne pas voir la destruction sur laquelle croît l'institution « faiseuse de profits » et voulue comme telle, au moment où l'on voit des présidents-directeurs généraux (PDG), des cadres supérieurs et des actionnaires se payer toujours plus grassement en récompense de leur capacité à fabriquer des chômeurs [15], qu'on demande à l'entreprise de devenir citoyenne ! Quelles en seront les bases ?

Malgré les nombreux cours et colloques centrés sur ce thème que proposent les *business schools*, il me semble que ne sont dupes que ceux qui le veulent bien. Car comment peut-on demander à l'entreprise d'aujourd'hui un quelconque effort éthique [16] ou social, quand en même temps il n'a jamais été donné autant de pouvoir, transnational, sans frontières ni lois, au *business*, et quand le milieu même des écoles de gestion porte dans l'ensemble un tout autre discours, parfaitement contradictoire ?

Le langage que continue de tenir le milieu est révélateur. Je me rappelle encore de ce jour où, jeune étudiant en MBA dans une école de gestion nord-américaine, à la énième question à propos de la responsabilité sociale de l'entreprise que je posais, mon professeur répondit, excédé : « Notre ami algérien doit finir par comprendre que l'entreprise est là pour faire des profits et maximiser les gains de ses actionnaires, non pour assurer des œuvres sociales ! » Voilà en fait la position dominante quant à une quelconque responsabilité de l'entreprise, position qui ne fait que se renforcer de nos jours avec l'idéologie ultra-libérale.

Il est vrai que certaines presses prestigieuses telles que le *Time* ou le *Business Week* commencent à s'émouvoir de la situation, avec des titres du genre « The Corporate Killers » où l'on se met à lever un petit bout de voile sur les conséquences sociales — et économiques, pour les firmes elles-mêmes — barbares de pratiques managériales prêtes à tout sacrifier pour la maximisation du profit à court terme[17]. Cependant, dans le cadre de ce débat d'un genre nouveau aux États-Unis, l'ancien secrétaire du Travail de la Maison-Blanche, Robert Reich, s'est vu traiter par le PDG du géant Scott de « socialiste attardé », à la télévision, parce qu'il osait plaider pour une responsabilité sociale de l'entreprise, pour une baisse des niveaux de dividendes et de profits en faveur de plus hauts taux d'emploi.

Qui, dans ces conditions, va veiller à ce que ces entreprises se comportent effectivement en bonnes citoyennes ?

Cela requiert un courage politique d'une toute nouvelle nature, et contre l'air du temps néolibéral : *un État plus interventionniste et davantage de forces de type syndical*, pour obliger l'entreprise, comme dans les pays à économie sociale de marché, à se comporter autrement qu'en machine à générer du profit unilatéral, au détriment de la nature et des humains les plus fragiles[18]. Ce ne peut être qu'un marché régulé avec un État et un partenariat social plus volontaristes que jamais.

Jean Rostand, grand biologiste et grand penseur de ce siècle, a dit : « La grandeur d'une civilisation se mesure à la façon dont elle traite les plus faibles. » Or, que fait le pouvoir politique ? Voilà bien l'autre partie du problème. Il argue de son impuissance[19]. Mais par ses politiques, il travaille activement à se rendre impuissant (*cf.* par exemple le projet de l'Accord multilatéral sur les investissements). Il se fait souvent le complice objectif de cette économie qui prend les plus faibles des citoyens pour bouc émissaire des échecs et des caprices des plus riches. À titre d'exemple, le gouvernement canadien a dépensé des millions de dollars pour mettre en place un système très sophistiqué de vérification (par croisement informatisé d'empreintes digitales), destiné à dépister les « transactions frauduleuses » des assistés sociaux, des chômeurs (accusés notamment de voyager alors qu'ils pointent à l'assurance-chômage !), des jeunes bénéficiant de prêts et bourses... On s'acharne sur les plus faibles d'entre les faibles, tandis qu'en même temps rien n'est fait pour contrecarrer la fuite des milliards de dollars mis à l'abri par les plus riches, grâce aux multiples mécanismes de faillite bidon, de domiciliations frauduleuses des profits, d'évasion fiscale, de blanchiment d'argent douteux, etc., dont disposent et se servent sans vergogne les plus nantis et les grosses compagnies. De la même façon, les dettes d'études sont imprescriptibles, alors que celles d'emprunts pour affaires le sont largement.

Aux États-Unis et au Canada, le taux de contribution de l'entreprise privée à l'assiette fiscale, entre 1950 et 1994, a chuté d'environ 50 % à moins de 10 % ! À l'inverse, aujourd'hui, la contribution à cette assiette fiscale (selon Statistique Canada) *des seuls contribuables-citoyens est de plus de 85 %* ! Dans le même ordre d'idée, on doit se poser la question de savoir pourquoi au Canada (et au Québec) le contribuable travailleur-consommateur est quasiment aussi taxé que son équivalent allemand ou scandinave, tout en recevant infiniment moins de services (depuis l'éducation publique jusqu'aux crèches, en passant par les transports en commun, les subventions au logement, les congés payés, les congés parentaux, le financement de recyclages professionnels, la santé, le soutien aux familles et aux démunis). N'y a-t-il pas lieu de se poser la question : où passe donc l'argent de la taxation des particuliers ? Dans la subvention du *business* et des plus riches[20] ?

Analysons brièvement quelques-unes des mystifications auxquelles ont recours les politiciens et leurs économistes pour convaincre le citoyen que la grande curée actuelle est nécessaire pour le bien de tous.

Une première mystification est le lien que l'on nous dit exister entre poursuite infinie d'accumulation d'argent et éthique. On entend de plus en plus parler de « *business* éthique », voire « spirituel », et de plus en plus d'entreprises (notamment des multinationales) embauchent des philosophes et des « éthiciens » pour se donner bonne conscience. Or, l'idée même d'éthique implique le collectif et le souci du collectif et de l'autre, une idée totalement étrangère à l'idéologie individualiste du *business*.

Une deuxième mystification est celle qui tend à faire croire que le discours du politique comme celui du *business* traitent réellement de choses qui relèvent de « l'économique ». Las ! l'objectif avoué de l'économie d'aujourd'hui va totalement à l'encontre de l'idée fondatrice même du concept, *oïkos-nomia*, où le communautaire passe avant toute considération d'accumulation individuelle.

Une troisième mystification, elle, est relative à la confusion qu'on entretient entre la richesse de quelques-uns et la richesse collective. Or, depuis John Stuart-Mill, John Hobson ou Karl Marx, on sait que la « bonne » création des richesses est celle qui est redistribuée, et non pas celle qui est égoïstement confisquée par quelques individus.

Avec la complicité active de la théorie des organisations fonctionnaliste et de la pensée managériale, la pensée économique dominante a également fini par nous imposer comme des vérités premières : l'inflation comme ennemie du peuple, alors que c'est surtout celle de l'argent (l'inflation, *maladie de l'argent, ne saurait toucher, d'abord, que ceux qui ont de l'argent !* [21]) ; le PIB (produit intérieur brut) comme mesure du développement, alors qu'il ne mesure que les accroissements et les flux monétaires sans distinguer ce à quoi ils servent : détruire ou construire ; le taux de chômage « naturel » qui serait nécessaire pour mettre les économies à l'abri de la surchauffe et de l'inflation, alors qu'il ne sert qu'à garantir le réservoir de chômeurs indispensable au maintien du facteur travail dans un état de dépendance ; la soi-disant nécessité de combattre dettes et déficits, en privant toujours plus les plus démunis, alors qu'en fait, il ne s'agit que d'un sournois processus de *transformation de dettes privées en dettes publiques* (lorsque sont changés en déficits budgétaires des États des emprunts nationaux qui vont directement à des activités d'entreprises privées, à des opérations de privatisations de biens publics, à des opérations de multinationales dans le tiers-monde) *et de transferts de capital fixe* (infrastructures et sociétés d'État) *et de capitaux du public vers le privé*[22].

Sait-on que ce sont les grandes entreprises et les plus riches qui donnent le moins aux États et qui leur coûtent le plus[23] ? Que l'affirmation selon laquelle le libre échange et l'ouverture des frontières sont une source de croissance pour tous n'est que carte blanche donnée aux milieux financiers multinationaux pour faire ce que bon leur semble là où bon leur semble ? Que les politiques monétaristes néolibérales, présentées partout comme le salut de tous à long terme, ne sont que la défense de l'intérêt à (très) court terme des milieux de la finance internationale ? Que le profit dont on fait croire qu'il est *création* de richesses n'est que déperdition d'énergie irréversiblement dégradée ?

Enfin, une autre mystification consiste à nous présenter la mondialisation, les marchés libres, le libre-échange, comme un bienfait. Depuis que les frontières économiques tombent entre les pays (phénomène appelé communément *globalisation*), nul pays ne peut plus vivre, nous dit-on, sans miser sur ses « avantages compétitifs » (et s'il est misérable, en état de sous-développement endémique, ce n'est la faute ni du colonialisme, ni du néocolonialisme, ni de l'impérialisme, ni de l'exploitation par les multinationales, ni des régimes corrompus et des corrupteurs transnationaux, c'est, Porter oblige, parce qu'il ne sait pas utiliser ses avantages compétitifs[24]).

Mais le fait est que si, pour certains pays, les avantages comparatifs consistent effectivement en leur richesse (tel est le cas des États-Unis qui accaparent 40 % de la production mondiale[25], contrôlent 45 % du commerce mondial des armes), c'est bien plutôt la misère du peuple qui constitue le principal « avantage » de beaucoup d'autres pays, en ce qu'elle les rend plus attractifs pour les multinationales. Il serait plus juste d'appeler cela des désavantages, ou des « avantages infériorATIFS », dans la mesure où leur capitalisation a surtout pour effet de maintenir les avantages des pays privilégiés.

Ainsi la théorie dominante de la mondialisation peut être définie comme *la théorie de la révolution des modalités du maintien du statu quo à l'avantage des plus nantis, maintien qui passe par l'organisation, sur le compte des plus faibles, d'une guerre mondiale des prix et des coûts.* Cette guerre se réalise à travers les délocalisations, les fusions, les mises en réseaux, les zones dites de libre-échange… À ce sujet, soulignons que le libre-échange n'a de sens, de réalité même, que dans une situation de quasi-égalité en termes de potentiel de consommation solvable, de niveau socioéconomique, de puissance économique et politique, de culture, d'infrastructures, de technologies, de couvertures sociales, de qualité de vie. Sinon, le « libre-échange » n'est que l'aménagement d'un espace de fuite pour les capitaux, les moyens de production et les actifs, un moyen pour le capital et les entreprises de se soustraire aux règles par lesquelles ils étaient forcés un tant soit peu d'assumer leur « responsabilité citoyenne ». Prenons le cas de l'ALENA, qui devait assurer, disaient les chantres du néolibéralisme, l'ouverture vers un marché de 450 millions de « consommateurs ». En fait, cet accord a surtout permis aux multinationales de déménager leurs sièges sociaux, leurs comptes bancaires et leurs activités vers les paradis de la déréglementation et des bas salaires. Si l'on combine la généralisation de ce type d'accord avec les mesures d'ajustement imposées aux pays les plus vulnérables par le FMI, on ne peut voir poindre à l'horizon autre chose que la démultiplication de crises comme celles qu'ont connues l'Éthiopie, la Thaïlande, le Mexique, le Brésil, l'Argentine…

En effet, ce sont les deux éléments dont l'association réalise le retour chronique du même scénario : chaque crise entraînant une nouvelle baisse de la demande globale et aggravant les effets pervers des Programmes d'ajustement structurel (surproduction, chômage et chute des prix des produits de base), il s'ensuit une « frilosité » et une « nervosité » des milieux financiers qui, en plus de se redéployer massivement dans la spéculation d'ultra court terme et dans les produits dérivés, fuient comme l'éclair (à la vitesse de la transmission électronique) vers des lieux plus stables et plus sûrs pour le maintien de la valeur des avoirs. Ce qui précipite une partie toujours croissante de la population de la planète dans la misère, les guerres et le chaos.

Le démuni, le déficient, le faible se retrouvent doublement sanctionnés à travers la perte des emplois et la baisse des prestations sociales et des services publics essentiels, qui étaient jusque-là, souvent, des droits.

Que dire en conclusion de tout cela, sinon que le discours politico-économique dominant se trouve non seulement totalement dénué de sens mais, en plus, marqué du sceau d'un cynisme encore jamais vu — car on peut de moins en moins mettre ce discours sur le compte d'une espérance naïve et lénifiante en une croissance qui n'en finit plus de devoir « revenir ».

Décidément, non, l'entreprise citoyenne n'est à l'ordre du jour d'aucun des pouvoirs de type néolibéral dominant la planète. Il faudra la (re)conquérir, et certainement de bien plus haute lutte que durant le siècle précédent.

Mais voyons à présent l'autre facette de cette question de la responsabilité de l'entreprise et du capital, que je propose de dénommer responsabilité ou citoyenneté « externe ».

Il devient *urgent de changer de raisonnement en matière de conception et de conduite économiques des entreprises, au regard de ce que nous enseignent les lois les plus fondamentales de la physique et de l'écologie*, c'est-à-dire d'évaluer le comportement citoyen des entreprises sous l'angle des effets « externes » allant bien au-delà des frontières nationales et touchant jusqu'aux écosystèmes globaux[26], et de la dégradation globale de l'énergie, de la nature et de la qualité de vie de centaines de millions de gens à l'échelle de la planète.

La recherche de *l'optimum* dans la rentabilité des facteurs et de l'équivalence, à l'échelle globale, entre flux d'entrée et flux de sortie de l'énergie (ce qui revient à respecter, notamment, les rythmes et équilibres de la nature, l'échelle temporelle du renouvellement des énergies fossiles et des ressources naturelles) doit prendre le pas sur le maximalisme.

On ne peut continuer encore longtemps à se débarrasser, sur le dos des générations futures, de l'angoissante question de la facture énergétique, écologique et sociale que l'économisme-management voudrait nous faire croire « gérable », alors que déjà, on ne sait plus que faire des déchets dangereux de toutes sortes — depuis les résidus nucléaires jusqu'aux ordures qui se promènent en barges sur les fleuves américains, en passant par les obus chimiques de la Première Guerre mondiale.

Penchons-nous maintenant, à nouveau, sur un aspect de la notion de citoyenneté d'entreprise relevant plus spécifiquement de son organisation interne.

Lorsque la qualité et la productivité sont à ce point subordonnées à la rentabilité financière à court terme, il n'y a guère que deux façons d'agir : organiser la spéculation avant l'amélioration de la production, d'une part, et d'autre part couper les coûts, partout, jusqu'à la corde — le travail, c'est-à-dire l'employé, étant considéré avant tout comme un coût, le coût principal.

Nous assistons à une escalade dans la guerre à l'employé-coût.

Ceux qui survivent aux compressions et aux fusions doivent devenir « flexibles » (bel euphémisme pour dire *taillables et corvéables à merci*), faire plus, plus vite et mieux (!) tout en cachant les multiples symptômes de leur stress et de leur détresse, en dissimulant les heures de travail supplémentaires, et surtout, en évitant soigneusement initiatives et tentatives de créativité, par peur des risques d'erreurs possibles qui les conduiraient à être licenciés sans ménagements[27] !

La place réservée à la « ressource humaine » et à son traitement (on pourrait dire « usage ») dans notre ordre économique actuel pose très directement le problème d'une incapacité à reconnaître l'employé comme sujet à part entière et comme partenaire indispensable[28].

Pour ce qui est de la spéculation, nul n'ignore les miracles de rendement et les profits sans précédent affichés par les banques, les entreprises du virtuel et les institutions financières.

L'objectif principal reste, toujours, de maximiser les dividendes le plus rapidement possible, même en se livrant à de multiples et stériles manœuvres de vente et de revente d'organisations devenues vulgaires marchandises.

Mais il y a là un grave problème. Pour la survie même du capitalisme dominant — et partant, de l'humanité —, les règles de la compétitivité mondialisée imposent de disposer d'une main-d'œuvre sans cesse mobilisée, inventive, créative, hyper-productive à tous les niveaux. C'est ce que, par exemple, Claude Bourcier et Yves Palobard, dans leur appel à la reconnaissance, dénomment « reconnaître l'intelligence » chez l'employé, avant toute autre considération.

Or l'ordre économique actuel comporte-t-il seulement de quoi assurer à l'employé les conditions matérielles suffisantes pour légitimer, du point de vue de celui-ci, une loyauté envers son employeur et le désir de mieux faire, d'être créatif, vigilant, etc., à son travail ? Est-il réaliste, sans des conditions matérielles satisfaisantes, de prôner le management par la reconnaissance comme un nouvel instrument magique de promotion d'un employé pétri d'attachement et de zèle (sinon à sombrer dans une nouvelle forme de manipulation, aussi sordide et hypocrite qu'inutile) ?

En ces temps où les dieux argent, profit et indices boursiers passent avant tout, peut-on m'en vouloir de ne plus adhérer aux diverses tentatives de fluidifier la machinerie de la rentabilité humaine[29] ?

Quelle reconnaissance pourra bien venir à bout du désespoir qui s'empare désormais de ces cohortes, toujours plus nombreuses, d'employés en sursis ? Leur situation même en est le déni.

La première de toutes les reconnaissances — comme il est stipulé dans bien des grands textes fondateurs de projets de société — n'est-elle pas le droit, d'abord, à la dignité par le travail ?

Certains aspects de la mécanique financière du capitalisme post-industriel (et, *a fortiori*, de sa prospérité) entravent dès le départ une reconnaissance authentique et incarnée. Examinons-en deux très brièvement : la notion d'amortissement, d'une part, et le lien entre la croissance (ou relance de l'économie) et les intérêts financiers, d'autre part.

L'amortissement

Dans la théorie, autant économique que managériale, l'amortissement est un facteur central sur lequel s'assoit le début de tout calcul et de toute idée de rentabilité. La signification de tout calcul comptable ou financier (et par extension, de tout calcul économique) serait nulle sans la prise en compte de ce facteur. Or, en plus de la très épineuse question de la validité de cette notion comme mesure réelle de quoi que ce soit (sans parler de sa validité comme mesure, au sens scientifique, donnant lieu à des calculs considérés comme tel[30]), se posent deux questions cruciales relativement à la place que cette notion réserve au facteur travail :

1. La première (que posait déjà, presque directement, Joseph Schumpeter) concerne l'accélération de la *destruction créatrice* (ou obsolescence planifiée) dont le capital a un besoin vital dans sa logique de croissance soutenue ;
2. La seconde concerne la « ressource humaine » elle-même, lorsque de plus en plus de discours appellent à la considérer désormais comme un investissement, comme un actif.

Sans trop entrer dans les détails (ni dans les subtiles nuances de raisonnement qu'une telle analyse appellerait), remarquons qu'il y a là deux graves contradictions à affronter :

- Comment fonder une part (habituellement substantielle) des bases de prospérité de l'entreprise sur l'amortissement de ses actifs, quand ceux-ci sont sans cesse plus rapidement dépassés — tellement rapidement que, pour leur partie automatisée ou informatisée, l'obsolescence bat de vitesse les amortissements les plus audacieux ? Dans la course au rattrapage technologique, les manques à gagner qui grugent le traditionnel amortissement doivent donc absolument être reportés sur d'autres facteurs[31]. Est-il alors étonnant de voir les décideurs se tourner encore davantage vers le seul facteur de production encore et toujours *compressible* : le travail ? Comment brisera-t-on ce cercle vicieux ?
- Comment, de façon comptable et financière, traiter la « ressource humaine » en investissement, ou en actif, quand on sait que, dans le mode de traitement actuel, tout investissement et actif ne sont comptabilisés que de façon à être amortis ? Serait-ce à dire que l'être humain deviendrait, dans l'organisation, un facteur dont la valeur (résiduelle) s'abaisserait proportionnellement au temps qu'il y passe ? Comment reconnaître l'expérience et la bonification avec le temps d'un

tel investissement, si nos systèmes de comptabilité ne peuvent que l'amortir ?

Lien entre la croissance et les intérêts financiers

En second lieu, un grave problème se pose sur le terrain même de la conception de la croissance économique lorsqu'on considère qu'on ne peut parler de reconnaissance effective, authentique sans garantie ou sécurité d'emploi, qui en est la première condition. Apparaissent en effet de plus en plus contradictoires une reprise — en termes réels — de la croissance économique, et donc de l'emploi, d'une part, et d'autre part les profits et les intérêts des milieux d'affaires. Paradoxe ? Non !

Le mécanisme est simple : toute reprise de croissance est par principe l'annonce d'un recul du chômage, d'une certaine augmentation de l'emploi (ne serait-ce que de l'emploi dit indirect, nécessaire au soutien des nouvelles activités ajoutées).

Or, recul du chômage et/ou augmentation de l'emploi sont aussi synonymes de *menaces d'inflation*. Les milieux d'affaires (bourses, places financières, financiers, actionnaires, etc.), *anticipant une hausse des taux d'intérêt* (réaction prévisible des banques centrales face à tout contexte inflationniste, du fait qu'il voudrait dire attraction de l'argent et de l'épargne disponibles vers les banques plutôt que vers les actions et les produits financiers, vont se *mettre à vendre titres et actions*, par crainte de voir les prix chuter (puisque les taux bancaires à la hausse deviennent plus séduisants que les valeurs boursières).

Ainsi donc, la réaction *naturelle* des milieux financiers, en réalité, *contrecarre tout signe de réelle reprise économique* ! Car la menace de baisse de valeur des titres et actions fait pointer le spectre de la sous-capitalisation des entreprises et de la chute des dividendes... Spectre dont *l'antidote le plus simple et le plus immédiat s'appelle rationalisation des effectifs*, restructurations et compressions ! En bout de ligne, alors, toute création, ou *simple annonce de création* d'emplois est contrée par des mesures de plans sociaux consécutives aux réactions anti-inflationnistes des milieux financiers, car les PDG, jugés sur leurs résultats à court terme, ne peuvent laisser chuter les valeurs des actions en bourse, menacées par l'attraction bancaire de l'épargne.

On voit bien, à la lumière de ces deux aspects de la mécanique comptable et financière, qu'il est aussi malaisé de parler de reconnaissance concrète (en raison de ses inévitables conséquences matérielles, comptables, financières) qu'il est aisé d'en traiter en termes de grands principes dits éthiques.

Les discours de la reconnaissance sont également en décalage avec la précarisation des emplois, une des réalités les plus criantes du travail aujourd'hui. À titre d'exemple, neuf emplois sur dix « créés » ces dernières années en France sont des emplois à durée déterminée, intérimaires, à contrat limité; un Américain sur cinq vit dans le besoin, bien que dûment détenteur d'un emploi[32].

Comment s'attendre à des retombées bénéfiques de la gestion par la reconnaissance, lorsque la confiance et la loyauté ne peuvent être que laminées par la crainte que porte tout un chacun d'être sur la liste des postes coupés lors d'un prochain plan social ? Par la conscience d'être l'indispensable victime à sacrifier pour le maintien (pire, pour l'accroissement) du profit financier et des privilèges des dominants (dirigeants et actionnaires confondus) ?

Comment en outre envisager une quelconque efficacité des actions dites éthiques ou de reconnaissance lorsque les différences de privilèges, statuts, salaires, revenus divers sont aussi gigantesques et en écart constant ! Dans les pays du capitalisme financier (les États-Unis, l'Angleterre, la France), les pyramides de revenus accusent un écart de 1 à 425 entre les revenus les plus bas et les revenus les plus élevés, tandis que pour le Japon, la RFA, la Scandinavie, pays de « l'autre capitalisme », cet écart est de 1 à 23[33]. Avouons qu'il y a là de quoi générer chez les employés de ces pays de grandes différences sur le plan de la motivation et du sentiment d'être reconnu !

Notons encore qu'au Japon, la couverture sociale et les avantages divers peuvent aller jusqu'à excéder de 70 % ce que préconisent les lois et règlements (il en est même, rapporte *L'état du monde*, qui accordent trois à quatre mois de vacances payées par an !) ; et que l'emploi est un droit garanti (constitutionnellement) en RFA et en Scandinavie, et par la tradition en Corée, au Japon[34].

Réitérons notre question: la seule affirmation de la nécessité de la reconnaissance de l'existence et de la contribution de l'employé se suffit-elle à elle-même ?

Afin de bien mesurer le décalage qui existe entre le discours d'une quelconque gestion par la reconnaissance et la réalité, examinons rapidement quelques chiffres[35] révélateurs de la nature du modèle dominant et partout brandi en exemple, sur lequel repose un prétendu miracle américain:

- les salaires réels, considérés globalement, n'ont pas augmenté depuis 1973;
- durant les cinq dernières années de la décennie 1990, les revenus des PDG et les *Chief Executive Officers* (CEO) des plus grandes firmes ont augmenté en moyenne de 400 %, alors que la productivité de leurs entreprises a connu une hausse moyenne oscillant autour des 20 %;
- le revenu familial (malgré l'allongement de la semaine de travail et le nombre plus grand de travailleurs par famille) stagne au niveau de 1989;
- seuls les 5 % les plus élevés des revenus familiaux ont crû de 7 % entre 1989 et 1994;
- les 10 % les plus défavorisés ont vu leurs revenus baisser de 10 % entre 1977 et 1987;
- le revenu des 10 % les plus nantis, durant les années 1980-1990, s'est accru de 25 %;
- celui des 1 % les plus nantis des nantis a augmenté de 74,2 % !
- le salaire des PDG des 360 plus grosses entreprises a crû de 92 % entre 1990 et 1995;
- par rapport à 1990, le salaire annuel moyen des PDG de 1998 s'est accru de 1,8 million de dollars, tandis que celui des employés s'est accru de 4000 dollars !
- en 1992, déjà, 1 % de la population détenait 50 % des actions, 63 % des obligations et 61 % du capital des entreprises;
- 10 % de la population possède, en 1996, 87 % des actions, 92 % des obligations, 92 % du capital des entreprises;
- le pourcentage d'employés couverts par une retraite d'entreprise a chuté de 75 % en 1988 à 42 % en 1994;

- le pourcentage d'employés couverts par une assurance maladie est passé de 60 % à 45 % pour la même période ;
- en 1994, le bénéfice des grandes entreprises croît de 40 %, pendant qu'elles éliminent près de 520 000 emplois ;
- par les effets combinés de l'emploi précaire, de la faiblesse du salaire réel, du temps réel de travail rémunéré, on en arrive à la création de centaines de milliers d'emplois qui donnent, annuellement, un revenu inférieur au seuil de pauvreté ;
- la pauvreté des enfants a augmenté, durant les années 1990, de 50 % ;
- si on tenait compte de la population carcérale, le taux de chômage augmenterait de 2 %, et si on considérait la proportion de travail à temps partiel et précaire, il augmenterait de 5 % !
- le taux de chômage chez les jeunes (15-28 ans) est de 15 % en 1998 ;
- en 1998, 18 % de l'emploi américain est du travail à temps partiel ; 90 % des emplois « créés » depuis ne sont que du partiel ou du temporaire ;
- l'industrie américaine est responsable, à elle seule, de 25 % des émissions de dioxydes de carbone de la planète, alors que les Américains ne représentent que 4 % de la population mondiale.

Si l'on se penche sur les différents « miracles » américain, anglais, néo-zélandais[36], argentin[37], on ne peut que constater l'ampleur grandissante du fossé qui sépare les nantis des démunis, les riches des pauvres, les dirigeants des employés, les intérêts de la finance de ceux du travail, les intérêts de l'industrie de ceux de la nature.

Considérons maintenant la réalité associée à ce modèle économique et gestionnaire dominant au regard de l'autre dimension de la citoyenneté/responsabilité de l'entreprise, que nous avons appelée externe : ses rapports avec la nature partout et non seulement au niveau national ou à celui de l'activité immédiate (à la limite, dirions-nous, ses rapports avec l'univers et le cosmos à travers les conséquences déjà visibles sur notre atmosphère et au-delà) d'une part, et avec les autres pays, les autres continents, comme ensembles politico-économiques et socioculturels d'autre part.

À partir de ce point de vue, on peut dire que l'économie américaine vit sur l'exploitation de presque *trois continents et demi* en plus des dégâts causés à l'atmosphère dont toute la planète dépend[38] ! Les dimensions de cette exploitation sont :

1. Les salaires de famine versés un peu partout par les multinationales américaines, comme en Haïti, en Thaïlande, aux Philippines, au Mexique, en Afrique, en Chine — et qui font de l'économie américaine bien plus une *économie de rentiers qu'une économie productive*[39] ;
2. Les dommages à la nature et les déversements massifs de déchets non dégradables, les pollutions de toutes sortes causés en particulier (absence de règlements, faiblesses des pays producteurs devant le dollar et les multinationales) hors États-Unis ;
3. L'ignorance de toute considération éthique dans la recherche du profit et les pratiques de corruption, autant sur l'ensemble du continent américain que sur le continent africain (*cf.* les contrats signés par les grandes entreprises minières américaines dans la région des Grands Lacs, au Zaïre, notamment sous le régime de feu Kabila, sachant les exactions commises par ce régime ; ou encore les investissements massifs, sur fond de guerre civile, de massacres et d'égorgements généralisés, dans le Sahara algérien et ses hydrocarbures, secteur dans lequel des dizaines de milliers de citoyens américains travaillent actuellement, en 2002[40]), dans une partie du Pacifique-Sud, et au Moyen-Orient (dans les activités visant le contrôle — y compris par les armes — du pétrole).

Avec à peu près toutes les ressources (ou ce qu'il en reste !) de ces trois continents et demi, les États-Unis *produisent, à quelques points de variation près selon les années, la même proportion des richesses mondiales que le Japon* (environ 15 % en moyenne sur les deux dernières décennies). Alors que le Japon, grand comme la Californie, ne dispose quasiment, en matière de « ressources », que de ses seuls citoyens ! Et, bien que ce ne soient ni des enfants de chœur ni des anges, les Japonais sont à des années-lumières des types de dommages et gaspillages provoqués hors territoire par les États-Unis. Dans quel camp situer, alors, la productivité et l'efficacité ? Et donc quel « modèle » étudier et adapter ?

Mais, demandera-t-on, bien entendu et avec raison, le Japon n'exploite-t-il pas lui aussi des cohortes d'ouvriers sous-payés et hyper-contrôlés, comme les Coréens, les Malais, et maintenant aussi les Vietnamiens, à travers l'exportation (la « délocalisation ») de ses industries et technologies « non stratégiques » ?

Considérons donc à cet égard quelques faits :

1. Les investissements japonais dans ces régions ne se font pas dans un souci financier-spéculateur de court terme, mais dans celui de développer des partenariats durables, et des marchés de futurs consommateurs solvables dans leur périphérie ;
2. Les investissements japonais dans la formation (toute leur vie active durant !) des mains-d'œuvre utilisées sont sans commune mesure avec la majorité des autres pays industrialisés ;
3. Enfin, la division internationale du travail planifiée dans la région montre un souci de complémentarité dans une stratégie de gagnant-gagnant, plutôt que la mise en œuvre d'une sournoise politique d'hégémonie, sous couvert d'une logique des avantages comparatifs ou compétitifs.

En effet, il suffit de jeter un coup d'œil aux balances commerciales des pays de la périphérie japonaise pour s'apercevoir de l'étendue de l'intégration complémentaire des productions des uns et des autres. Ainsi, en gros :

- services pour Singapour,
- électronique pour la Malaisie,
- informatique pour Taiwan,
- industrie mécanique et navale pour la Corée,
- textiles et dérivés pour les Philippines[41],
- industries de l'assemblage et secteurs mous pour la Thaïlande, et bientôt,
- agro-industrie pour le Viêt-nam.

Certes, il n'est pas question d'idéaliser le pays du Soleil-Levant et d'en faire un peuple de samaritains volant au secours de l'humanité. Mais il importe tout de même d'attirer l'attention sur le fait que le comportement « géo-économique » de ce pays et de ses managers démontre un sens plus profond du fait que leurs intérêts propres à long terme passent par le respect des ressources.

À l'inverse, dans le modèle du capitalisme financier, on se rend compte avec effarement que les règles de prospérité de la libre entreprise imposent de plus en plus la maltraitance des sources de sa survie à long terme : l'énergie utilisable, les ressources naturelles, les hommes, leurs qualifications, la qualité de la vie et la qualification du citoyen, la nature.

Et quoi que l'on fasse désormais, le travailleur considère de plus en plus l'entreprise et ses employeurs comme des adversaires impitoyables dont il faut, autant que faire se peut, soutirer le maximum en donnant le minimum, tant que l'on figure encore parmi les survivants ! C'est ce dont témoigne avec éloquence l'enquête de William Wolman et Anne Colamosca [42] (respectivement l'économiste en chef et l'une des plus connues des journalistes économiques du *Business Week*), qui révélait que, déjà, plus de 75 % des Américains ne se considèrent plus tenus d'être loyaux envers les entreprises qui les emploient, ne font plus confiance à leurs dirigeants, pas plus qu'aux journalistes, ni aux hommes politiques, sans parler des écrits prémonitoires des Studs Terkel et Michael Sprouse [43].

On le voit clairement : il est bien des contradictions et des mystifications que l'on devra résoudre en économie-management avant de songer à une réelle efficience de pratiques telles que celle de la « reconnaissance », pour le moment réduite à un outil de gestion superficiel, parce que déconnectée du contexte désastreux dans lequel, qu'on le veuille ou non, baigne le travailleur-citoyen-consommateur de ce début de XXIe siècle ; et plus généralement, avant que le terme d'entreprise citoyenne devienne autre chose qu'une formule creuse et même hypocrite.

J'aimerais, avant de conclure, partager avec le lecteur un merveilleux petit texte, extrait des travaux de Xénophon (IVe siècle avant J.-C. !) d'une actualité tout à fait étonnante quant à cette question de la reconnaissance du travail et du travailleur. Voici ce qu'il écrit, donnant des conseils aux maîtres de domaines agricoles qui veulent recruter et faire travailler au mieux une main-d'œuvre saisonnière :

> Choisissez des sujets propres à la fatigue, au-dessus de 22 ans [...] On juge de leurs aptitudes sur ce qu'ils faisaient chez leur précédent maître. Prenez, pour les diriger, des esclaves qui ne soient ni insolents ni timides ; qui aient une teinture d'instruction, de bonnes manières, de la probité [...] Cette position exige l'intelligence des travaux, car l'esclave n'est pas là simplement pour donner des ordres, il doit montrer ce qu'il sait faire afin que ses subordonnés comprennent que ce sont ses talents et son expérience qui le placent au-dessus d'eux [...] On fera bien de flatter leur amour-propre, en leur donnant de temps à autre quelques marques de considération. Il est bon également, quand un ouvrier se distingue, de le consulter sur la direction des ouvrages. Cette déférence le relève à ses propres yeux, en lui prouvant qu'on fait cas de lui, qu'on le compte pour quelque chose [...] C'est ainsi qu'on leur inspire le bon-vouloir, et l'affection[44].

Le moins qu'on puisse dire est qu'il est difficile de ne pas voir dans ce passage l'essentiel de décennies de laborieuses (et intellectuellement affligeantes) recherches, publications, enseignements, etc. sur le comportement organisationnel, le leadership, la motivation, qui encombrent les programmes des écoles de gestion.

Quelle bonne vieille potion que voilà ! Pourquoi en a-t-on donc perdu la recette ? On le sait, c'est d'abord une bien longue — et souvent bien triste — histoire qui répond à cette question : l'histoire de la montée de la rationalité utilitaire instrumentale et de la réduction des actes humains à leurs dimensions calculables (essentiellement : transformer l'acte humain en « salaire » calculable, voir Marx, Max Weber, Nietzsche, ou de lucides contemporains tel un John Saul[45]), pour mieux en faire une marchandise vendable et achetable, un input quantifiable, propre aux calculs des comptes de bénéfices et autres *comptes d'exploitation* (sic !).

Aristote, Hegel, Marx, Nietzsche, Weber l'ont très bien vu : *les actes humains (donc, et surtout, le travail) sont choses qui s'apprécient (par et pour le collectif), et non qui se mesurent (par et pour le profit individualiste).*

John Harrington[46] nous donne également un élément de réponse en lien avec la réalité plus spécifiquement contemporaine: on a perdu de vue cette antique potion parce que le contexte économique des trente glorieuses, avec les retombées du plan Marshall, et l'avantage que tiraient les Américains de ne pas avoir connu la guerre sur leur sol, ont trop longtemps — et je cite Harrington — *laissé croire que le succès des firmes (et non de l'économie, car cela voudrait dire normalement aussi de la société) américaines était dû à leur supériorité managériale*... Ce qui a conduit à négliger dramatiquement les rôles et places véritables à donner au facteur humain et à l'employé, traités — encore à présent — comme de simples rouages aveugles et dociles de systèmes qui sont censés les dépasser, être hors de leur compréhension, compétences (il n'est qu'à voir la façon dont les manuels actuels de « management stratégique[47] » parlent des employés: ceux-ci doivent se laisser pénétrer par la culture issue de la vision stratégique des dirigeants, implanter des mesures stratégiques dont tout leur échappe en termes de conception, accepter les mesures dites de « positionnement » des firmes sans avoir le moindre mot à en dire — quitte même à en être les premières victimes). Et Harrington d'ajouter: les modèles de management qui démontrent une vraie réussite et sont prêts pour le XXIe siècle *sont bien plutôt* (il rejoint là les déclarations d'Henry Mintzberg) *à chercher du côté des Allemands et de l'Asie de l'Est*... Ce qui est tout à fait exact, du point de vue abordé ici, quant on sait l'ampleur des négociations tous azimuts, incluant syndicats et employés, qui président aux modes de management de ces pays.

En guise de mot de la fin, je dirais que *les solutions à tous ces problèmes de citoyenneté des entreprises, d'équilibres entre facteurs de production, d'équité en matière de commerce international, de mieux-être de la nature et du citoyen, de meilleur partage des richesses produites, etc. existent, et que certaines sont déjà appliquées*, dans des mesures différentes, à l'échelle de pays: Japon, RFA, Corée, Suède, Norvège, Danemark, ou à l'échelle d'entreprises: Semco (Brésil), Cascades (Québec), Kimberly Clark (États-Unis), FORBO (Ontario)[48]. Ce qui manque, c'est l'acceptation, par les dirigeants politiques et économiques des pays au management à l'américaine, des changements radicaux qu'elles impliquent aux quatre niveaux de l'analyse et de la pratique économique : mondial, macroéconomique, méso-économique et microéconomique.

1. Au niveau mondial

La domination sans partage des multinationales n'a que trop duré, ainsi que la liberté débridée des capitaux transnationaux. L'application de la taxe Tobin est une première solution à l'échelle mondiale, aussi prometteuse qu'inquiétante pour les milieux du *business*. Une seconde solution serait de penser des mécanismes — somme toute pas plus compliqués que ceux qui imposent aux États les mesures du FMI — qui obligeraient les multinationales à payer des salaires plus décents aux travailleurs du tiers-monde. Cela aurait pour effet, d'une part, de hausser la demande globale effective, et d'autre part de diminuer les fuites que représente le détournement fréquent des « aides » transitant par des gouvernements ou des institutions fréquemment corrompus ou corrupteurs[49].

2. Au niveau macroéconomique

Il devient de plus en plus nécessaire de dissocier les politiques économiques des échéances électorales. À cet égard, un exemple intéressant est celui des pays scandinaves et de l'Allemagne, qui ont inscrit leurs politiques économiques dans la Constitution, de même que les lois fondamentales qui transcendent toute la hiérarchie de leurs textes de loi. Ainsi, le travail, la cogestion et la participation du syndicat (et aussi, de différentes façons, de l'État) dans les conseils d'administration et aux décisions stratégiques sont des droits inaliénables et constitutionnellement garantis. Ceci a l'avantage (et ce n'est pas le moindre) d'empêcher les candidats politiques, à chaque élection, de privilégier les intérêts des plus offrants, au détriment des démunis et des masses.

Par ailleurs, un des éléments de la solution, qui a été repris et remis en avant récemment, après les marxistes et les néomarxistes, par le professeur Martin Weitzman du MIT[50], consiste en *l'abolition du salariat*, c'est-à-dire en la *variabilité des revenus*. Les revenus seraient variables pour tous, y compris patrons, chefs, actionnaires, capital, rentes, en fonction des résultats réels de l'économie (et non de gonflements artificiels de profits par des actes de manipulations financières et de spéculations comme les cas de Nortel, de Enron, de Arthur-Andersen ne l'ont que trop montré en ces débuts d'années 2000)[51]. Ces résultats devraient être calculés sur une base qui tient compte aussi du long terme et respecter non seulement le rythme de renouvellement de l'énergie et de la matière, mais aussi un niveau minimum d'emploi garanti (ce qui implique de sortir de cette folle logique du management à l'américaine qui consiste à calculer la rentabilité sur des horizons de prises de décisions de trois mois !).

Soulignons que l'équation est implacable : « revenus variables généralisés = stabilité de l'emploi », car l'élément précisément « variable » de cette équation change radicalement : c'est le revenu (il est aisé de comprendre que la logique inverse, faire varier l'emploi pour maintenir — ou augmenter — des niveaux de revenus, aboutit implacablement à des situations de luttes et de rapports de forces, où la confrontation l'emporte sur la collaboration : l'élément le plus puissant, le capital, l'emporte en organisant la manipulation du chômage et de la pollution comme « facteurs variables » garantissant la stabilité du revenu du capital).

À quand une OMC et un FMI régulant et contrôlant, à l'échelle de la planète, une telle équation, en obligeant le capital à pondérer ses revenus en fonction du respect de niveaux d'emploi minimums, de pollution minimale ?

On peut ici soulever l'argument légitime qui consiste à se demander comment feront alors les salariés, en particulier, pour planifier leur vie, faire des projets, etc. Nous répondrons ainsi :

- Peut-on affirmer que cela présente moins d'incertitudes que la situation actuelle, où chacun se demande s'il fera partie de la prochaine charrette de licenciements massifs ?
- Le plus important pour la tranquillité d'esprit n'est-il pas, tout bien considéré, de savoir son emploi stable et, donc, de pouvoir compter sur un certain revenu moyen assuré ? Précisons que la formule assure un minimum régulier, puisque ce n'est

que la partie correspondant au taux de croissance (ou de décroissance) réel de l'économie qui, elle, est variable.

- Enfin, le vrai problème, selon nous, est ailleurs: les actionnaires, les patrons, les PDG accepteront-ils ce principe ? C'est là, et de loin, le plus farouche foyer de résistance à un changement de ce type.

La variabilité de revenus est déjà quasiment la règle dans les pays du capitalisme industriel, où les revenus de chacun sont, de fait et de droit, depuis toujours variables, soit à cause du large système de négociation et de redistribution des social-démocraties allemande, suédoise, danoise, norvégienne, soit à cause de la tradition, profondément confucéenne, qui interdit — à moins de perdre la face — de licencier des employés, et *a fortiori*, de licencier tout en conservant (ou pire, tout en augmentant) ses propres avantages et privilèges.

3. Au niveau méso-économique (niveau intermédiaire entre le macroéconomique et le microéconomique)

Il faut protéger de la logique du profit maximal de court terme et de la spéculation financière les secteurs qui assurent le bien-être des individus, de la nature et de la société en général. Les secteurs tels que ceux de la santé, de l'éducation, du transport, de la culture, des communications, du logement et de la nourriture, dont l'objectif est de garantir au citoyen sa dignité, doivent rester sous une protection et une surveillance stricte de l'État (dont c'est la mission par excellence, et non de veiller au bien-être du capital et de l'argent). Il est donc dans l'intérêt des populations que l'État soit plus présent que jamais, au moins dans ces secteurs clés. Cela, soulignons-le énergiquement, ne contrarie nullement la libre entreprise, dans la mesure où celle-ci ne cherche pas à utiliser comme source de profit ce qui est fondamental pour un bien-être minimal et pour la dignité de la communauté et de la nature. Sans compter que des mesures de protection de la nature et de valorisation du citoyen ne peuvent qu'être des atouts majeurs pour la rentabilité même de l'entreprise privée !

4. Au niveau microéconomique

À ce niveau, qui touche au fonctionnement de l'entreprise elle-même (privée ou publique), il est temps de mettre fin au pouvoir absolu des dirigeants, patrons et autres propriétaires. Il faut démystifier la figure du dirigeant, que l'on veut nous faire voir comme l'unique tête pensante ayant solution à tout. La productivité, l'innovation et l'intelligence sont le propre de tout être humain, et il est indispensable de prendre en considération les points de vue de l'ouvrier et de l'employé de base. Dans cette perspective, la présence de syndicats forts et puissants, capables de représenter, d'articuler et d'exprimer les idées et l'opinion de la base, est une quasi-obligation pour toute organisation qui se veut démocratique (en admettant un nécessaire contre-pouvoir au capital), intelligente, apprenante, innovatrice, de qualité totale.

Voilà encore une *solution qui peut paraître indésirable aux yeux de l'establishment politico-économique mondial qui a trop de privilèges à perdre*, alors même qu'elle serait, en toute logique de long terme, salutaire pour le capital lui-même, puisqu'elle permettrait une salvatrice augmentation du pouvoir d'achat global.

C'est un fait reconnu que la santé économique d'une société est étroitement liée à la capacité qu'elle a de générer et entretenir une masse critique de véritable classe moyenne (c'est le cas du Japon et des pays du nord de l'Europe). Car c'est en proportion directe de l'étendue de cette classe moyenne que la société peut soutenir un niveau de revenus fiscaux, de consommation et d'épargne propice à une bonne performance économique d'ensemble, y compris la garantie des retraites (un des cauchemars des politiques et des décideurs économiques actuels, qui oublient que, tout simplement, lorsque le capital est laissé la bride sur le cou et qu'il délocalise, licencie, au seul gré de la maximisation de ses taux de rendements, les étendues et niveaux de salaires — *le coût par excellence à réduire* — distribués vont toujours glisser en-deçà de la capacité à soutenir ces deux piliers centraux de l'équilibre de long terme : une demande globale solvable et une alimentation suffisante et continue de caisses d'épargne et de retraites : ce n'est pas avec les quelques misérables cents de l'heure que paient les multinationales à leurs ouvriers en se délocalisant aux Philippines, Mexique, Indonésie, que les régimes américains vont assurer la retraite des travailleurs américains!). Et, chose que l'on oublie un peu trop, c'est aussi là la première source de toute idée de *développement durable* (expression si à la mode aujourd'hui, qu'elle donne même des noms de ministères [52]), car quelle *durabilité* économique peut-on envisager sans un minimum de permanence de solvabilité du plus grand nombre ? Autrement dit, qui assurera la consommation des biens et services produits, si le salariat, les retraites de travailleurs, etc. rétrécissent sans cesse (pour permettre de gonfler dividendes et profits), si aucune sorte de *classe moyenne planétaire* solvable n'est entretenue ? Ce n'est certainement pas en gonflant sans cesse les salaires des PDG et les dividendes à court terme sur la base d'un chômage exponentiel qu'on y arrivera!

Mais j'entends et je lis, çà et là, de plus en plus de professions de foi en un avenir aussi radieux qu'inéluctable, fait de nouvelles économies dites de l'information, du savoir, des nouvelles technologies, du cyberespace, du super-tertiaire, du virtuel, comme si la solution aux graves problèmes que traversent actuellement l'humanité et la nature résidait dans le changement de type d'économie!

On ne le dira sans doute jamais assez fort: *le problème n'est pas et n'a jamais été* le type ou la nature de l'économie que l'on pratique — peu importe qu'elle soit primaire, secondaire, de l'informatique, virtuelle ou autre. *Le problème est, et a toujours été, ce que nous faisons dans le cadre de ce que nous appelons l'économie, en amont, d'une part, selon notre mode d'usage de la nature, et en aval d'autre part, selon nos modes de production (rapports sociaux de production) et de redistribution des résultats.*

C'est la conception que nous nous faisons de la place de la nature dans la vie économique et le projet de société que nous envisageons pour les communautés humaines (je crois avoir montré dans ce livre que le marché ne peut en aucun cas constituer un projet social) qui sont et seront toujours les vrais problèmes.

Mais qui, parmi ceux qui ont le pouvoir de décider et de changer l'ordre des choses, acceptera ce genre d'analyses et de solutions ? Quand il peut être si commode, dans ces milieux, de traiter ceux qui parlent comme je le fais de paléo-marxistes ou de néo-staliniens nostalgiques, ou encore d'adolescents attardés, utopistes et tiers-mondistes, et de ressasser des propos lénifiants sur l'éternel retour de la croissance...

Paradoxalement, je place une bonne partie de mes espérances dans le rôle que peuvent jouer les *écoles de gestion*. Je crois en effet que, plus que jamais, nous avons besoin d'écoles de gestion, mais en prenant les termes gestion (de *gerere : conduire*), administration (de *ad minister : au service de*), management (du français *ménager*), dans leur sens étymologique et premier.

Faire de nos futurs gestionnaires, managers, décideurs, des gens qui apprennent à *conduire* (ce qui est différent de diriger, commander, accaparer, contrôler), à *être au service de* et à *ménager*, voilà un programme qui ne démentirait nullement l'axe conducteur de ce livre : faire de l'économie-management une activité responsable et prudente, vouée plus à la sauvegarde et à la conservation qu'à l'exploitation et la croissance inconsidérées.

Mieux gérer est certainement ce dont notre planète a le plus urgent besoin. Mais tout est dans ce fameux « mieux » qui doit être synonyme de tout sauf de multiplier plus et plus vite les revenus des plus puissants et des détenteurs de capital !

Pour paraphraser Imre Lakatos (parlant des rapports entre l'histoire et la méthode), je dirais, en ce qui concerne la gestion, son enseignement et ses praticiens : *gérer sans connaître et comprendre est aveugle, et connaître et comprendre sans être outillé pour gérer est vide*. Plus que jamais, les lauréats des écoles de gestion doivent être des *sages*. Les responsabilités et pouvoirs dont l'économie mondiale moderne les dote leur imposent prudence, jugement, finesse et capacités de discernement. Elles ne peuvent plus être des mécaniques à multiplier l'argent.

Le fil conducteur délibérément adopté pour la matière de ce livre : suivre l'axe de compréhension donné par l'enchaînement, que je qualifierais d'humaniste et d'écologique (Aristote – Marx – physique du quantum), pourrait fort bien servir de base à une réflexion en profondeur pour une refonte des programmes des écoles de gestion, démesurément assis sur des enseignements hyper-mathématisés, donnant la part belle quasiment aux seules considérations de type « production-finances-comptabilité », y compris dans les matières touchant aux employés, aux consommateurs, où les uns ne sont pratiquement que coûts et les autres acheteurs indécis. Donner une très large place aux humanités (incluant la science économique débarrassée des scories de la financiarisation à outrance et réintégrant de plein droit les dimensions sociales et écologiques) ainsi qu'aux sciences de la vie et de la nature sera une des tâches les plus prioritaires et les plus ardues pour cultiver, civiliser et responsabiliser les futurs décideurs.

Des alliés de taille viennent m'appuyer ici et dans le même sens : Henry Mintzberg, avec deux autres éminents collègues et leaders en *business*[53] se déclarent, ce dont je ne saurais me désolidariser, en faveur d'une profonde révision des croyances et des matières enseignées en gestion. Ils appellent à en finir avec, au moins, cinq « demi-vérités » bien dommageables aux affaires humaines et à la base de dérives graves telles que celles qu'on a pu observer lors des scandales de détournements, de faux en comptabilité, qui ont secoué des compagnies comme Enron, Andersen, Tyco, Merryl Linch, Global Crossing, etc. Ces cinq demi-vérités à bannir consistent, selon ces auteurs, à laisser croire que :

- le *business* et la gestion sont avant tout affaire de « chacun pour soi » et d'égoïsme visant la seule maximisation de ses propres gains (comme on l'enseigne, précisent-ils, en finance, entre autres) ;
- les firmes et entreprises n'existent que pour maximiser la valeur des actions et les gains des actionnaires ;
- les entreprises ont besoin de dirigeants qui sont des « leaders héroïques et charismatiques » qui portent l'entreprise à eux seuls et qui se méritent des avantages et salaires plus qu'exorbitants ;
- les entreprises à succès doivent être « minces et agressives » ou encore « amaigries et impitoyables » (*lean and mean*), ce qui conduit aux excès les plus barbares contre les humains et la nature, à des licenciements démentiellement massifs ;

– la prospérité, reprise ou croissance est non seulement quasi automatique, mais elle se ferait également pour tous, et passe d'abord par l'enrichissement plus grand des actionnaires et hauts dirigeants, comme une vague montante ferait se hisser tous les bateaux, ce qui conduit à des comportements d'accaparement aussi égocentriques qu'injustifiables…

Voilà un programme de refonte des contenus d'enseignement en écoles de gestion auquel je ne peux qu'adhérer et qui serait, à n'en pas douter, un excellent début ! Mais que d'obstacles, que de préjugés profondément ancrés, que d'idéologies tenaces ne faudra-t-il combattre ?

Notes

1. Une autre marque de cynisme à ce sujet: le porte-parole de la compagnie Bell Canada, interrogé sur le bien-fondé de la vente d'activités, de compressions..., à un moment où l'entreprise réalisait des rendements financiers quasi records (1999-2000), répondit que c'était la faute des travailleurs puisque les caisses de retraite représentent une partie des gros actionnaires de Bell et exigent, comme tout actionnaire sensé, des rendements maximaux. On croit rêver ! Voilà le travail coupable, encore, des taux de rendement attendus du capital, et de sa propre mise au chômage !
2. De nombreuses entreprises (par exemple, GM et Kenworth au Canada) demandent ouvertement, pour ne pas fermer des usines ou pour « créer » de l'emploi, non seulement à l'État des subventions directes et indirectes toujours plus substantielles, mais aussi aux travailleurs d'accepter des diminutions de salaire allant parfois aujourd'hui jusqu'à 30 ou 40 % !
3. Une illustration de ceci, en dehors de toutes les mesures désormais classiques de privatisation et de bradage des secteurs les plus rentables au privé, est fournie par le projet de l'OCDE dénommé Accord multilatéral sur les investissements (AMI) (officiellement « avorté » mais réintégré par la bande) qui est la consécration de la mainmise du *business* international sur le peu qui reste de souveraineté des États, car avec cet accord, les lois de la fructification de l'argent sont définitivement placées au-dessus des lois des pays !
4. Je suis passablement étonné de ne voir aucun analyste, parmi tous ceux « autorisés », se demander où passe cet argent fondu en déficits ? Car il suffit d'ouvrir les yeux pour constater que depuis plus de 20 ans, ces déficits ne vont ni dans l'amélioration des infrastructures nationales, ni dans celle des services aux populations, ni dans l'emploi... Qui s'occupe donc de surveiller, à côté de la « vérité des prix et des salaires » sur laquelle s'acharnent FMI et OMC, celle des profits (en termes par exemple, de rapport aux investissements), des rentes de milliardaires, des détournements fiscaux (un milliard de dollars par an en Nouvelle-Zélande, pour ne prendre que ce cas), des « fiducies familiales », de la multiple rémunération du capital ? N'est-il pas assez significatif en ce sens, que le montant « d'emprunt exceptionnel » demandé par l'Argentine pour rembourser d'urgence la Banque mondiale, 800 millions de dollars (*Le Monde*, 5-6 mai 2002), corresponde, presque au dollar près, à la somme « évacuée » en une semaine, de Buenos Aires vers Zurich par Le Crédit Suisse, au plus profond de la crise argentine ? Cette institution financière n'a donc aucune forme de

responsabilité vis-à-vis de son pays d'accueil, en vertu des seules « lois du marché » ?

5. *Cf.* M. Chossudovsky, 1998, *op. cit.*
6. *Le Monde Diplomatique*, avril 2002.
7. *Cf.*, entre autres, Alain Minc, *L'argent fou*, Paris, Grasset, 1990.
8. Les pays de l'OCDE, les 27 plus riches de la Terre, totalisent près de 50 millions de chômeurs, le PNB de la France a quadruplé pendant les 20 dernières années tandis que son taux de chômage s'est multiplié par 10 ! La Grande-Bretagne et les États-Unis ont modifié à de nombreuses reprises leur mode de calcul du taux de chômage pour en diminuer la gravité (*Cf.* « Les aveux de l'ancien ministre du Travail de Clinton, Robert Reich » et « Comment Londres manipule les statistiques », *Le Monde diplomatique*, mai 1997).
9. Rappelons que trois à quatre multimilliardaires possèdent l'équivalent du PNB de près de deux milliards d'êtres humains — peut-être, aujourd'hui, de trois milliards (*Le Monde diplomatique*, octobre 1998) ! Que 6 % de la population de la planète (Amérique du Nord) se gave de près de 50 % des richesses produites par la planète ; que 10 % des Américains possèdent 90 % des richesses américaines, que 20 % des habitants de la Terre se réservent 85 % des richesses de la Terre, que 200 multinationales contrôlent la presque totalité de l'économie de la planète...
10. Notons en passant que les États ne « gaspillent » que lorsqu'ils mettent l'argent public ailleurs que dans les poches du privé.
11. Il n'est toutefois pas encore question, dans la bouche des dirigeants de la Banque mondiale, des conséquences écologiques (souvent très graves et irréversibles) de ces mêmes prescriptions.
12. Rappelons-le, il s'agit, selon la proposition du Prix Nobel James Tobin, de taxer d'une fraction de pourcentage les transactions financières mondiales pour financer des projets d'aide aux pays en développement et pour freiner les mouvements désordonnés de capitaux qui entraînent les bases concrètes de l'économie (usines...) dans le chaos et l'imprévisibilité. Mais cela impliquerait une certaine transparence des marchés financiers, lesquels le voient d'un très mauvais œil.
13. Actuellement, ces mêmes grandes villes font face à de graves problèmes de pollution et de désertion de leurs centres-villes, et envisagent, pour des coûts démentiels, de réinstaller les systèmes de tramways... Entre-temps, GM, Firestone et Standard Oil ont réalisé, et continuent de réaliser, des profits astronomiques. Pour la petite histoire, les trois firmes furent traduites devant une cour antitrust et écopèrent d'une amende de quelques ridicules milliers de dollars.

14. Une enquête reprise par le quotidien montréalais *Le Devoir* (29 avril 2002) révèle que les revenus des PDG et hauts dirigeants nord-américains ont augmenté en moyenne de 45 % en 2001, alors que les profits moyens des entreprises ont, eux, *chuté de 13 %* !

15. À titre d'exemple, les présidents Allen de AT & T et Dunlapp de Scott ont vu, en mai 1996, leurs salaires — qui se chiffrent déjà en dizaines de millions de dollars — doubler ou tripler, et leurs actions, primes, etc., augmenter de façon aussi vertigineuse que scandaleuse après qu'ils eurent licencié, quarante-huit heures auparavant, plusieurs dizaines de milliers d'employés chacun ! *Wall Street* récompense les patrons et les entreprises qui tuent le plus d'emplois.

16. Dans le sens que lui donne Aristote : « La recherche du bien-être de soi et des autres, et des moyens d'y parvenir. »

17. Notamment à propos des licenciements massifs opérés par AT & T et Scott au printemps 1996.

18. Bien entendu, je parle ici de l'État et des syndicats en tant qu'institutions jouant leur rôle principiel. On sait que régimes, gouvernements, personnes au pouvoir ici ou là peuvent être véreux, corrompus, vendus au *business*...

19. Un exemple bien significatif nous a été fourni lorsque l'entreprise de produits pharmaceutiques Novartis, résultant de la fusion de deux géants du domaine, Ciba-Geigy et Sandoz, a licencié 10 000 employés tout en réalisant lors de la fusion 3 milliards de dollars de bénéfices. Devant le tollé soulevé par cette affaire, le chef de l'État suisse n'a alors rien trouvé d'autre à dire que : « Nous ne pouvons rien contre le *business* international » !

20. Comme le suggère l'article de fond du *Time*, intitulé « What Corporate Welfare Costs » (automne 1998), ou encore l'ouvrage de Léo Paul Lauzon, *Financements publics, profits privés*.

21. Bien entendu, ceci vaut surtout en contexte d'existence d'un minimum de « couverture sociale » où les besoins essentiels sont à peu près accessibles à tous.

22. Voir les explications données par M. Chossudovsky, *Mondialisation de la pauvreté*, *op. cit.*, et par Léo Paul Lauzon, *Financements publics, profits privés*, *op. cit.* ou encore le classique J. O'Connor, *The Fiscal Crisis of the State*, Massachusetts, MIT Press, 1973.

23. C'est un secret de Polichinelle que les plus riches et le capital, partout dans le monde, sont ceux qui peuvent le plus échapper à l'impôt, et en même temps ceux qui utilisent le plus les services publics ou subventionnés par l'État : ports, aéroports, musées, théâtres, universités, parcs naturels, réserves de chasse et de pêche, autoroutes, stades... Pensons également ici aux aides publiques colossales englouties par les firmes sans qu'aucun emploi

ne soit créé (voir, par exemple, le dossier incendiaire du magazine *Time*, intitulé « What Corporate Welfare Costs ? »).

24. Raisonnement qui peut tout aussi bien être appliqué aux « ethnies » et aux individus pour justifier racismes, injustices et inégalités, etc.

25. Si cette colossale quantité de « richesses » était produite aux États-Unis, la thermodynamique nous enseigne (voir chapitre 6) que ce pays serait depuis longtemps enseveli sous les effets de l'entropie qu'une telle débauche d'énergie aurait provoquée... en fait, et c'est là un des aspects du « miracle » américain, une très large part de cette richesse provient d'une surexploitation d'autres pays (à titre d'exemple, un t-shirt de Walt Disney fabriqué aux Philippines revient à l'entreprise américaine moins de 0,70 $, alors qu'il est vendu aux États-Unis plus de 30 $; le commerce des armes est fait à 90 % avec les pays du tiers-monde, où les guerres sont entretenues un peu partout pour servir d'abord et avant tout le commerce du complexe militaro-industriel, largement alimenté par les « aides » du FMI et de la Banque mondiale à ces mêmes pays...

26. Par exemple le fait que des espèces de poissons, d'algues hautement envahissantes et toxiques (marées vertes et rouges de Méditerranée, micro-algues de Floride et Caroline du Sud), de moustiques (celui dit de la « maladie du Nil »)... se mettent désormais à vivre à des latitudes et dans des contrées où ils étaient totalement inconnus il y a encore une décennie, tout cela par le fait direct ou indirect d'activités d'exploitations économiques et industrielles.

27. *Cf.* notamment C. Dejours, 1998 ; et V. Forrester, 2000, *op. cit.*; *L'homme à l'échine pliée*, Brustein (dir.), *op. cit.*

28. Pour une investigation détaillée des liens entre la question de l'aliénation, de la reconnaissance, de la mobilisation des « RH » en entreprise « post-moderne » et « post-fordiste », *Cf.* Omar Aktouf, « Theories of Organizations in the 1990's: Towards a Critical Radical-Humanism ? », *Academy of Management Review*, vol. 17, n° 3, juillet 1992, p. 407-431.

29. La formule est de Harry Braverman, qui a parlé de la vogue du mouvement des relations humaines comme d'une fluidification des rouages grippés du taylorisme (*Travail et capitalisme monopoliste*, Paris, Maspéro, 1974).

30. Il est bien connu que ne peut être considérée comme « mesure », scientifiquement parlant, qu'une des deux types suivants : 1. une mesure *fondamentale* de même nature que la *longueur*, le *poids*... ou 2. une mesure *dérivée*, c'est-à-dire déterminée *à partir d'une mesure fondamentale* (par exemple la température qui est *dérivée* en fonction du déplacement d'une goutte de mercure sur une *longueur*). Dans la notion d'amortissement, il n'y a ni l'un ni l'autre de ces deux cas... tout calcul à prétention « exacte » et/ou « scientifique » à partir d'une telle notion est totalement dénué de sens.

31. On sait, par exemple, que dans de nombreux secteurs de l'industrie mécanique de pointe, le coût fixe par poste de travail a été multiplié par 50 au cours de 20 dernières années !

32. D'après les déclarations de Mme Aubry (déc. 1998), ministre française du Travail, et les données de *L'État du monde 1999* et *2000*, Paris, Marabout.

33. Chiffres publiés par le quotidien *Le Monde*, 13 juin 1992.

34. On sait, à ce propos, l'immense différence dans la façon dont ont été traités (par les employeurs et par l'État) les travailleurs de la sidérurgie, lors de la grande dépression de ce secteur il y a quelques années, en RFA et au Japon d'un côté, et en Grande-Bretagne, en France, et aux États-Unis de l'autre. *Cf.* Michel Albert, *op. cit.*, et Dominique Nora, *L'étreinte du samouraï*, Paris, Éditions du Seuil, 1989.

35. Données extraites de Sarah Anderson, John Cavanagh, Ralph Estes, *A Decade of Executive Excess : The 1990s Sixth Annual Executive Compensation Survey*, 1er sept. 1999, Institute for Policy Studies Chuck Collins, Chris Hartman United for a Fair Economy, et de W. Wolman et A. Calamosca, *The Judas Economy*, Massachusetts, Addison-Wesley, 1997. Voir également A. Bernstein et D. E. Adler, *Understanding American Economic Decline*, Cambridge (Mass.), Cambridge University Press, 1994.

36. Douze années de néolibéralisme sauvage en Nouvelle-Zélande se sont soldées par des villes entières de chômeurs, des cohortes de citoyens n'ayant accès à aucun soin de santé, une augmentation sans précédent de la criminalité, de la toxicomanie, de l'évasion fiscale — un milliard de dollars par an ! —, plus que le doublement de la dette nationale... alors que ce pays était une social-démocratie exemplaire.

37. « Miracle » au sujet duquel un journaliste titrait, avant l'entrée en crise de l'Argentine : *miracle économique sur fond d'appauvrissement généralisé.*

38. Rappelons que seulement pour ce qui est des dioxydes de carbone, les États-Unis sont responsables de 25 % des rejets tandis qu'ils ne représentent que 4 % de la population mondiale...

39. Économie qui consiste, finalement, à beaucoup plus « prélever au passage » du fait d'un rapport de forces favorable (domination du dollar, contrôle d'oligopoles, de marchés mondiaux captifs) une sorte de « dîme » sur tout ce qui est produit, plutôt qu'à être réellement créatif ou productif soi-même, et, surtout, sans que cela ne coûte rien ni à l'économie ni à la nature américaines. Ainsi environ 80 % de ce qu'utilisent quotidiennement les Américains provient de l'extérieur des États-Unis où la production se fait à très vil prix comparé à ce qu'elle rapporte aux firmes américaines : cela va du textile aux composants électroniques en passant par les chaussures, les jouets... et les fruits et légumes hors saison... (les exemples de ce

comportement de rentiers foisonnent : Walt Disney, Nike, Reebock, Levis, United Fruits, United Brands, Chiquita, ITT, AT & T, les pétrolières...).

40. Voir à ce sujet les très instructives « études de cas » effectuées par M. Chossudovsky, en seconde partie de son livre *La mondialisation de la pauvreté*, *op. cit.*, d'où sont tirés plusieurs de ces exemples.

41. Soit dit en passant, ce pays est déjà engagé dans un ambitieux programme de réforme de l'éducation, et de « mise à niveau » de ses industries et de sa main-d'œuvre, avec l'aide et les « modèles » de la RFA et du Japon.

42. Dans *The Judas Economy*, *op. cit.*

43. Respectivement, *Working*, New York, Pantheon Books, 1974 et *Sabotage in the American Workplace*, San Francisco, Pressure Drop, 1992.

44. Tiré de M. T. Varron, *De l'agriculture*, Paris, Nisard, 1877, l. I.

45. *Les bâtards de Voltaire,* Paris, Payot, 1994.

46. *Le nouveau management selon Harrington*, New Jersey, Prentice Hall, 1998. M. Harrington a été près de 40 ans parmi les plus hauts dirigeants de IBM.

47. T. Hafsi, F. Séguin et J. M. Toulouse, *La stratégie des organisations : une synthèse*, Montréal, Éd. Transcontinental inc., 2000, en reste une des meilleures illustrations.

48. Voir les chapitres spécifiques consacrés à ces éléments dans Aktouf, O., *Le management entre tradition et renouvellement*, 3e éd. mise à jour, Montréal, Gaétan Morin, 1999.

49. Si, par exemple, Chiquita payait seulement 200 $ par mois ses 18 000 employés du Honduras (au lieu de 50 $), cela aurait des répercussions considérables sur le niveau de vie de ce pays... imaginons cela à l'échelle mondiale, avec toutes les multinationales ! Mais bien sûr, cela implique pour les CEO américains des niveaux de profits, de « salaires » bien moins astronomiques...

50. *The Economy of Share*, 1986.

51. Ce qui veut dire que tous, depuis les PDG, les banquiers, les actionnaires, les politiciens, jusqu'aux ouvriers, acceptent des revenus plus bas quand les résultats sont en baisse, et plus élevés seulement quand ces résultats sont en hausse.

52. Un ministère délégué au développement durable a été officiellement créé lors de la formation du gouvernement français après l'élection présidentielle du 5 mai 2002.

53. R. Simons et K. Basu, « Business is at a Crossroads », *in The Magazine*, 22 mai 2002 : <www.fascompany.com/online/59/ceo.html>.

Postface

La nouvelle économie-management du professeur Omar Aktouf

Ce livre est destiné à tous ceux qui veulent comprendre la situation critique dans laquelle se trouve l'humanité à l'aube du XXIe siècle. C'est cette voie que l'auteur nous engage à explorer. Au risque d'encourir les foudres des experts de tous bords, l'auteur intervient ici à la fois pour les experts et les profanes dans un domaine qui souffre d'être excessivement réservé et sacralisé.

On ne peut que rejoindre le professeur Aktouf lorsqu'il nous invite d'entrée de jeu à méditer le fait que

> déjà à Davos, en janvier 1999, au cours du Forum sur l'économie mondiale, comme à Washington, en octobre 1999, lors des assemblées du Fonds monétaire international (FMI) et de la Banque mondiale, plusieurs voix se sont élevées pour crier que « trop d'erreurs » avaient été commises dans la conduite des affaires économiques mondiales au nom de l'économisme dominant et de son bras armé, le management.

Avec lui nous posons aussi ces questions fondamentales : S'agit-il de simples erreurs de calcul et de prévisions ? Ou de fautes économiques et gestionnaires graves, qui reflètent une conception erronée de notre monde et de son fonctionnement ? Peut-on y remédier par d'autres calculs ? Peut-on recourir à d'autres prévisions utilisant les mêmes postulats et la même méthodologie ?

Rude métier à vrai dire que celui d'économiste/gestionnaire ! Plus que tout autre, il devrait être soumis à l'obligation de la preuve. Vérifiables, pourtant, théoriquement, à la virgule près, ses prédictions ne sont pas plus fiables que celles de la météo ou de l'horoscope. C'est sur elles pourtant que s'édifient des politiques entières, que s'écrivent les programmes. Il est peu de professions qui cumulent autant de fautes et d'erreurs jamais sanctionnées ! D'ailleurs, le Prix Nobel Joseph Stiglitz dans son dernier livre *Globalization and its Discontents* a lui aussi sévèrement critiqué, justement, la politique irresponsable du FMI, particulièrement en Russie dans les années 1990 et dans l'Asie de l'Est pendant la crise asiatique de 1997-1998.

À Yaoundé, en janvier 2001, au cours du 21e sommet des chefs d'États d'Afrique et de France placé sous le thème « L'Afrique face à la mondialisation », le roi du Maroc, Mohammed VI, dans son discours devant les participants, a plaidé pour que « la mondialisation engendre une mutation solidaire, plus attentive au sort des populations marginalisées et plus à l'écoute des Africains encore exclus du processus d'intégration mondiale ». Le souverain marocain a aussi formulé l'ardent espoir que la session extraordinaire du prochain sommet Afrique-France en l'an 2002, qui se tiendra à Paris sous le thème « Partenariat mondial dans le développement », puisse imaginer des solutions inédites afin d'éviter que des catastrophes majeures ne se produisent en Afrique en ce premier quart du XXIe siècle. Le président français Jacques Chirac a justement souligné, dans son discours lors du Sommet de 2001, que la France est décidée à contribuer à une gestion durable et efficace des biens publics mondiaux et à promouvoir une mondialisation maîtrisée et humanisée. Ce dernier est convaincu que la mondialisation a besoin d'un pôle politique renforcé. C'est d'ailleurs dans cet esprit qu'il a proposé la création d'un nouveau type de sommets réunissant, outre les pays du G8, des pays émergents et des pays pauvres pour promouvoir une nouvelle approche de la gouvernance mondiale.

Dans la même veine, le secrétaire général de l'Organisation internationale de la francophonie (OIF), Boutros Boutros-Ghali, a clairement expliqué, dans son dernier livre *Démocratiser la mondialisation*, qu'il fallait « à tout prix démocratiser la mondialisation avant que la mondialisation ne dénature la démocratie et que n'éclatent des conflits inédits dont les attentats du

11 septembre 2001 pourraient bien constituer le funeste présage ». Telle est aussi la conviction de Federico Mayor-Zaragoza, intellectuel, politicien et diplomate qui, à la lumière de son expérience de 12 années comme directeur général de l'Organisation des Nations Unies pour l'éducation, la science et la culture (UNESCO) et des récents événements ayant secoué le monde, a exprimé sa vision dans *Los Nudos Gordianos* (1999) et *The World Ahead* (2001). Pour nous faire partager ses espoirs d'un monde meilleur, il nous invite, lui aussi, à « repenser » la politique et l'économique. Mayor nous rappelle que la vraie souffrance de l'humanité aujourd'hui est celle d'une promesse non tenue et probablement intenable : celle qui veut que le progrès illimité du savoir scientifique et des échanges aille de pair avec le développement moral de l'homme et la reconnaissance réciproque. La déception est inscrite dans la démesure même du projet. On a réussi, comme dirait Marx, à rendre intolérable l'intervalle entre l'idéal et le réel. Le développement scientifique avait largement dépassé l'évolution sociale et éthique de l'humanité que son développement unilatéral en menaçait déjà l'existence même. Le développement de la connaissance scientifique et des technologies, hélas !, ne rend pas les humains plus sages.

Il est plus facile de présenter ce fait que d'en comprendre les conséquences. Une chose est sûre, c'est qu'il y a de bonnes raisons de s'inquiéter de l'impressionnant développement de la science et des techniques à l'heure de la mondialisation, où se produisent des événements aussi tragiques que ceux du 11 septembre 2001 aux États-Unis et de Jenine ou de Gaza en Palestine.

Partant de cette prise de position, disons tout de suite et clairement que le professeur Aktouf nous invite à opérer une véritable rupture épistémologique[1] avec l'économie-management dominant et sa vision du monde, à repenser la façon de raisonner au sujet des affaires économiques, à changer nos façons de concevoir le monde et à opérer un véritable « saut quantique [...] si l'on veut que l'humanité évite des catastrophes majeures, ne serait-ce que pour le premier quart de ce siècle ».

Comme dans tout travail académique, à la base de ce livre se trouvent des choix. Parmi ces choix, quelques-uns sont pris consciemment, d'autres se situant toujours au-delà de ce qu'on maîtrise. Il n'est jamais possible (et d'ailleurs l'auteur l'explique fort bien dans son prologue) de percevoir toutes les options que l'on prend en écrivant. Nous allons essayer d'expliciter au long de cette postface certaines de ces options qui nous paraissent les plus claires.

Voici un travail brillant. C'est aussi un livre important, indispensable, et dont le besoin dans les écoles de gestion et les départements d'économie se faisait sentir depuis longtemps. Il incarne un phénomène rare et troublant : il apporte une vision fondamentale et authentiquement différente des choses et surtout de l'humain. D'ailleurs, nous ne sommes pas surpris de voir qu'il existe déjà une prise de conscience par des étudiants en France[2], qui vont dans le sens des idées de tout ce que soutient l'auteur et qui dénoncent la pensée unique qui domine l'enseignement de la science économique dans les universités françaises. Dans leur pétition, ces futures élites dénoncent le dogmatisme de l'enseignement en économie et réclament un pluralisme des explications. Depuis l'Université Paris I et Paris IX-Dauphine aux universités de province, comme dans de prestigieuses grandes écoles (Écoles normales supérieures de Cachan, de Fonteney et de la rue d'Ulm à Paris, Écoles nationales d'économie et de statistique [ENSAE], École des hautes études en sciences sociales [EHESS], etc.), les étudiants sont d'accord sur un point : « Nous ne voulons plus faire semblant d'étudier cette science autiste qu'on essaye de nous imposer. » Leur manifeste précise qu'ils ont choisi cette discipline « afin d'acquérir une compréhension approfondie des phénomènes économiques auxquels le citoyen d'aujourd'hui est confronté ».

Cette initiative a été saluée par certains de leurs enseignants[3], dont le Prix Nobel Maurice Allais, et Jack Lang, ex-ministre de l'Enseignement supérieur français, qui s'est déclaré prêt à étudier leurs revendications. Le but des enseignants/chercheurs est également de toucher certains de leurs collègues ou experts de pays européens. Étant donné la place qu'occupent les questions économiques dans la politique intérieure ou internationale, le niveau et la qualité des débats entre citoyens ou experts constituent un facteur important pour la pertinence des orientations retenues et pour le bien-fondé des décisions prises. C'est dire que la qualité de l'enseignement de cette discipline joue un rôle particulièrement déterminant, à la fois économique, social et politique.

Il est important de souligner qu'à l'arrière-plan de ce livre se trouvent près de 30 ans de réflexion, de lectures profondes, variées, même éclectiques, vigilantes et critiques, ainsi que de recherches et d'observations de terrain dans plusieurs pays (et cultures) différents de ce monde.

Cet ouvrage marque une étape importante dans l'itinéraire intellectuel de l'auteur en tant que professeur de management à l'École des hautes études commerciales (HEC) de Montréal, en tant que professeur invité dans de nombreuses universités partout dans le monde, et en tant que consultant et conférencier international. Nous avons suivi les activités du professeur Aktouf et ses écrits pendant plusieurs années, alors que l'un de nous (Ramiro Cercos) était professeur d'économie et de mathématiques à l'Université polytechnique de Madrid et conseiller auprès de plusieurs gouvernements et de corporations multinationales en Amérique latine, et que l'autre (Abdelkarim Errouaki) était professeur d'économétrie et de finance internationale dans plusieurs universités américaines, avant d'occuper des fonctions de conseiller dans la haute finance internationale à Wall Street, et dans la pratique de l'ingénierie politico-économique et financière au Moyen-Orient et en Amérique latine. C'est à partir de cette double perspective de professeurs et de conseillers que nous allons nous efforcer d'éclaircir ce qui constitue l'essence et la richesse de ce livre.

Dès que nous avons eu connaissance des recherches d'Omar Aktouf sur la mondialisation, l'économie et l'organisation, nous avons eu l'intuition qu'il était tout imprégné de la problématique des liens entre l'économie et le management et des conséquences de cette relation en termes de réalités sociales et matérielles, et qu'il orientait sa réflexion en répondant aux inquiétudes qui étaient déjà aussi les nôtres. Il s'est évidemment attaqué à une œuvre difficile et de très longue haleine dont on ne pourrait qu'amorcer les contours.

En réalité, le champ auquel s'attaque Omar Aktouf, l'économie-management, ainsi compris, n'est pas encore, ni conceptuellement ni historiquement, construit. Il ne faut pas s'en étonner, 30 ans de recherche, devant une œuvre d'une si grande ampleur, est un délai encore court. Il est vrai que dans le domaine de l'économie et du management, on parle aujourd'hui plus de recherche que de découvertes. Il faut donc se demander comment rechercher avant de tenter de trouver. C'est l'interdisciplinarité qui donne l'essence de la pensée stratégique d'Aktouf, dans sa re-construction de ce qui nous paraît être une toute nouvelle avenue d'élaborations théoriques : l'économie-management.

Nous aimerions faire ici un petit détour méthodologique pour mieux situer et apprécier la pensée de notre auteur. Le philosophe Bernstein a distingué deux codes distincts pour parler du monde : le code « restreint » et le code « élaboré ». Le code restreint est le langage de tous les jours, utile, pratique. Il implique que les interlocuteurs partagent les mêmes présuppositions sur le sujet dont ils parlent (le discours scientifique entre dans cette catégorie). Le code élaboré va au-delà du langage quotidien et pratique et est employé pour parler de sujets n'impliquant pas nécessairement les mêmes présupposés.

Pour résumer notre propos, on peut dire que le code restreint parle du « comment » des choses, (c'est l'approche de l'économie-management dominante, alors que le code élaboré tâche de dire le « pourquoi » et de préciser le « sens ». Le professeur Aktouf utilise le code élaboré pour expliquer le monde en se détachant des idées reçues, et ce, dans le but de nous libérer du carcan des prénotions et de nous permettre de renouveler notre regard sur le monde, pas moins, osons le dire !

Pour mieux illustrer cette distinction entre les deux codes, voici une anecdote rapportée par le physicien Gérard Fourez et dont le héros est le grand philosophe des sciences Gaston Bachelard. Vers la fin de sa vie, Bachelard accorda une entrevue à un journaliste. Lors de la conversation, Bachelard interrompit le journaliste en lui disant : « Manifestement, vous vivez dans un appartement et non dans une maison, n'est-ce pas ? » Et le journaliste, interloqué, de demander ce qu'il voulait dire. Le philosophe lui répondit qu'un appartement, c'est un espace confiné, tandis qu'une maison, c'est la possibilité d'aller au-delà de l'aire habitable, au grenier, à la cave, par exemple. Par cette métaphore illustrant le code restreint et le code élaboré, Bachelard voulait montrer que l'exploration des soubassements psychologiques ou sociaux de notre existence nous permet d'y discerner les fondements de nos conditionnements, de notre aliénation ou de notre libération. Rester confiné à la « salle de séjour », c'est donc se priver d'une dimension importante à laquelle nous sensibilise justement Omar Aktouf.

Il nous paraît important d'éviter que les *business schools* ne forment des êtres unidimensionnels, obnubilés par leur pratique technique. Ne serait-il pas dommageable, pour la société comme pour les individus, que l'on pousse la formation dans les disciplines impliquant l'usage du code restreint, et que l'on néglige la connaissance de nos traditions et des autres sciences qui font appel au code élaboré ? En d'autres termes, il serait inquiétant que l'on enseigne la rigueur dans le savoir économique et managérial, et l'approximation dans les autres domaines.

Omar Aktouf s'oppose au conditionnement des scientifiques qui deviennent de parfaits techniciens, mais qui sont incapables de réfléchir aux implications humaines de leur pratique. L'auteur s'insurge également contre ce que C. P. Snow a appelé la « double culture », c'est-à-dire la séparation entre la pratique professionnelle scientifique et la réflexion personnelle. Il est en effet typique de rencontrer des gens qui, dans leur vie professionnelle et publique, sont de purs techniciens, ne pouvant réfléchir aux implications sociales de leurs pratiques, ou s'y refusant, et prônant pourtant leur attachement aux valeurs humaines dans leur vie privée et familiale...

Ainsi, nos gestionnaires, en marge de leur travail professionnel, s'intéressent à la musique, à des œuvres sociales ou charitables, à l'art ou à d'autres formes d'expressions symboliques ou religieuses. Mais ils manient plus facilement de grandes idées sur Dieu, sur le monde, sur la recherche de la vérité, que des réflexions concrètes sur les questions de « sens » liées à leur vie professionnelle. Omar Aktouf nous rappelle les raisons qui conduisent notre société à produire une classe moyenne de techniciens scientifiques, apolitiques, devenus incapables de faire face aux significations humaines de leur vie professionnelle, et cantonnant leurs interrogations éthiques à la « technicisation » de leur vie personnelle ou privée.

Omar Aktouf nous fait découvrir à travers une audacieuse équation méthodologique « Aristote – Marx – physique du quantum » les variables latentes, cachées, d'un réel qui sera toujours d'apparence brouillée, mais sur lequel semble se répandre une nouvelle lumière grâce à ce remarquable travail. Ces premiers efforts devraient être poursuivis, pour mieux cerner les structures voilées de l'économisme dominant avec ses dangereux glissements vers une financiarisation outrancière, ses arguments d'autorité ou de non-sens, et son bras armé, le management maximaliste de courte vue, comme le dit Omar Aktouf. La mise à jour de ces structures pourrait nous aider à moins mal connaître le monde si complexe qui est le nôtre et que nous avons désormais non seulement à expliquer mais aussi à transformer. La nouvelle économie-management ne sera plus alors ce simple jeu de l'esprit chrématistique, perdu dans de multiples hypothèses fantaisistes et aveuglé par un optimisme monétariste démagogique, que, déjà, pouvait dénoncer celui qui a été l'initiateur de l'économique, le grand Aristote !

La parution d'un ouvrage du professeur Omar Aktouf est toujours un événement.

Nous osons cependant affirmer que seul un homme de grande envergure académique et professionnelle (psychologue, philosophe, économiste, gestionnaire et ethnologue, ayant une connaissance pertinente de la physique du quantum — comme en témoigne l'article du physicien spécialiste de la thermodynamique, le professeur Jairo Roldan[4] —, nord-africain et francophone, maîtrisant les traditions intellectuelles essentielles de l'Occident et de l'Orient, acclimaté avec grand succès à l'Amérique du Nord) pouvait saisir un tel problème sans en perdre de vue la complexité et les multiples ramifications.

Cet ouvrage a pour objectif principal non seulement de retracer les liens entre le discours économique et la pensée managériale mais aussi d'analyser les conséquences de cette relation en termes de réalités sociales et matérielles vécues et futures. La gageure, réussie, de l'auteur est de mettre à la portée du plus grand nombre un fil conducteur pluridisciplinaire, *a priori* complexe et hermétique, qu'il a su exprimer en termes si clairs qu'ils en deviennent très aisément abordables, même par les non-spécialistes.

Permettant de mieux comprendre ce qui nous arrive aujourd'hui, à trop nous laisser envahir par le réductionnisme de l'économie-management dominant, l'auteur réussit brillamment un véritable (et complexe) tour de force : sonner des cloches et attirer, avec une pertinence et une exceptionnelle justesse d'arguments, l'attention sur ce qui n'est plus ni acceptable ni tolérable.

Le professeur Aktouf nous montre avec élégance et rigueur pourquoi l'économisme et le managérialisme dominants « ont de graves explications à donner à l'humanité ». La réalité des événements d'aujourd'hui, largement constatables, ne fait que dramatiquement démentir — notre auteur a bien raison de le souligner —, et de plus en plus, toutes les simulations, prévisions, et autres « planifications stratégiques » des gourous de l'économie et du management.

Il n'est pas de critique des présupposés de l'économie ou du management, pas de mise en cause de leurs insuffisances et limites qui n'aient été exprimées, ici ou là, à propos de tel économiste ou de tel gourou du management. Nombre d'observateurs, alertés notamment par des économistes particulièrement clairvoyants (comme Ragnar Frisch, Jan Tinbergen, Gunar Myrdal, Wassily Leontief, Jacob Marschak, Adolf Lowe, Herman Wold, Tjalling Koopmans, Paul Samuelson, Sir John Hicks, Lawrence Klein, James Tobin, Franco Modigliani, Trygve Haavelmo, Maurice Allais, Amartya Sen, John K. Galbraith, Joan Robinson, Robert Heilbroner, Edward Nell, Joseph Stiglitz, John Eatwell, David Gordon, Willi Semmler, Mark Blaug, Camilo Dagum, Lawrence Boland, Duncan Foley, Lester Thurow, William Baumol, Luigi Paseniti, Lance Taylor, Edward Leamer, Donald Mc Closkey, Bruce Caldwell, Francois Perroux, Henri Guitton, Edmond Malinvaud, Robert Boyer, Samir Amin, Jacques Attali, Marc Guillaume, Michel Aglietta, Herve Hamon, Alain Lipietz, Pascal Petit, Yves Carro, Elias Khalil, Bernard Maris, Ray Fair, pour n'en citer que quelques-uns), ont montré il y a longtemps qu'il existe un écart systématique entre les modèles théoriques de l'économisme appliqué et la réalité. Omar Aktouf en fait un judicieux et fort documenté recensement, économisant par là au lecteur des milliers de pages et des années de lectures.

Notre époque témoigne, à n'en pas douter, et l'auteur le démontre, du règne d'un invraisemblable cynisme à la fois économique, managérial et politique. Cynisme où les trois domaines se fusionnent pour donner une sorte de discours commun, pensée unique, où seule la « gestion de l'argent » semble avoir quelque importance dans les affaires humaines. Nous assistons aux discours les plus ahurissants : les économistes expliquent que l'économie va bien lorsque les bourses et les rémunérations des présidents-directeurs généraux (PDG) s'envolent proportionnellement au nombre de chômeurs jetés à la rue, le management préconisant, pour ce faire, la « gestion stratégique des ressources humaines », et le politique répétant que sa priorité est de créer de l'emploi tout en annonçant qu'il doit, pour les besoins d'une « saine gouvernance », réduire les effectifs de la fonction publique ! Omar Aktouf a-t-il tort de parler de « discours de fous » ?

L'auteur montre clairement comment l'histoire du discours économique dominant et du management n'est, somme toute, que l'histoire de la justification, au cours des deux derniers siècles, et par tous les moyens, du triple échec de l'époque moderne : celui des trois révolutions — industrielle, robotique et informationnelle —, dans leurs promesses d'améliorer le sort de l'humanité. Expliquer comment l'économie-management n'a à s'occuper ni des injustices, ni de l'exploitation, ni de la misère des grands nombres, ni de la concentration des richesses, ni de la destruction de la nature est devenu l'œuvre des *business economists* à la Herbert Simon et autres Michael Porter. Lesquels s'inscrivent, le professeur Aktouf l'établit remarquablement, entièrement dans la « trahison chrématistique » opérée par les néoclassiques, trahison inaugurée par les Walras-Pareto, puis développée par les Arrow-Debreu, avant d'être conduite à de véritables manifestes mathématico-idéologiques purs avec des Gary Becker et autres Milton Friedman. (Ce dernier, en affirmant, par exemple, que doit être considéré comme subversif tout dirigeant d'entreprise qui ne vise pas, avant toute autre considération, la maximisation des gains des actionnaires, a-t-il jamais songé que ce qu'il dit pouvait aboutir à justifier des comportements « économiques » aussi aberrants que ceux de Enron et autres ?)

Il est intéressant de noter que, au siècle dernier, alors même qu'une vérité universelle relevant de la mathématique était discréditée par l'apparition d'axiomatiques diverses, le rationalisme s'épanouissait dans la science économique avec Walras, selon une conception tout à fait platonicienne et cartésienne de la science. Aujourd'hui encore, comme le dénonce Omar Aktouf, les travaux d'économie dite « pure » prolifèrent. Bien que les économistes modernes se penchent peu sur les fondements de leurs propres conceptions, il semble que le problème de l'adéquation relève encore pour les néolibéraux du rationalisme critique de Kant : nous ne percevons de la réalité que ce qui est conforme à nos instruments d'observation. Dans cette conception kantienne, le rationnel trouve son origine chez le sujet. À l'opposé de cette attitude, la science moderne réfute un contenu immuable et confiné au rationalisme. La raison est une activité, une recherche. Elle s'informe, construit, vérifie. C'est pourquoi nous ne pouvons que rejoindre notre auteur quant à la nécessité du changement radical dans nos façons de concevoir ce monde et d'y agir, ainsi que de la façon de raisonner au sujet des affaires économiques.

La discordance entre l'économie-management et la réalité n'est que le reflet de l'écart structural entre, selon l'expression de Bourdieu, « la logique de la pensée scolastique et la logique pratique » ou entre, selon la formule de Marx à propos de Hegel, « les choses de la logique et la logique des choses ». Nous retiendrons de la pensée scientifique contemporaine l'abandon de l'idée d'essence métaphysique d'une adéquation nécessaire et préétablie entre les mathématiques et la réalité. Le monde des sciences dites non exactes, en particulier, ne peut pas s'ordonner, *stricto sensu*, selon des lois d'ordre mathématique.

Cependant, l'économie-management, enviant le prestige acquis depuis le XVIIe siècle par les sciences physiques, continue aveuglément à prendre pour modèle la mécanique newtonienne, comme si Einstein et Heisenberg n'avaient pas révolutionné la physique depuis. Einstein nous a montré l'impérative nécessité de compter avec la position de l'observateur dans l'univers relativisé. Heisenberg nous a montré le caractère indéterminable de certains phénomènes intra-atomiques, qui ne peuvent, si on veut cependant les déterminer, ne pas être modifiés, au cours même du processus d'observation et d'expérimentation.

Le savoir de l'économie-management sur notre société facilement identifiable comme folklorique est un savoir programmé dans les protocoles et enseigné dans les *business schools*, qui s'est enrobé, sous prétexte d'une affirmation toute idéologique, de la garantie de rigueur du fait de l'usage de la mathématique (qui n'est, rappelons-le, dans son statut épistémologique « que » langage et non science en soi). Si l'économie rationnelle ou économie dite pure est d'essence scientifique, elle peut être, à l'instar de la physique et avec les mêmes précautions, mathématique ; si elle est d'essence économique, elle n'est pas plus scientifique que mathématique. L'économie dite pure relève en réalité des mathématiques dites appliquées, non applicables ! Elle croule sous le raffinement mathématique mais ne fait que (se) donner l'illusion de s'en nourrir. Et cela tout particulièrement dans les sphères des savoirs en *business* et dans l'économie financiarisée, comme le souligne notre auteur.

Aucun économiste sérieux ne peut être contre l'application des mathématiques et des techniques de formalisation à l'économie. Ce qui cause préjudice à l'économie moderne, c'est la domination des mathématiques combinée à l'exclusion presque totale des autres méthodes de recherche. Il suffit de parcourir les principales revues spécialisées pour s'en apercevoir. C'est ainsi que le Prix Nobel Wassily Léontief a pu montrer que plus de la moitié des articles publiés dans *The American Economic Review* (entre 1972 et 1981) traitent de modèles mathématiques sans aucune donnée et sans aucun lien avec le monde réel ! Dans la même veine, le Prix Nobel Lawrence Klein, lui-même grand représentant de la technique quantitative, a critiqué le fait que les mathématiques soient devenues une fin en soi et que l'on substitue des modèles abstraits à la réflexion. L'économiste américain Edward

Nell, de la prestigieuse New School for Social Research de New York, a de son côté dénoncé le fait que l'on n'applique pas les mathématiques aux problèmes économiques du monde réel, mais que l'on applique des modèles d'un haut degré de sophistication et de précision à un univers complètement imaginaire.

Autrement dit, le problème n'est pas que les techniques mathématiques soient utilisées pour résoudre des problèmes spécifiques là où c'est nécessaire, mais que la mathématisation soit pratiquement devenue un but en soi et une approche unique dans l'analyse économique et qu'elle réglemente le contenu et la production intellectuels de toute la discipline. En fait, la domination des mathématiques en économie s'est étendue au point que seul le savoir économique « mathématisé » est maintenant digne de respect. Et quoi de plus évident, alors, que le fait que cette dérive se développe le plus rapidement et le plus dangereusement dans l'économie, disons-le, détournée vers le managérialisme financier pur ? Omar Aktouf a tout à fait raison sur ce point.

Les mathématiques reposent sur l'idée de Platon selon laquelle il y a des idéalités éternelles et immuables dans la nature. Une formule mathématique n'est qu'un support de la pensée. Elle ne peut en aucun cas la remplacer. $E=mc^2$ ne permet pas de faire l'économie de son explication qui, elle, n'est pas mathématique !

Il est aussi clair qu'il y a toujours une part d'ésotérisme calculé et savamment entretenu par chaque discipline ; ce qui permet à chacune d'entre elles de garder jalousement mandarins et spécialités, en faisant croire que l'inaccessibilité relative jointe à l'étanchéité des disciplines est une preuve de vérité. Lorsque Heisenberg a proposé une nouvelle approche de la mécanique quantique fondée sur le calcul matriciel, Einstein a d'abord été impressionné. Il savait que les mathématiques étaient une très bonne chose, mais il savait aussi qu'elles ne remplaçaient pas la pensée et le raisonnement logique. La théorie unifiée qu'il recherchait devait être le système le plus simple possible reliant les faits observés. Tout comme la « structure qui relie » de Gregory Bateson.

Économistes dominants (liés au *business*, à la finance, et au néolibéralisme dans le langage du professeur Aktouf), encore un effort pour être vraiment relativistes !

S'il est admis que l'économie néoclassique comporte des défauts importants, on la considère toutefois comme étant une méthode scientifique utile et pertinente. Non seulement elle s'articule à l'intérieur de n'importe quel champ d'intérêt, mais elle a en outre cette capacité de s'insinuer dans n'importe quel débat. Elle est devenue le langage par excellence de l'économie et de la finance dans les écoles de gestion. Comme tout langage, elle s'articule autour d'une grammaire, mais cette grammaire ne signifie pas pour autant adhésion immuable à une explication ou à une idéologie particulières. Par contre, et c'est ce que montre Omar Aktouf dans cet ouvrage, la confusion entre langage et grammaire fondatrice, avec adhésion dogmatique à l'idée de marché, a des implications graves pour l'humanité.

Les autres écoles de pensée économique ont tiré à boulets rouges sur la théorie néoclassique, mais sans grande utilité. Et cela est d'autant moins constructif que, jusqu'à un certain point, le travail a déjà été fait par les théoriciens néoclassiques eux-mêmes. Contrairement à ce courant, le livre du professeur Aktouf dépasse le cadre de la critique traditionnelle et inaugure, nous ne craignons pas d'exagérer, la naissance d'un nouveau programme de recherche scientifique, véritable « alternative », selon nous, à l'impasse et au non-sens actuels caractérisant l'économisme dominant.

D'un point de vue pratique, il est vrai, la théorie de l'équilibre général s'est sabordée. Quelles leçons sur l'économie peut-on alors en tirer ? Que celle-ci est incroyablement abstraite, bien qu'elle s'appuie sur des hypothèses de traditions solides. Elle nous laisse cependant encore la possibilité d'équilibres multiples, dont certains, sinon tous, sont instables. Si, en outre, la théorie ne peut composer qu'avec un taux de profit maximaliste et général sur le capital, comment peut-elle être à la base même d'un capitalisme durable ? Qu'advient-il du désir de profit si les affaires et la finance ne se préoccupent pas d'obtenir les plus hauts taux de rendement de leurs investissements ? Pis encore, la théorie traditionnelle de l'équilibre général ne peut prendre en compte que la conception la plus rudimentaire de la monnaie, et elle le fait mal.

On pourrait répondre que la théorie de l'« équilibre général » n'est pas censée être pratique et qu'elle a été construite pour expliquer l'interdépendance des marchés. Une théorie pratique fonctionne à différents niveaux, comme la théorie de l'« équilibre partiel », ou celle des « agrégats » de Robert Solow. Il est évident que ces méthodes sont des cibles privilégiées pour les critiques de la « théorie du capital ». Mais encore une fois, quelle est l'utilité de ces critiques ? En quoi peuvent-elles nous aider à comprendre les causes du chômage, de l'inflation ou du ralentissement de la productivité ? Peuvent-elles nous aider à savoir si les politiques de prix peuvent contrebalancer les fluctuations des taux de change ? En quoi peuvent-elles nous aider à mieux comprendre les phénomènes socioéconomiques auxquels le citoyen d'aujourd'hui est confronté ?

Les détracteurs de la théorie néoclassique essaient de démontrer que celle-ci repose sur une erreur de « logique » fatale. Par exemple, en ce qui concerne la « théorie de la distribution », ou de la « demande effective ». Cela peut paraître arrogant. Est-il plausible que tant de personnes, pendant si longtemps, aient été trompées par une minorité représentée par les fondateurs de la théorie néoclassique ? La théorie économique qui a dominé le siècle dernier n'a-t-elle été qu'un tissu d'erreurs ? Un château de cartes ? Va-t-on prouver scientifiquement sa vacuité et le fait que, par exemple, elle n'a servi, comme l'a si bien expliqué le professeur Heilbroner de la New School For Social Research de New York, que de paravent idéologique au capitalisme moderne ?

De leur côté, comme l'ont expliqué plusieurs économistes, les défenseurs de la pensée néoclassique ne semblent pas non plus sur un terrain très solide. Tout économiste a ses irritants contre la pensée dominante, bardée d'hypothèses floues, recourant à la simplification à outrance, parfois allant à des conclusions complètement incohérentes par rapport à des faits bien établis. Il ne s'agit pas là de chimères ou de cas isolés.

Une aura d'irréalité règne cependant partout. Quiconque a utilisé les modèles néoclassiques a ressenti cette impression d'être dans un monde imaginaire, avec un magicien, loin d'être infaillible, à demi dissimulé derrière un voile d'hypothèses et actionnant la machinerie de l'optimisation.

Les atomes n'ont pas d'histoire. Ils ne se comportent pas différemment selon l'époque ou le lieu. Les marchés, eux, le font. Ce sont des institutions, et comme tels, ils évoluent et changent historiquement. Par conséquent, toute théorie décrivant leur fonctionnement peut être vraie ou fausse selon l'époque et le lieu. La théorie classique, par exemple, décrit la situation du XVIIIe siècle et du début du XIXe siècle, l'école de pensée néoclassique celle de la fin du XIXe siècle et du début du XXe siècle, et la théorie keynésienne explique la grande dépression et les événements qui ont suivi.

Il ne s'agit pas de sous-évaluer l'importance d'une théorie rigoureuse, mais un modèle basé sur une erreur de logique ne décrit rien du tout. On ne peut donc que reconnaître la relativité des théories selon des situations historiques données et des configurations institutionnelles particulières, qui peuvent encore être pertinentes aujourd'hui.

Il est clair, comme le montre Omar Aktouf, qu'il n'y a pas de place pour de telles idées dans la méthodologie de l'économie dominante. Le langage utilisé est celui du choix rationnel. Sa grammaire est celle de l'algèbre de l'optimisation. La rationalité est identique quels que soient l'époque et le lieu. Ses manifestations et ses contraintes peuvent différer, mais les problèmes et les méthodes de résolution sont les mêmes. Les marchés reflètent au fond la rationalité, qui, dans un contexte de concurrence, émergera en équilibre. La méthode d'analyse consiste à comparer les équilibres ; la dynamique, le cas échéant, est celle de l'équilibre stationnaire ou concerne la stabilité des équilibres.

L'innovation méthodologique — car c'en est une —, à laquelle nous invite le professeur Aktouf, ne consiste pas à soumettre la réalité à un formalisme mathématique (caractéristique principale de la démarche de l'économie-management), mais, lourde quête, à un cadre différent, méthodologiquement compatible avec l'objet étudié : l'univers des échanges entre humains, dans un milieu social humain. Le passage de l'une à l'autre de ces positions correspond à une refonte épistémologique qu'il n'est pas facile de maîtriser. L'auteur revendique, avec raison, le droit à l'usage de la complémentarité épistémologique entre les sciences.

Il est à la fois rassurant et significatif de cette justesse de vue, de voir quelques-uns de ceux (en particulier des Prix Nobel comme Maurice Allais) qui ont contribué aux réussites de l'instrument mathématique en économie, qu'ils jugent dangereux, se mettre aujourd'hui à dénoncer l'état de cette discipline, et réclamer des théories et des résultats qui aient quelque « vrai » rapport avec la réalité économique, humaine (ce à quoi invitent aussi les récents Nobel en économie, Amartya Sen et Joseph Stiglitz) et non plus avec la seule description ou interprétation d'un rêve économique, tel que le désirent ceux qui en profitent sans limites.

Ce courageux et solide livre nous permet de découvrir la stérilité scolastique de l'économisme dominant et de sa partie liée avec son exécutant attitré, le management. Et ce n'est déjà pas là un mince apport ! Il montre aussi — quel travail et quel brio intellectuel ! — la difficulté épistémologique et existentielle de la position de ceux qui essaient d'étudier le problème de l'humanité en se défendant, en quelque sorte, d'être eux-mêmes humains.

En tant qu'économistes mathématisants et en tant que théoriciens et praticiens de la finance internationale, on ne peut que s'émerveiller devant le courage et l'honnêteté intellectuels de ce livre où l'auteur se critique lui-même de façon constante et consciencieuse. Nous sommes forcés, devant cette gigantesque synthèse, d'admirer un esprit ayant consenti, par probité intellectuelle et érudition — choses rares de nos jours —, à écrire et à vivre dans la transparence.

Nous aimerions souligner que le livre du professeur Omar Aktouf est né d'une inquiétude proprement universelle, inquiétude enrichie par une seule certitude : celle de n'avoir pas proposé une arme absolue. Si, pour un instant, nous considérons les choses avec un tant soit peu de lucidité, nous réalisons que toute théorie scientifique, hors les mathématiques en tant que mathématiques, est toujours provisoirement une erreur en sursis. Il faut bien, alors, admettre que l'économisme-management est, en ce sens, souvent à la limite de l'escroquerie sur le plan intellectuel, tant on l'habille de certitudes qu'aucune science fondamentale n'oserait avancer.

On s'attaque ici, avec Omar Aktouf, à une énorme et décisive question : pourquoi les *business* économistes néolibéraux et les gourous du management continuent-ils à « garder la tête dans le sable tout en s'entêtant à essayer de nous expliquer qu'il est rationnellement justifié de faire l'autruche » ? Si rien ne change vraiment dans tout cela, nous allons continuer à vivre la même inquiétude soulevée par l'auteur, celle de savoir s'il y aura espoir d'un réel développement durable ou même d'une simple durabilité pour l'humanité.

Ce n'est pas du capitalisme qu'il faut sortir mais de l'économisme et du financiarisme. De la glorification, par tous les camps, d'une discipline qui prétend régir la société entière, nous transformer en laborieuses particules réduites aux simples rôles de producteurs, consommateurs ou actionnaires.

Le capitalisme est entré, peut-être grâce à son triomphe, dans un nécessaire désenchantement. S'il n'est pas prêt de mourir ou d'être remplacé, il est en voie de se banaliser dans l'inacceptable. Remettre les activités marchandes à leur place, retrouver la place de ce qui n'est pas marchand : il en va tout simplement du sens de nos vies. Il faut retrouver le sens ! Mais le sens d'une autre manière, le sens comme une sorte de marche dont on ne peut connaître la fin car il ne peut y avoir de fin. Le sens que le professeur Omar Aktouf entrevoit pour nous et qui doit permettre à l'humanité de se réconcilier avec elle-même et avec le reste de la nature. L'économie-management était censée nous affranchir de la nécessité. Qui nous affranchira de l'économisme se retournant contre l'humain ?

Ramiro CERCOS, Ph.D., professeur,
Universidad Politecnica de Madrid

Abdelkarim ERROUAKI, Ph.D., conseiller spécial,
CETAI, HEC-Montréal

Madrid et Montréal, juin 2002

Notes

1. Il s'agit bien d'une rupture épistémologique au sens de Bourdieu, coupure entre la connaissance ordinaire (porteuse d'illusions et d'idéologies) et la connaissance scientifique (porteuse de « vérités » dont on s'efforce d'avoir les preuves).
2. Qui ont créé un site Web : <www.republica.fr/autisme-economie/>.
3. Ce qui a donné lieu à une motion de soutien aux étudiants rédigée et signée par des économistes enseignants ou chercheurs en juillet 2000. Voir par exemple le site Internet du professeur Bernard Paulré de l'Université Paris I : <bernard.paulré@univparis1.fr>.
4. Voir l'Annexe au chapitre VI.

ANNEXE AU CHAPITRE VI

Commentaire du physicien Jairo Roldan

DANS MON PROGRAMME de recherche au département de physique à l'Université del Valle, Cali, Colombie, les fondements conceptuels de la thermodynamique occupent une place très importante.

Les rapports, très problématiques, entre la dynamique et la thermodynamique ont été spécifiquement abordés dans mes travaux pour essayer de trouver une expression concrète à la suggestion de Niels Bohr selon laquelle il y aurait une relation de complémentarité entre les deux disciplines.

J'ai écrit plusieurs articles sur ce sujet. Mon intérêt concernant plus particulièrement la thermodynamique a évolué dans les dernières années vers les phénomènes de non-équilibre, le chaos et la complexité.

Bien que, à cause de mes recherches sur le sujet, je sois considéré comme un expert dans le domaine des fondements conceptuels de la thermodynamique, jamais je n'avais soupçonné qu'il existait un rapport entre cette discipline et l'économie.

C'est la lecture du texte du professeur Aktouf qui m'a ouvert d'énormes possibilités dans le déjà très riche champ d'application de la thermodynamique.

En effet, je peux dire qu'avec une rare lucidité, le professeur Aktouf montre la nécessité de considérer l'étroite relation entre l'économique et la thermodynamique via les transformations de la matière et de l'énergie.

Monsieur Aktouf présente des arguments, tout à fait valides, qui montrent qu'un système économique est un système vivant, ouvert, bien qu'artificiel et non naturel. À partir de cette constatation, il arrive à la conclusion, elle aussi tout à fait logique, selon laquelle *tout système économique doit être considéré comme un système thermodynamique*. Or, dans tout système économique des transformations énergétiques et des processus irréversibles ont lieu, et il est nécessaire d'exporter de l'entropie de l'intérieur du système ainsi considéré, vers l'extérieur du même système, si on veut le maintenir « vivant ».

Ainsi donc, il apparaît évident que les deux lois de la thermodynamique doivent être prises en compte d'une façon inéluctable dans l'analyse de tout système économique.

Il est, en particulier, nécessaire de considérer les restrictions qu'impose la deuxième loi de la thermodynamique dans chacune des transformations irréversibles qui ont lieu dans un tel système.

Une fois l'identification du système économique comme système thermodynamique établie, le professeur Aktouf montre que le modèle paradigmatique prédominant de l'économie actuelle commet une faute grave du fait de ne prendre en compte (même avec peu de rigueur et d'évidence, sinon dans certains travaux comme ceux de Karl Marx) que la première loi de la thermodynamique. Mais, explique justement monsieur Aktouf, ce même modèle paradigmatique commet une autre faute encore plus grave (compte tenu de la « nature » de son mode de fonctionnement), celle de ne pas du tout prendre en compte la seconde loi de la thermodynamique, la loi de l'entropie.

L'économie actuelle « fonctionne » donc, en toute conséquence logique, à contre-courant par rapport à une des lois de la physique les plus fondamentales qui régissent les transformations matérielles et énergétiques.

La deuxième loi de la thermodynamique affirme en effet que l'entropie d'un système isolé ou bien s'accroît, avec chaque processus irréversible qui a lieu dans le système en question ou bien reste constante, si tous les processus irréversibles sont terminés.

L'application de la deuxième loi de la thermodynamique à l'économie faite par le professeur Aktouf considère les systèmes économiques et le reste de la Terre comme un système isolé. Il est vrai que l'on peut objecter que la Terre n'est pas un système isolé, elle est, bien entendu, un système ouvert qui reçoit de la matière du reste du cosmos et de l'énergie du soleil. Les échanges énergétiques avec l'extérieur font donc, en principe, décroître l'entropie interne du « système Terre ».

Cependant, et ceci est de première importance, une comparaison (en suivant le raisonnement du professeur Aktouf) entre la croissance énorme d'entropie due aux systèmes industriels et la décroissance de la même entropie (comparativement beaucoup plus faible) due aux échanges avec l'extérieur de la Terre, permet de conclure que (en ce qui concerne les considérations thermodynamiques appliquées aux systèmes économiques) l'approximation faite par le professeur Aktouf en considérant la Terre comme un système isolé est raisonnable et recevable (« l'environnement externe » de la Terre comme système ouvert ne peut compenser la quantité d'entropie due à l'activité économique maximaliste telle que conduite actuellement).

Par ailleurs, dans la théorie économique en général, la valeur des biens est déterminée, en dernière instance et directement ou indirectement, par le travail nécessaire pour leur obtention. Le travail impliqué dans l'économie est le « travail social » — notion assez complexe, comme en témoignent les études des grandes figures de la pensée économique. Cependant, même si la notion visée par le calcul économique n'est pas l'équivalent précis de celle utilisée dans la physique, il n'en demeure pas moins (étant donné que, comme le montre le professeur Aktouf, un système économique est aussi un système thermodynamique) *très valable, et en principe théoriquement fondé, de faire une analyse de la valeur des biens en termes d'énergie et de travail physique.*

Dans son étude de la valeur et de la source du profit, monsieur Aktouf prend en compte la deuxième loi de la thermodynamique, en considérant comme valeur d'un bien l'énergie utilisable — et non l'énergie totale — employée dans son obtention. Ceci est raisonnable du point de vue de la thermodynamique, car la part d'énergie qui entre dans l'obtention d'un bien se transforme en chaleur (ou est impliquée dans d'autres processus irréversibles) et n'est pas réutilisable dans sa totalité pour l'obtention d'autres biens.

Telle est l'analyse, originale et prometteuse, qui est faite par monsieur Aktouf dans son texte.

La question du profit est donc, justement et légitimement, formulée en termes d'énergie utilisable: la quantité d'énergie utilisable qui sort d'un système économique est forcément inférieure à celle qui entre (cela est dû aux pertes d'énergies utilisables expliquées par la deuxième loi de la thermodynamique). En d'autres termes, *l'entropie de l'environnement du système s'accroît.*

Si l'on considère que la valeur est l'énergie utilisable, on doit, forcément aussi, conclure qu'il sort du système moins de valeur qu'il n'y en entre. Mais le système est censé donner des profits maximaux.

Dans une approche comme celle de Marx, mais formulée en termes énergétiques et ne prenant en compte que la première loi de la thermodynamique, *ce qui serait considéré comme valeur c'est l'énergie totale et non l'énergie utilisable.* L'énergie totale entrant dans le système se compose de l'énergie dite « inputs » qui va se transformer en travail et en chaleur (une part de cette énergie est le travail fait par les ouvriers et employés), la valeur — en termes d'énergie — des matières premières, des machines, des ouvriers, des employés, etc. L'énergie totale qui sort, elle, sera composée de la valeur des marchandises, produits, services, et de l'énergie dégagée en forme de chaleur. Cette dernière est égale à l'énergie totale qui entre. Dans l'approche de Marx, *le profit du capitaliste est* la perte des ouvriers et des employés, mais la quantité totale d'énergie qui entre est égale à la quantité qui sort, ce qui revient à dire donc, que la valeur qui entre est égale à la valeur qui sort du système « économique-entreprise ».

Dans l'analyse d'Omar Aktouf, le problème est beaucoup plus aigu car la valeur qui sort est moindre que la valeur qui entre. Sa réponse au problème de Marx est que, toute analyse faite à la lumière de la seconde loi de la thermodynamique, le profit ne peut provenir que de deux sortes de facteurs: des facteurs internes: les ouvriers et les employés, et des facteurs externes:

l'environnement, la nature, tous facteurs dont l'entropie s'accroît de plus en plus.

Je veux me borner ici à signaler que les idées exprimées dans le texte du professeur Aktouf suggèrent fortement de nouvelles recherches dans le domaine des rapports entre la thermodynamique et l'économie. Parmi ces nouvelles recherches je peux d'ores et déjà identifier : la question de la « nature » du travail et de son traitement en économie, d'une part, et la question du traitement de la « production » de l'argent d'autre part, comme facteurs d'accélération d'entropie.

D'une manière générale ce travail nous invite incontestablement à revoir les fondements conceptuels de l'économie actuelle.

Pour toutes les raisons évoquées ici, je me permets de recommander avec insistance la lecture du texte du professeur Aktouf afin de saisir toute la richesse de l'analyse qu'il propose.

Je veux également lui adresser tous mes encouragements à continuer cette recherche, originale et interpellante, qui *mérite selon moi la formation d'un groupe interdisciplinaire composé par des scientifiques des domaines des sciences de la nature et de celles de la société.*

Jairo Roldan, Ph.D. Physique théorique
Professeur titulaire distingué
Directeur de la section de physique théorique
Directeur du Groupe des fondements conceptuels
de la physique
Université del Valle, Cali, Colombie
Attaché d'enseignement et de recherche auprès des
Universités de Paris-Sorbonne et de Tel-Aviv

Bibliographie

AKTOUF, O. « Le symbolisme et la culture d'entreprise. Des abus conceptuels aux leçons du terrain », *in* J.-F. Chanlat (dir.), *L'individu dans l'organisation, les dimensions oubliées*, Québec-Paris, PUL-ESKA, 1990, p. 553-588.

AKTOUF, O. « Corporate Culture, the Catholic Ethic and the Spirit of Capitalism : A Quebec Experience », *Organizational Symbolism*, Berlin et New York, Barr A. Turner, Walter de Gruyter Eds., 1990, p. 43-53.

AKTOUF, O. « Theories of Organizations and Management in the 1990's : Towards a Critical Radical Humanism ? », *Academy of Management Review*, vol. 17, n° 3, 1992, p. 407-431

AKTOUF, O. « The Management of Excellence : Deified Executives and Depersonalized Employees », *in* Thierry C. Pauchant (éd.), *In Search of Meaning*, San Francisco, Jossey-Bass Publishers, 1994, p. 124-150.

AKTOUF, O. *Le management entre tradition et renouvellement*, 3e éd. mise à jour, Montréal-Paris-Casablanca, Gaëtan Morin éditeur, 1999, 710 p.

ALBERT, M. *Capitalisme contre capitalisme*, Paris, Éditions du Seuil, 1991.

ALLAIS, M. *Pour l'indexation, condition d'efficacité, d'équité et d'honnêteté*, Paris. C. Juglar, 1990.

ALLAIS, M. *Économie et intérêt*, Paris, C. Juglar, 1998.

ALTHUSSER, L. *Lenin and Philosophy and Other Essays*, London, New Left Books, 1971.

ALTHUSSER, L. et E. BALIBAR. *Reading Capital*, London, New Left Books, 1970.

ALVESSON, M. et K. SKOLDBERG. *Reflexive Methodology*, London, Sage, 2000.

AMABLE, B., R. BARRÉ et R. BOYER. *Les systèmes d'innovation à l'ère de la globalisation*, Paris, Économica, 1997.

AMIN, S. *L'empire du chaos : la nouvelle mondialisation capitaliste*, Paris, L'Harmattan, 1991.

AMIN, S. *L'accumulation à l'échelle mondiale*, Paris, Anthropos, 1971.

ARCHIER, G. et H. SERIEYX. *L'entreprise du 3e type*, Paris, Éditions du Seuil, 1984.

ARGYRIS, C. *Personality and Organization*, New York, Harper, 1957.

ARGYRIS, C. « Some Limitations of the Case Method: Experiences in a Management Development Program », *Academy of Management Review*, vol. 5, nº 2, avril 1980, p. 291-299.

ARISTOTE. *Éthique à Nicomaque*, 2e éd., Paris, Béatrice Nauwlaerts, 1970, 2 vol.

ARISTOTE. *Politique : livre I à VIII*, Paris, Gallimard, 1993, 376 p.

ARROW, K. J. *General Equilibrium*, Cambridge, Belknap Press, 1983

ATLAN, H. « Du bruit comme principe d'auto-organisation », *Communications*, nº 18, 1972, p. 21-37.

ATLAN, H. « Ordre et désordre dans les systèmes naturels », *in* A. Chanlat et M. Dufour (dir.), *La Rupture entre l'entreprise et les hommes*, Paris, Éditions d'Organisation, 1985.

ATLAN, H. *À tort et à raison*, Paris, Éditions du Seuil, 1986.

ATTALI, J. *L'économie de l'apocalypse*, Paris, Éditions du Seuil, 1995.

ATTALI, J. *L'anti-économique*, Paris, PUF, 1990.

ATTALI, J. *Les trois mondes. Pour une théorie de l'après crise*, Paris, Fayard, 1981.

AUBERT, N. et V. DE GAULEJAC. *Le coût de l'excellence*, Paris, Éditions du Seuil, 1992.
BARAN, P. A. et P. M. SWEEZY. *Monopoly Capital*, New York, Monthly Review Press, 1966.
BEAUD, M. et G. DOSTALER. *La pensée économique depuis Keynes*, Paris, Éditions du Seuil, 1993.
BECK, U. *La société du risque. Sur la voie d'une autre modernité*, Paris, Aubier, 2001.
BENSON, J. K. « Organizations : A Dialectical View », *Administrative Science Quarterly*, n° 22, 1977, p. 1-24.
BERNARD, M. et L. P. LAUZON. *Finances publiques, profits privés. Les finances publiques à l'heure du néolibéralisme*, Montréal, Éditions du Renouveau québécois, 1996.
BERTHOUD, A. *Aristote et l'argent*, Paris, F. Maspéro, 1981.
BEYNON, H. *Working for Ford*, London, Penguin Books, 1973.
BOLTANSKI, L. et E. CHIAPELLO, *Le nouvel esprit du capitalisme*, Paris, Gallimard, 1999.
BOUCHIKHI, H. *Structuration des organisation*, Paris, Economica, 1990.
BOURCIER, C. et Y. PALOBARD. *La reconnaissance, un outil de motivation*, Rouen, ESC-Presses, 1997.
BOURDIEU, P. *Les structures sociales de l'économie*, Paris, Éditions du Seuil, 2000.
BOURGOIN, H. *L'Afrique malade du management*, Paris, Picollec, 1984.
BOVÉ, J. et F. DUFOUR. *Le monde n'est pas une marchandise*, Paris, La Découverte, 2000.
BOYER, R. *L'après-fordisme*, Paris, Syros, 1998.
BOYER, R. *La théorie de la régulation. L'état des savoirs*, Paris, La Découverte, 1995.
BOYER, R. et P. F. SOUYRI (dir.). *Mondialisation et régulations. Europe et Japon face à la singularité américaine*, Paris, La Découverte, 2001.
BRAUDEL, F. *Civilisation matérielle, économie et capitalisme, les jeux de l'échange*, Paris, Armand Colin, 1980, 3 vol.
BRAUDEL, F. *La dynamique du capitalisme*, Paris, Arthaud, 1985.

BRAVERMAN, H. *Travail et capitalisme monopoliste*, Paris, F. Maspéro, 1976.

BROWN, L. R. *State of the World 1990*, Washington, Worldwatch Institute, 1990.

BUCHANAN, J. M. et R. D. TOLLISON. *The Theory of the Public Choice*, Michigan, University of Michigan Press, 1984.

BUROWAY, M. *Manufacturing Consent*, Chicago, University of Chicago Press, 1979.

BURR, I. W. *Elementary Statistical Quality Control*, New York, Marcel Dekker, 1984.

BURRELL, G. et G. MORGAN. *Sociological Paradigms and Organizational Analysis*, London, Heineman Educational Books, 1979.

CAILLÉ, A. *Critique de la raison utilitaire, manifeste du MAUSS*, Paris, La Découverte, 1989.

CALVEZ, J. Y. *La pensée de Karl Marx*, Paris, Éditions du Seuil, 1970.

CANS, R. *Le monde poubelle*, Paris, First, 1990.

CAPRA, F. *Le temps du changement. Science, Société, Nouvelle culture*, Paris, Le Rocher, 1983.

CASTELLS, M. *L' ère de l'information*, Paris, Fayard, 1999, 3 t.

CHANLAT, A. « Le managérialisme à bout de souffle », *Revue L'Action Nationale*, n° 84, 1994, p. 152-184

CHANLAT, A., M. DUFOUR, *et al. La rupture entre l'entreprise et les hommes*, Paris et Montréal, Édition de l'organisation et Éditions Québec/Amérique, 1985.

CHANLAT, A. et R. BÉDARD. « La gestion, une affaire de parole », *in* J.-F. Chanlat (dir.), *L'individu dans l'organisation. Les dimensions oubliées*, Québec, PUL, 1990.

CHANLAT, J.-F. (dir.). *L'individu dans l'organisation. Les dimensions oubliées*, Québec, PUL, 1990.

CHANLAT, J.-F. *Sciences sociales et management. Plaidoyer pour une anthropologie générale*, Québec, PUL, 1998.

CHOSSUDOVSKY, M. *La mondialisation de la pauvreté*, Montréal, Éditions Écosociété, 1998.

CLEGG, S. R. *Power Myth and Domination*, London, Routledge and Kegan Paul, 1975.

CLEGG, S. R. et D. DUNKERLEY. *Critical Issues in Organizations*, London, Routledge and Kegan Paul, 1977.
COURVILLE, L. *Piloter dans la tempête: comment faire face aux défis de la nouvelle économie*, Montréal, Éditions Québec/Amérique et Presses de l'École des HEC, 1994.
CYERT, R. M. et J. G. MARCH. *A Behavioral Theory of the Firm*, Englewood Cliffs (N.J.), Prentice-Hall, 1963.
DAMIAN, M. et J-C. GRAZ (dir.). *Commerce international et développement soutenable*, Paris, Économica, 2001.
DE BERNIS, G. D. *Théories économiques et fonctionnement de l'économie mondiale*, Paris et Grenoble, UNESCO et Presses universitaires de Grenoble, 1988.
DE ROSNAY, J. *Le macroscope*, Paris, Éditions du Seuil, 1975.
DEAL, T. E. et A. A. KENNEDY. *Corporate Culture: The Rites and Rituals of Corporate Life*, Reading (Mass.), Addison Wesley, 1982.
DEBREU, G. *General Equilibrium Theory*, Cheltenham, E. Elgar, 1966.
DEJOURS, C. *Le travail, usure mentale*, Paris, Le Centurion, 1980.
DEJOURS, C. *Souffrance en France*, Paris, Éditions du Seuil, 1998.
DEPREE, M. *Leadership is an Art*, New York, Doubleday, 1989.
DÉRY, R. « Topographie du champ de recherche en stratégie d'entreprise », *Management International*, vol. 1, n° 2, 1997, p. 11-18.
DÉRY, R. « La structuration socio-historique de la stratégie », *in* A. Noël *et al.*, *Perspectives en management stratégique*, Paris, Economica, 1997, p. 15-63.
DESSUS, B. *Systèmes énergétiques pour un développement durable*, thèse de doctorat en économie appliquée, Grenoble, Université Pierre Mendès France, 1995.
DEVEREUX, G. *Essai d'ethnopsychiatrie générale*, Paris, Gallimard, 1970.
DEVEREUX, G. *Ethnopsychanalyse complémentariste*, Paris, Gallimard, 1980.

DUMONT, R. *Un monde intolérable. Le libéralisme en question*, Paris, Éditions du Seuil, 1988.

DUPUIS, J.-P. *Ordres et désordres*, Paris, Éditions du Seuil, 1974.

ENGELS. F. *Origine de la famille, de la propriété et de l'État*, Paris, Éditions Sociales, 1961.

ERROUAKI, A. et J. G. LORANGER « *The Crisis of Economic Theory and a New Approach to the Crisis of Regulation in Canada* », Département de sciences économiques, Centre de recherche et de développement en économique, Université de Montréal, Cahier 8426, 1984.

ERROUAKI, A. « *The Indebtedness of the Developing Countries: Another Look* », Département d'économique, Université de Sherbrooke, Cahier 8511, 1985.

ERROUAKI, A. et P. GUISSANI. « *Empirical Evidence for Trends towards Globalization in World Economy* », Santiago de Chile, Communication PEKEA Congress, sept. 2002.

ERROUAKI, A. et E. J. NELL. *The Logic of Econometric Discovery: Reflection on the Scientific Standing of Econometric Methodology*, à paraître, 2003.

ETZIONI, A. *The Moral Dimension. Toward a New Economics*, New York, Free Press, 1989.

EVANS-PRITCHARD, E. E. *Social Anthropology*, London, Cohen and West, 1950.

FACCARELLO, G. *Travail, valeur et prix. Une critique de la théorie de la valeur*, Paris, Éditions Anthropos, 1983.

FITOUSSI, J. P. *Le débat interdit*, Paris, Éditions du Seuil, 2000.

FORRESTER, J. W. *World Dynamic*, Cambridge, Wright-Allen Press, 1971.

FRANK, A.-G. *Le développement du sous-développement*, Paris, Maspéro, 1967.

FRIEDRICH, O. « Business School Solutions May Be Part of the US Problem », *Time Magazine*, 4 mai 1981, p. 52-59.

FROMM, E. *Marx's Concept of Man*, New York, Frederick Ungar, 1961.

FURTADO, C. *Development and Underdevelopment*, Berkeley, University of California Press, 1964.

GALBRAITH, J. K. *The Affluent Society*, Boston, Hougton Mifflin, 1958.

GALBRAITH, J. K. *Economics in Perspective. A Critical History*, Boston, Hougton Mifflin, 1987.

GALBRAITH, J. K. *Voyage à travers le temps économique*, Paris, Éditions du Seuil, 1989.

GALBRAITH, J. K. *L'économie en perspective*, Paris, Éditions du Seuil, 1989.

GALLO, M. *Manifeste pour une fin de siècle obscure*, Paris, Odile Jacob, 1989.

GÉNÉREUX, J. *Les vraies lois de l'économie*, Paris, Éditions du Seuil, 2001.

GEORGESCU-ROEGEN, N. *The Entropy Law and the Economic Process*, Cambridge (Mass.), Harvard University Press, 1971.

GEORGESCU-ROEGEN, N. *Demain la décroissance*, Paris, Payot, 1989.

GHALI, B. B. *Démocratiser la mondialisation*, Paris, Éditions du Rocher, 2002.

GIDDENS, A. *Social Class and the Division of Labour*, Cambridge (Mass.), Cambridge University Press, 1982.

GIDDENS, A. *La contribution de la société : éléments de la théorie de la structuration*, Paris, PUF, 1987.

GIDDENS, A. *Social Theory Today*, Stanford (Calif.), Stanford University Press, 1987.

GODELIER, M. *Rationalité et irrationalité en économie*, Paris, Maspéro, 1966.

GORZ, A. *Strategy for Labor : A Radical Proposal*, Boston, Beacon, 1967.

GRAMSCI, A. *Selections from the Prison Notebooks*, New York, International Publishers, 1971.

GROUPE DE LISBONNE. *Les limites de la compétitivité*, Montréal, Boréal, 1995.

GUILLERMOU, A. *Les Jésuites*, coll. « Que sais-je ? », Paris, PUF, 1961.

GUILLET DE MONTHOUX, P. *The Moral Philosophy of Management*, non publié, Stockholm University, 1989.

GUITTON, H. *Entropie et gaspillage*, Paris, CUJAS, 1975.
HAFSI, T., F. SÉGUIN et J. M. TOULOUSE. *La stratégie des organisations : une synthèse*, Montréal, Éd. Transcontinental inc., 2000.
HARNECKER, M. *Les concepts élémentaires du matérialisme historique*, Bruxelles, Contradictions, 1974.
HARRINGTON, J. *Le management selon Harrington*, New-Jersey, Prentice Hall, 1998.
HAWKING, S. W. *Une brève histoire du temps : du big bang aux trous noirs*, Paris, Flammarion, 1989.
HEILBRONER, R. *The Wordly Philosophers*, New York, Washington Square Press, 1970. (Traduit en français sous le titre *Les grands économistes*, Paris, Éditions du Seuil, 1971.)
HEILBRONER, R. *Marxism : For and Against*, New York, W.W. Norton and Company, 1980.
HEILBRONER, R. *Le Capitalisme, nature et logique*, Paris, Atlas/Économica, 1986.
HERZBERG, F. « Humanities : Practical Management Education », *Industry Week*, vol. 206, n° 7, 29 septembre 1980, p. 69-72.
HOBSON, J. A. *Imperialism*, Michigan, University of Michigan Press, 1965
JACQUARD, A. *Voici venu le temps du monde fini*, Paris, Éditions du Seuil, 1994.
JACQUARD, A. *J'accuse l'économie triomphante*, Paris, Éditions du Seuil, 1995.
JALÉE, P. *Le pillage du tiers-monde*, Paris, F. Maspéro, 1965.
JONES, E. L. *The European Miracle*, Cambridge (Mass.), Cambridge University Press, 1987.
JULIEN, C. *et al.* « La planète mise à sac », *Le monde diplomatique*, Paris, Manière de voir, n° 8, mai 1990.
KAMDEM, E. *Temps et travail en Afrique*, Montréal, CETAI-HEC, cahier n° CAM-90-07, 1990.
KETS DE VRIES, M. et D. MILLER. *The Neurotic Organization*, San Francisco, Jossey-Bass, 1984.
KILMAN, R. H. *et al. Gaining Control of the Corporate Culture*, San Francisco, Jossey-Bass, 1985.

KNIGHTS, D. « Changing Spaces : The Disruptive Impact of a New Epistemological Location for the Study of Management », *Academy of Management Preview*, vol. 3, n° 17, 1992, p. 514-536.

KOLAKOWSKI, L. *Toward a Marxist Humanism*, New York, Grove Press, 1968.

KOLAKOWSKI, L. *Main Currents of Marxism*, London, Oxford University Press, 1978.

KOLAKOWSKI, L. *Histoire du marxisme*, Paris, Fayard, 1987, vol. 2.

KOTLER, P. *The Marketing of Nations : A Strategic Approach to Building National Wealth*, New York, Free Press, 1997.

LABARRE, P. et B. MARIS, *La bourse ou la vie. La grande manipulation des petits actionnaires*, Paris, Albin Michel, 2000.

LEE, J. A. *The Gold and the Garbage in Management. Theories and Prescriptions*, Athens Ohio, Ohio University Press, 1980.

LOVELOCK, J. F. *Gaïa, a New Look at Life on Earth*, New York, W.W. Norton and Co., 1979.

LUCAKS, G. *History and Class Consciousness*, Cambridge (Mass.), Cambridge University Press, 1971.

LUTTWAK, E. N. *Le rêve américain en danger*, Paris, Odile Jacob, 1995.

LUXEMBOURG, R. *L'accumulation du capital*, Paris, F. Maspéro, 1967.

MACARTHUR, J. R. *The Selling of « Free Trade »*, Berkeley, University of California Press, 2000.

McCARTHY, G. E. *Marx and the ancients*, Savage, Maryland, Rowman & Littlefield, 1990.

MALABRE, A. L. jr. *The Lost Prophet : An Insider's History of the Modern Economists*, Boston, Harvard Business School Press, 1994.

MANDEL, E. « Althusser corrige Marx », *in* coll., *Contre Althusser*, coll. « 10/18 », Paris, U.G.E., n° 906, 1974, p. 261-285.

MANTOUX, P. *La Révolution industrielle du* XVIIIe *siècle*, Paris, Génin, 1959.

MARCUSE, H. *L'homme unidimensionnel, essai sur l'idéologie de la société industrielle avancée*, Paris, Éditions de Minuit, 1968.

MARÉCHAL, J. P. *Humaniser l'économie*, Paris, Desclée De Brouwer, 2000.

MARGLIN, S. « Origines et fonctions de la parcellisation des tâches » *in* A. Gorz (dir.), *Critique de la division du travail*, coll. « Points », Paris, Éditions du Seuil, 1973.

MARIS, B. *Des économistes au-dessus de tout soupçon*, Paris, Albin Michel, 1990.

MARIS, B. *Lettre ouverte aux gourous de l'économie qui nous prennent pour des imbéciles*, Paris, Albin Michel, 1999.

MARX, K. *Le capital*, Paris, Éditions Sociales, 1967, 3 t.

MARX, K. *Écrits de jeunesse*, Paris, Quai Voltaire, 1994.

MARX, K. *Œuvres : Économie*, coll. « La Pléiade », Paris, Gallimard, 1965, 2 t.

MARX, K. *Œuvres philosophiques*, Paris, Éditions Champ Libre, 1981, 2 t.

MAURY, R. *Les patrons japonais parlent*, Paris, Éditions du Seuil, 1990.

MAYOR-ZARAGOZA, F. et J. BINDÉ, *The World Ahead : our Future in the Making*, London & New York, Zed Books, 2001.

MAYOR-ZARAGOZA, F. *Los nudos gordianos*, Barcelona, Galaxia Gutenberg, 1999.

MC CLOSKEY, D. « Bourgeois Virtue », *American Scholar*, vol. 63, n° 2, printemps 1994, p. 177-191.

MEADOWS, D. H. *Halte à la croissance ? Enquête sur le Club de Rome*, Paris, A. Fayard, 1972.

MICHEL, S. *Peut-on gérer les motivations ?*, Paris, PUF, 1989.

MINC, A. *L'argent fou*, Paris, Grasset, 1990.

MINTZBERG, H. *The Nature of Managerial Work*, New York, Harper and Row, 1973.

MINTZBERG, H. *Inside Our Strange World of Organisations*, New York, Free Press, 1989.

MINTZBERG, H. « Formons des managers, non des MBA », *Harvard-L'Expansion*, n° 51, hiver 1988-1989, p. 84-92.

MINTZBERG, H. *The Rise and Fall of Strategic Planning*, New York, The Free Press, 1994.

MITROFF, I. I. et T. PAUCHANT. *We're so Big and Powerful Nothing Bad can Happen to Us*, New York, Birch Lane Press, 1990.

MORGAN, G. *Images of Organizations*, Beverly Hills, Sage Publications, 1986.

MORIN, E. *Terre-patrie*, Paris, Éditions du Seuil, 1993.

NAHREMA, M. et V. BAWTREE (éd.). *The Post-Development Reader*, Zed Books, London & New Jersey, 1997.

NELL, E. J. *Prosperity and Public Spending*, New York-London, Urwin Hyman, 1988.

NELL, E. J. *Transformational Growth and Effective Demand*, London, Macmillan et New York, New York University Press, 1991.

NELL, E. J. *The General Theory of Transformational Growth*, Cambridge, Cambridge University Press 1998.

NEUVILLE, J. *La condition ouvrière au* XIXe *siècle*, Paris, Vie ouvrière, 1976, 1980, 2 t.

NORD, W. R. « The Failure of Current Applied Behavioral Science : A Marxian Perspective », *Journal of Applied Behavioral Science*, n° 10, 1974, p. 557-578.

NORTH, D. C. « Institutions », *The Journal of Economic Perspectives*, vol. 5, n° 1, 1991, p. 97-112.

NOVAK, M. *The Catholic Ethic and the Spirit of Capitalism*, New York, Free Press, 1993.

ODUM, H. et G. PILLET. *E3 : énergie, écologie, économie*, Genève, Georg éditeur, 1987.

OLIVE, D. *Just Rewards : The Case of Ethical Reform in Business*, Toronto, Key Porter Books, 1987.

OLSON, M. *The Logic of Collective Action*, Cambridge (Mass.), Harvard University Press, 1965.

OHLIN, B. *Interregional and International Trade*, Cambridge (Mass.), Harvard University Press, 1967.

OUCHI, W. G. *Theory Z : How American Business can Meet the Japanese Challenge*, Readings (Mass.), Addison Wesley, 1981.

PACKARD, V. *The Ultra Rich, How Much is Too Much*, London, Little, Brown and Co., 1989

PAGÈS, M. *et al. L'emprise de l'organisation*, 3e éd., Paris, PUF, 1984.

PASCALE, R. T. et A.G. ATHOS. *The Art of Japanese Management*, New York, Simon and Schuster, 1981.

PASSET, R. *L' illusion néolibérale*, Paris, Fayard, 2000.

PASSET, R. *L'économique et le vivant*, Paris, Payot, 1979.

PERROUX, F. *Pôles de développement ou nations*, Paris, PUF, 1958.

PERROW, C. *Complex Organizations, a Critical Essay*, New York, Random House, 1986.

PESTEL, E. *L'homme et la croissance, rapport au Club de Rome*, Paris, Economica, 1988.

PETERS, T. *Thriving on Chaos*, San Francisco, Alfred A. Knopf Inc., 1987.

PETERS, T. et N. AUSTIN. *A Passion of Excellence*, New York, Random House, 1985.

PETERS, T. et R. WATERMAN. *In Search of Excellence*, New York, Harper & Row, 1982.

PETIT, P. *La croissance tertiaire*, Paris, Économica, 1988.

PETIT, P. *L'économie de l'information*, Paris, La Découverte, 1998.

PFEFFER, R. *Working for Capitalism*, New York, Columbia University Press, 1979.

PILLET, G. *Économie écologique*, Genève, Georg éditeur, 1993.

PLANCK, M. *Initiation à la physique*, Paris, Payot, 1980.

POLANYI, K. *La grande transformation*, Paris, Gallimard, 1983.

POLANYI, K. et C. ASENBERG. *Les systèmes économiques dans l'histoire et dans la théorie*, Paris, Larousse, 1960.

PORTER, M. « Stratégie : analysez votre industrie », *Harvard L'Expansion*, n° 13, été 1979, p. 100-111.

PORTER, M. « How Competitive Forces Shape Strategy », *Harvard Business Review*, mars-avril 1979.

PORTER, M. *Competitive Strategy : Techniques for Analyzing Industries and Competitors*, New York, Free Press, 1980.

PORTER, M. *L'avantage concurrentiel des nations*, Paris, Interéditions, 1993.
PRIGOGINE, I. et I. STENGERS. *La nouvelle alliance*, Paris, Gallimard, 1979.
PRIGOGINE, I. et I. STENGERS. *Entre le temps et l'éternité*, Paris, Fayard, 1988.
PUTTERMAN, L. *The Economic Nature of the Firm, A Reader*, Cambridge (Mass.), Cambridge University Press, 1986, p. 72-85.
QUESNAY, F. *Tableau économique des physiocrates*, Paris, Calmann-Lévy, 1969.
RAZETO-MIGLIARO, L. *Desarrollo, transformación y perfeccionamiento de la economía en el tiempo*, Santiago de Chile, Universidad Bolivariana, 2000.
REDER, M. W. *Economics, the Culture of a Controversial Science*, Chicago, Chicago University Press, 1999.
REEVES, H. *Patience dans l'azur : l'évolution cosmique*, Sillery, Presses de l'Université du Québec, 1981.
REICH, R. *Futur parfait. Progrès, technique et défis sociaux*, Paris, Village Mondial, 2001.
RICARDO, D. *Des principes de l'économie politique et de l'impôt*, Paris, Flammarion, 1992.
RIFKIN, J. *Entropy, A New World View,* éd. révisée, New York, Bentam Books, 1989.
ROCARD, M. *Qu'est-ce que la social-démocratie ?*, Paris. Éditions du Seuil, 1979.
ROSANVALLON, P. *La nouvelle question sociale*, Paris, Éditions du Seuil,1995.
SAINSAULIEU, R. « La régulation culturelle des ensembles organisés », *L'année sociologique*, n° 33, 1983, p. 195-217.
SAINSAULIEU, R. *et al. Organisation et management en question(s)*, Paris, L'Harmattan, 1987.
SAINT-MARC, P. *L'économie barbare*, Paris, Frison-Roche, 1994.
SALIN, P. *La concurrence*, coll. « Que sais-je ? », Paris, PUF, 1995.
SALONER, G., A. SHELPARD et J. PODOLNY. *Strategic Management*, New York, Whiley & Sons, 2000.

SAMUELSON, P. A. et W. F. STOPER. « Protection and Real Wages », *Review of Economic Studies*, vol. 9, 1941, p. 58-73.
SCHEIN, E. *Organizational Culture and Leadership*, San Francisco, Jossey-Bass, 1985.
SCHRÖDINGER, E. *Qu'est-ce que la vie ?*, Paris, Payot, 1978.
SCHUMPETER, J. *Capitalism, Socialism and Democracy*, New York, Harper and Brothers, 1942.
SCHUMPETER, J. *Histoire de l'analyse économique*, Paris, Gallimard, 1983, 3 t.
SÉGUIN, F. et J.-F. CHANLAT. *L'analyse des organisations, une anthologie sociologique*, Montréal, Gaëtan Morin, 1983, t. I.
SEMLER, R. *À contre courant*, Paris, Dunod, 1993.
SEN, A. *Repenser l'inégalité*, Paris, Éditions du Seuil, 2000.
SERIEYX, H. *Le zéro mépris*, Paris, InterEditions, 1989.
SERRES, M. *La distribution*, Paris, Éditions de Minuit, 1977.
SHANNON, C. E. et W. WEAVER. *Théorie mathématique de la communication*, Paris, Retz, 1975.
SIEVERS, B. « Beyond the Surrogate of Motivation », *Organization Studies*, vol. 7, n° 4, 1986a, p. 335-351.
SIEVERS, B. « Participation as a Collusive Quarrel over Immortality », *Dragon, the Journal of SCOS*, vol. 1, n° 1, 1986b, p. 72-82.
SIEVERS, B. *Work, Life and Death Itself*, Berlin et New York, Walter de Gruyter, 1996.
SMITH, A. *Enquête sur la nature et les causes de la richesse des nations*, Paris, PUF, 1995.
SPROUSE, M. « Sabotage », *The American Workplace*, San Francisco, Pressure Drop Press, 1992.
STAYER, R. « How I learn to Let my Workers Lead », *Harvard Business Review*, nov.-déc. 1990, p. 66-83.
STIGLITZ, J. *La grande désillusion. Aujourd'hui, la mondialisation ça ne marche pas*, Paris, Fayard, 2002.
TABATONI, P. et F. ROURE, *La dynamique financière*, Paris, Éditions d'organisation, 1988.
TAYLOR, L. *Income Distribution, Inflation and Growth*, Cambridge (Mass.), MIT Press, 1991.
TERKEL, D. *Working*, New York, Avon Books, 1972.

TERTRE (DU), C. *Technologie, flexibilité, emploi. Une approche sectorielle du post-taylorisme*, Paris, L'Harmattan, 1989.
THOM, R. *Mathématiques du chaos*, Paris, Payot, 1989.
THOMPSON, E. P. « Time, Work, Discipline and Industrial Capitalism », *Past and Present*, n° 38, décembre 1967, p. 56-97.
THUROW, L. C. *The Future of Capitalism*, New York, Penguin Books, 1996.
TIJERINA-GARZA, E. *Aprendiendo economía con los Nobel*, Mexicó, Plaza y Valdes, 2000.
TODD, E. *L' illusion économique*, Paris, Gallimard, 1998.
TOFFLER, A. *The Third Wave*, New York, William Morrow, 1980.
TOFFLER, A. *The Adaptive Corporation*, New York, McGraw-Hill, 1986.
TURNER, B. A. (dir.) *Organizational Symbolism*, Berlin-New York, Walter de Gruyter, 1990.
VARELA, F. J. *Principles of Biological Autonomy*, New York, Elsevier North Holland, 1980.
VEBLEN, T. *Théorie de la classe de loisir*, Paris, Gallimard, 1970.
VERNON, R. *Les entreprises multinationales : la souveraineté nationale en péril*, Paris, Calmann-Lévy, 1973.
VILLETTE, M. *L'homme qui croyait au management*, Paris, Éditions du Seuil, 1988.
VOGEL, E. *Le Japon médaille d'or*, Paris, Gallimard, 1983.
WALRAS, L. *Éléments d'économie politique pure : théorie de la richesse sociale*, Paris, Librairie générale de droit et de jurisprudence, 1952.
WATERMAN, R. *The Renewal Factor*, New York, Bantam Publishers, 1987.
WEBER, M. *L'éthique protestante et l'esprit du capitalisme*, Paris, Plon, 1964.
WEBER, M. *Économie et société*, Paris, Plon, 1971.
WEBER, M. *Histoire économique*, Paris, Gallimard, 1991.
WEITZMAN, M. L. *The Share Economy : Conquering Stagflation*, Cambridge (Mass.), Harvard University Press, 1984.

WILLIAMSON, O. E. « Strategizing, Economizing, and Economic Organization », *Strategic Management Journal*, vol. 12, 1991, p. 75-94

WOLMAN, W. et A. COLAMOSCA. *The Judas Economy. The Triumph of Capital and the Betrayal of Work*, Reading (Mass.), Addison-Wesley, 1998.

YERGIN, D. et J. STANISLAS. *La grande bataille. Les marchés à l'assaut du monde*, Paris, Odile Jacob, 2000.

Les Éditions Écosociété

De notre catalogue

Les gros raflent la mise

À qui profite les fonds publics à l'heure de la mondialisation

STEVEN GORELICK

La phénoménale croissance des entreprises transnationales dans une économie de plus en plus mondialisée n'est pas le fruit d'un processus inévitable. Il s'agit plutôt d'un phénomène social, historique, qui résulte notamment de choix politiques faits au nom de la population par les gouvernements. Cette course à l'expansion infinie est généreusement financée par l'État : les élites sont convaincues que tout ce qui est gros et grand s'avère bon marché, efficace, meilleur et profitable pour tous. Et si ce n'était pas le cas ?

Steven Gorelick expose ici à qui et à quoi profitent les fonds publics à l'heure de la mondialisation. Sans une kyrielle de subventions directes et indirectes dans les domaines de l'énergie, des transports, des communications et de l'éducation, les transnationales ne seraient pas devenues ce qu'elles sont. L'auteur démontre que l'argent des contribuables est utilisé pour créer une structure économique servant à assouvir l'appétit toujours grandissant de ces entreprises.

Les citoyens soutiennent donc, sans nécessairement le savoir, les forces responsables de l'érosion des communautés, des emplois et de l'environnement. Loin de se laisser décourager par ce constat, l'auteur propose des solutions de rechange. Il est possible de revoir nos modes de vie et le fonctionnement du monde. Pour créer des structures qui protègent la diversité culturelle et la richesse de la nature, il importe de valoriser l'économie locale plutôt que le commerce international, et de miser sur la constitution de collectivités vivantes et dynamiques plutôt que sur le renforcement d'organisations lointaines et anonymes.

ISBN 2-921561-64-6
213 pages
18,00$

Le pouvoir mis à nu

NOAM CHOMSKY

Les États-Unis seraient engagés dans un processus historique visant l'émergence, à l'échelle mondiale, d'« une société tolérante, dans laquelle dirigeants et gouvernements existent non pas pour exploiter la population ou abuser d'elle, mais pour lui fournir liberté et perspectives », a un jour affirmé le porte-parole d'un président américain. Pourtant, de nombreux documents et témoignages révèlent que la superpuissance agit de façon à détruire la démocratie et à miner les droits de la personne, et ce, avec une certaine cohérence, les prétextes invoqués variant d'une époque à l'autre selon les nécessités doctrinales du moment.

Noam Chomsky a basé cet ouvrage sur les notes d'une série de conférences données en Australie. Toujours d'actualité, l'analyse présentée illustre brillamment, grâce à de nombreux exemples, la véritable nature et l'étendue du pouvoir impérial américain. Elle a aussi le mérite d'offrir un tour d'horizon de la pensée du célèbre linguiste, puisqu'on y trouve un passage où celui-ci nous expose ses idéaux politiques, ainsi que deux chapitres à teneur plus philosophique où il nous entretient de ses vues sur la nature, l'esprit et le langage.

« Une lecture incontournable, pour quiconque désirerait décoder avec davantage d'acuité les rouages du Nouvel Ordre mondial. » Stanley Péan, *Le Libraire*

2e tirage
ISBN 2-921561-61-1
400 pages
30,00 $

Guerre et mondialisation

La vérité derrière le 11 septembre

MICHEL CHOSSUDOVSKY

Dans ce livre-choc, Michel Chossudovsky remet en question la thèse répétée par les médias que les attaques du 11 septembre sont la conséquence de « lacunes » des services de renseignements américains. À partir d'une recherche méticuleuse, l'auteur décrit les enjeux politiques derrière le 11 septembre et dévoile non seulement le camouflage mais également la complicité de hauts responsables au sein de l'administration Bush.

D'après l'auteur, la « guerre contre le terrorisme » n'est qu'un mensonge reposant sur l'illusion véhiculée auprès de l'opinion publique, qu'un seul homme, Oussama ben Laden, a réussi à déjouer l'appareil des services secrets américains dont le budget annuel s'élève à plus de 30 milliards de dollars.

Le 11 septembre s'est avéré le moment attendu par l'administration Bush, la « crise utile », qui lui fournissait le prétexte non seulement pour mener une « guerre sans frontières » mais également pour suspendre les libertés fondamentales et les droits constitutionnels.

Dans la foulée des événements tragiques du 11 septembre, la présumée « campagne contre le terrorisme international » se convertit en une guerre de conquête, visant à imposer un « Nouvel Ordre mondial » dominé par Wall Street et le complexe militaro-industriel américain. L'objectif caché consiste à imposer la mondialisation et à étendre les frontières de l'empire américain. Par le déploiement d'une force militaire d'une ampleur sans précédent depuis la Seconde Guerre mondiale, les États-Unis se sont engagés dans une aventure militaire qui met en péril l'avenir de l'humanité.

ISBN 2-921561-77-8
256 pages
17,00 $

La globalisation du monde

Laisser faire ou faire ?

JACQUES B. GÉLINAS

Pour bien circonscrire son sujet, Jacques B. Gélinas établit dès le départ une nette distinction entre la mondialisation, phénomène ancien d'expansion planétaire, et la globalisation, réalité nouvelle – et le nom, et la chose – qu'il définit comme « la gouverne du monde par de puissants intérêts économiques transnationaux, lesquels tendent à englober dans un marché dérégulé et déréglé toutes les ressources de la planète, toutes les activités humaines et toutes les cultures ».

Le but de l'auteur est d'expliquer non seulement la globalisation de l'économie, mais le monde globalisé. Il désigne et décrit les maîtres et les contremaîtres, les idéologues et les figurants de ce faux « village globa ». Il dénonce les effets pervers de la globalisation : la dégradation de l'environnement, le creusement des inégalités, la destruction des communautés et le pourrissement de la démocratie. Au-delà de cet affligeant bilan, il explore les contours d'un modèle alternatif qui se profile au sein même du présent système.

« La globalisation du monde de Jacques B. Gélinas est un ouvrage remarquable que devraient se procurer syndicalistes, enseignants, responsables d'ONG et tout citoyen préoccupé par l'avenir de la démocratie. Comment mieux décrire la qualité de ce livre sinon de dire qu'il se lit comme un roman et qu'en même temps il n'hésite pas à aborder les aspects les plus théoriques du sujet ? [...] Et c'est probablement sa plus grande qualité, celle d'être un manuel, un outil pédagogique passionnant. » Gil Courtemanche, *Le Libraire*

3e tirage
ISBN 2-921561-44-1
(tous pays sauf France)
ISBN 2-921561-54-9
(France seulement)
340 pages
24,95 $

Propagande, médias et démocratie

NOAM CHOMSKY
ET ROBERT W. MCCHESNEY

Dans cet ouvrage, Noam Chomsky et Robert W. McChesney démontent, dans deux textes succincts mais non moins percutants, le système dans lequel nous vivons et le rôle qu'y jouent les médias.

Dans Les exploits de la propagande, Chomsky retrace l'histoire contemporaine de l'influence de la propagande sur la formation de l'opinion publique aux États-Unis. Les milieux politiques, activement soutenus par le milieu des affaires et les médias, ont systématiquement orchestré, depuis la Première Guerre mondiale, de coûteuses campagnes de propagande pour amener la population à adhérer à des mesures dont elle ne voulait pas.

Quant à Robert W. McChesney, il raconte, dans Les géants des médias: une menace pour la démocratie, l'histoire du système des médias américains qui soumet aujourd'hui l'information, le journalisme et la population à un oligopole d'intérêts financiers et commerciaux. Les années 1990 ont connu une vague sans précédent de fusions et d'acquisitions dans ce domaine. Moins de 10 conglomérats colossaux contrôlent actuellement le marché des médias américain et mondial. La notion même de médias démocratiques tend à disparaître.

« La lecture de ce livre nous montre à quel point est précieuse la diffusion de la presse alternative, source de relations, d'entraide et de véritables informations. » Michel Bernard, *Silence*

3e tirage
ISBN 2-921561-49-2
202 pages
14,95 $

Faites circuler nos livres.

Discutez-en avec d'autres personnes.

Inscrivez-vous à notre Club du livre.

Si vous avez des commentaires, faites-les-nous parvenir ; il nous fera plaisir de les communiquer aux auteurs et à notre comité de rédaction.

Les Éditions Écosociété
C.P. 32 052, comptoir Saint-André
Montréal (Québec)
H2L 4Y5
Courriel : ecosoc@cam.org
Toile : www.ecosociete.org

Nos diffuseurs

en Amérique : *Diffusion Dimédia inc.*
539, boul. Lebeau
Saint-Laurent (Québec)
H4N 1S2

en France : *Diffusion de l'édition québécoise (DEQ)*
30, rue Gay-Lussac
75005 Paris

en Belgique : *Éditions Aden*
165, rue de Mérode
B-1060 Bruxelles

Achevé d'imprimer
en août deux mille deux, sur les presses
de l'Imprimerie Gauvin, Hull, Québec